Андрејана Дворнић

ЉУДИ ОД ВОДЕ

Уредник
Зоран Колунџија

Андрејана Дворнић

ЉУДИ ОД ВОДЕ

ПРОМЕТЕЈ
Нови Сад

*„Све што видиш може бити
да није оно у шта гледаш"*

Мом оцу Вељку

I ДИО

ВРИЈЕМЕ ПРИЈЕ ВОДЕ

Старац је сједио на оштро избоченој литици изнад самог Језера. Како ту посједне, ту ћеш га наћи и у по дана, од јутрења до сумрака. Двије козе су брстиле у близини, ломећи ситне гранчице драче. Било је неко доба године када је човјек жељан сунца, а сунце је тај дан гријало као у по љета.

Мушице се завpзлаше око Старчеве главе и упетљаше му се у косу. Засмета му, па пљесну руком оно место на глави на коме их осјети. Сад су нашле да му пркосе проклете, ко да их је тјерао себи, а не од себе! Ока није скидао са површине воде тачно тамо на једном мјесту, по средини Језера, нешто ближе обали на којој је сједио. Гледао је тугаљиво ка том мјесту. Онда се нагло промјени у лицу и погледом пуним мржње обухвати обалу с друге стране. Чекао је. Долијаће они опет и доћи њему пред карабин. Јадна ли им мајка, падну ли му шака овај пут! Нешто искочи из грмља, козе се поплашише, Старац прену. Видје неку ситну дивљач што замаче, биће да је лисица. Узе камен у руку и баци га у правцу којим лисица замаче.

Како узе камен тако примјети остављен тањир поред себе. „Риба! Пих!“ промрмља згажен. Ћушну га од себе и баци поглед ка манастирској згради. Онда откопча свој гуњац и из унутрашњег пришивеног цепа извуче боту козјег сира из мјешине и комад сувог крува. Онај сир му се топи у устима ко да га од жеље једе, а не сваки дан, док траје, и за ручак и за вечеру. Поносан је, сам га прави и задовољан је што га ни са ким не дјели. Крув му теже иде. Приноси га чворнатим прстима, али не иде. Толико је тврд да ни ћошак прегристи не може са оно мало здравих зуба што му је остало. „Врага су и ови здрави!“ мисли. Повређују га при сваком залогају, али трпи. Повадио их је до-

ста својом руком чим би га почели мучити, а нешто је поиспа-
дало и само. Рачуна: „Боље који зуб у устима него ниједан! Ка-
ко би иначе прегризао шта друго осим сира?!“ Сад, пред јесен,
заклао је једну козу, а меса још остало. Засушио га, спустио у
сић, па у бунар. Није ово вријеме још право заладило, усмрдиће
се, а сунце нагрнуло ко лудо усред касне јесени. Врати крув у
гуњац. Натопиће га у води или мљеку, кад дође кући, размек-
шаће га и лакше појести. Засљепи га сунце на мах и одвуче му
пажњу слан залогај сира у устима, па се брже-боље прекори и
упери поглед ка површини воде. „Чекаћу“, мислио је, „ можда
се и врате.“

Пролазили су тако сати и сунце поче бацати краћу сјену.
Утрнуо је сједећи на камену, није осјећао ни удове од трнаца
што су их преузимали. Поглед му се укочио на оној води и ни-
једном није трепнуо. Личио је на камену статуу која је намјери-
ла своје мјесто, увијек исто, сваког божјег дана. Помјери десну
руку у рамену, несвјесно. Неки мишић му затрепери да би га
разликовао од камена. Знао је да је ту неко. Знао је по трзању
десног му рамена, чак и да није видио слабу сјену што му је на
трен прекрила хладом оно мјесто на коме бијаше.

„Добри човјече, што не поједе рибу?“, упита тихи глас иза
њега.

Умири се све што је одвећ и стајало па се кроз неко врије-
ме помјерише шкрто усне и Старац одговори: „Иди својим пу-
тем, Божји човјече.“

Монах је стајао неко време, гледајући наизменично у Стар-
ца па у оно мјесто посред воде. Уздах му се несвјесно наслутио
из груди. Расклопи руке испод мантије и прекрсти се. Дохвати
лимени суд са рибом и отресе мраве са њега. Спусти покорно
главу и тихим кораком се удаљи. Двије козе се помолише иза
грмља, намиренс, подбулих трбуха. Обе замекеташе и Старац
спозна да је вријеме. Помјери прво десну руку трзајем рамена
уназад, па рашири и скупи шаку неколико пута да крв пројури.
Узе штап што му је стајао поред ногу, па се са камена спусти пр-

во на кољена па на земљу, и потпомогну се њиме да устане. Окрену се козама, остави иза себе поглед као да му додијаше и крену утрнулим стопалима кроз шуму и кратко растиње на главни земљани пут ка колиби.

„Јара! Гара!“, потјера козе штапом испред себе.

Избʲи кроз густо растиње на земљани пут који је надесно водио ка Манастиру. Не крену њиме већ га препречи и крену на сјевер уским козјом стазом под обронке планине Свилаје. Жмурећи је могао прећи утабани путељак који је сам крчио давних дана кроз растиње које је бранило пролаз. Нико се скоро туда није кретао осим њега. А и гдје ће у ту пустару жив човјек, сем оних лудака од љетос што довукоше трактор и приколицу да краду дрва за зиму?!

„Е, знам ја такве!“, мислио је. „Да им је за кућу огријев па да човјек разумије, но се кренули у трговину, злотвори, ко да ће им оно мало шушке што зараде образ опрати!“

Кад се сјети, накостријеши се. Питао се:

„Ко зна одакле су и дошли, да ли с мора или из унутрашњости, преко планине? Свеједно! Пустиш једне, ето ти и других за њима!“

Присјети се како је то рано јутро, прије него ће кренути до Језера, чуо звук моторних пила. Одмах је дограбио карабин па се, трчећи, запутио кроз шуму у правцу одакле је долазио звук, отприлике на петсто метара од његове колибе ка питомијем терену гдје је прилаз шуми био лакши. Окле год да су кренули, морали су доћи са сјевера цестом, која се пружала између планина Свилаје и Козјака, а онда би асфалт прешао у бјели пут чим се појаве литице Језера с десне стране пута, и наставио би се равно, равно док не удариш у капију Манастира. Нема даље, ту се завршава пут.

За Старца је то био крај и није више ни размишљао шта је иза или испред јер, и да је стотину свјетова и најљепше свјетиње у њима, њему је ова његова једина остала. Нагледао се он свега, и од свега се више није видјело ништа док није искључио све то и вратио се. Зато стегну карабин у шаци и појури брже кроз борове и храстовину, док не бану унезверен пред она два човјека што остадоше у чуду кад искочи пред њих. Загледаше се у чудака са пушком упереном право у њих, чудака чупаве, сједе косе и зарасле браде, у некаквим дроњцима на себи, са изношеним кабаном са капуљачом, плетеним вуненим чарапама које су вириле из покиданих гумењаша на ногама.

Већ су оборилили два- три растића на земљу и онај виши их је вукао ка приколици, док је нижи резао на дјелове и слагао на приколицу.

„Оставте се мојега и бјежте одатле!“, рече Старац.

„Твојега? Да ниси, Бога ти, цијелу планину присвојио себи? Има за свакога“, један ће од оне двојице.

„Не узимај Бога у уста, несрећо, и не сјеци стабла! Губите се или ћу вас побити ка зечеве!“, заурла Старац и прстом крену ка окидачу, нишанећи.

„Тебе ћу, високи, првог!“, довикну му кад опази како се на кварно спустио наниже па дохватио мању цјепаницу у руку не би ли га тиме погодио у главу. Застаде покрет и дисање док се чекало ко ће први одустати.

„Одњо враг шалу са овом лудом!“, пресјече онижи и спусти моторку на земљу. „Ајмо!“

Старац је стајао на истом мјесту, помјерајући само цијев пушке са једнога на другога. Она двојица покупише на брзину шта су могли, убацише у приколицу, сједоше у трактор и одвезоше се. Старац је држао пушку нишанећи за њима и кад се звук трактора одавно изгубио са цесте. Тек тада ју је спустио и запутио се ка језеру.

„Баш тако је некако и било“, присјети се.

Заврти главом и осјети како га и сад погоди истом јачином људска похлепа. У томе је већ и стигао пред праг колибе. Има ту добар километар раздаљине од Језера, али њему то не пада као терет. Навикао се и сродио са дрвећем, дишу ујендо, па му не би ни гранчицу офалио. Некад би осјетио лагано пецкање по лицу и врату кад би га грање случајно дохватило. Није марио за то. Сам је крив што га није мало помјерио да прође, а није криво оно што тако расте. Да су се гране могле помјерати, ваљда би се и оне њему уклониле са пута-толико су срасли, годинама пролазећи и штитећи се међусобно.

Иза њега су двије козе ушле у омање двориште, ограђено наслаганим каменим сухозидом у појасу око читаве колибе, у круг. Заокренуше као по команди около, ка задњем дјелу колибе, и Старац крену за њима. Отвори љесу на вратима и утјера их у преграђени дио, засебно дограђен и одвојен од остатка старе куће коју је чинила само једна велика просторија у којој је боравио. Старац затвори љесу и продрма је да се увјери држи ли чврсто, па се врати ка предњем дјелу колибе. Уђе унутра и запути се ка једном ћошку гдје се налазило огњиште.

Узе нешто сувог грања које је накупио по шуми и посложио одраније за потпалу, принесе кремен и огњило са ручицом, кресну једно о друго, искром запали дрвени трут, па га подвуче међу гране и потпали ватру. Протрља руке над пламеном и погледа кроз прозор. Иако је током дана било врће, вече се хладноћом увлачило кроз дрвене шкуре на прозорима, које су стајале полуотворене.

Старац их затвори до краја, па још провјери врата за собом и спусти резу. Из неког разлога провјери и прозор и врата још једанпут. Просторија се замрачи. Само ју је благо свјетло ватре дјелило од потпуног мрака. Он на то додаде још дебљих грана да се ватра не угаси. Мрско му је било легати раније, а потпуни мрак је свакако добро упознао.

Као да га је досада покретала лењо, са другог краја просторије, узе ораса што их је накупио. Напуни џепове, сједе на троножац крај огњишта и стаде их хрскати и јести. Сјети се крува па га извади из гуњца. Дохвати пуну дрвену чинију са полице и умочи га у козје мљеко. Крув омекани зачас па га Старац у сласт поједе са оним орасима.

Кад је завршио, побаца љуске у ватру, попи преостало мље-
ко на искап, а чинију врати на полицу. Засједе поново на тро-
ножац и загледа се у ватру. Поглед му је био празан и укочен
као данас док је сједио на литици. Одједном, на мах забљесну
нешто као свјетлосни лептир у просторији. Старац се не пома-
че, нити погледом испрати дешавање. Иза њега, свјетлост се
претвори у прозрачнобјеличасти, женски лик који у магнове-
њу, доби обрисе, косу и удове у свјетлосносвиленкастом и пр-
хутастом издању. Привиђење доби лик младе жене, стаде изнад
њега, насмјеши се њежним осмјехом пуним љубави која је не-
вероватном јачином излазила из благог жениног погледа усмје-
рена у потиљак разбарушене сједе главе. Спусти прозрачну и
мршаву руку на његово десно раме и Старац, као у трансу, скло-
пи очи и нагну образ на њезину руку.

$$*$$
$$* \quad *$$

„Иванка!“, дозивала ју је Стана. „Идеш ли на извор?“
Иванка се помоли пред кућом, зашкиљи на оба ока и до-
викну:
„Идите ви, млађе сте! Ја ћу остати са дјецом!“
„Луда бабо, не одвајаш се од те дјеце! Подјетињила си с њи-
ма“, задиркује је Стана кроз смјех. Подиже пракљачу и плетену
кошару пуну прљавог веша који је уредно прекрила бјелим гру-
бим платном па пожури да сустигне групу жена које су је мало
подаље сачекивале. Заори се пјесма и изви глас једне од њих на
путу ка извору гдје ће пола дана провести перући веш у хлад-
ној води, ударајући дрвеним пракљачама по њему док се уши и
гамад не истјерају до краја. Иванка провири јесу ли замакле, па
шмугну иза куће и руком показа неком да изађе.
„Марта! Душане! Ајдс, идсмо!“
Двоје дјеце се појавише ниоткуд и послушно је ухватише
за руку. Гледајући око себе, поведе их сјеверно од кућа у селу
под саму планину. Једва је ишчекала да праље оду својим по-

слом на извор, јер јој мушки нису чинили сметњу-по њивама су од јутра. Газила је сигурно по камењу, кроз оградице, па све покрај локве гдје се стока појила провлачећи се кроз ситно грмље и драчу до високог дрвећа и густе шуме. Дјеца су је пратила без ријечи, мада је Марта послије неког времена почела застајкивати, не успјевајући да одржи корак. Иванка се правила да то не примјећује, осим што је успорила корак док је Душан храбрио дјевојчицу, враћајући се по њу и вукући је за руку.

„Ајде, Марта, још мало!“, говорио јој је.

Био је то жилав дјечак од девет година, који је мушки пратио бабу у стопу. И сам би се чудио како једна тако стара жена, притом ситна и мршава као грана, има снаге као његов или Мартин отац. Његова права баба је била потпуно другачија. Само је сједила уз шпорет, кукала како је боле крста и плела вунене чарапе. Уздахнула би врло чулно сваки пут када би неко пролазио поред ње као да ће издахом, који је слиједио, испустити душу. Зато је он волио Иванку, што због ње саме, што због Марте. Послије дужег хода преко брда, избише на раван гдје се тачно испред њих указа неколико празних камених кућица.

„Дјецо, ево нас! Ово су колибе“, задовољно ће Иванка упирући руком ка једној од њих.

„Ено, тамо сам се ја родила. Ту смо живјели и кад сам се удала, јер је мој покојни муж дошао на женство. Остали смо све док се нису направиле нове куће и ми се преселили доље, гдје смо сад.“

Иванка се залети ка својој кући и сва уздрхтала отвори дрвена враташца на каменој огради, која је већ прилично била урушена дуж цијелог појаса око куће, гдје је правила гранични зид са двије исте такве куће са обје стране. У ствари, све су куће скоро биле исте. Није их било много, свега десетак у реду, од којих се само неколико држало под кровом. Све су биле направљене од тешког туцаног камена да би се боље уједначио и лакше везао малтер на њих. На крову су биле камене плоче, наслагане преко дрвених греда. Уза сваку је, са неке од спољних зидова била наслоњена дозидана штала гдје се држала стока. Троје посјетилаца се на кратко разиђоше разгледајући простор. Марта је једва дочекала да сједне на праг куће. Дисала је брзо, испрекиданим јецајима у себи. Била је уморна, жедна. Покаја се у себи што је кренула ка колибама. Била је нешто млађа од Душана, врло крхка и осјетљива. Нипошто није хтјела да се види како се полако предаје, али Иванка је већ сјела до ње, подигла своју травежу коју је носила преко вуштана и из неких са-кривених џепова извадила сувих смокава.

„На! Једи! Окријепиће те", пружи их дјевојчици.

Марти се очи напунише сузама. Била је љута и увријеђена због тога што њезина баба увијек зна и оно што је она на трен помислила. Хтјела је доказати себи да није толико слабашна ка-ко сви гледају на њу. Одлучи да им покаже, па окрену главу на другу страну. Убрзо поче оклијевати и пружи руку да узме смок-ву. Душан је у међувремену обишао све куће и оно што је пре-остало од њих и окућница, улазио, завиривао, и напослетку се вратио до њих чувши како га Иванка већ неко вријеме дозива.

„Душане, чувај се змија!", рече му озбиљно Иванка.

„Чувам се, баба, не брини. Не може ме ни поскок стићи", насмија се.

„Е, луда дјечја главо, није то за шалу!"

Истог момента јој паде на памет један догађај из прошло-сти, и она настави: „Тако је мој брат страдао кад је био твојих година, у овим истим оградицама."

„Како, баба?", упиташе дјеца у исти мах.

И Иванка им започе причу како је њен брат чувао овце по брду. Преварило га сунце, а како се уморио, придремало му се. Засјео је под оградицом и наслонио главу на камен. Змија се за-вукла у камен, ујела га у сну. Нашли су га тако како сједи, хла-дан и укрућен, касно ту ноћ кад су се овце саме вратиле кући, без њега, и људи кренули да га траже.

Оба дјетета се укочише на мјесту. Марта осјети да ће запла-кати, а Душану стаде смоква у грлу па се загрцну и закашља.

„Шалиш се, баба?!“, рече када је дошао до даха.

„Наравно да се шалим!“, весело ће она.

„Ајте амо, да вам још нешто покажем“, брзо пребаци тему и позва их у кућу.

Њима се ипак учини да је сигурније држати се заједно па пођоше за њом.

Иванки се заустави једна суза из ока док је кришом погледала у Душана. Сјетила се како је његов старији брат имао година колико и он сада, када му се то десило доље у селу.

„Који враг ме нанесе да им то речем?“, прекори се у себи и загризе језик.

Стајала је на вратима, осјећајући као да је хиљаду година живота у том камену прострујало кроза њу у тај час. Удахнула је дубоко и ушла унутра. Душан је већ био поотварао шкуре. Уђе свјетло и са њим јој се сјета уњедри у душу па јој жалости мисли све јаче како прелази погледом по унутрашњости. Боли је то што више нико ни данас не залази овдје, а камоли сутра. Све је препуштено само себи и времену.

„Ко и ми сами“, помисли.

„Све бива заборављено кад заборав дође по своје. Не треба се томе чудити.“

„Нема помоћи“, знала је.

Отргну се од туговања и осврну ка дјеци. Обрати им пажњу на чврсто утабани земљани под на којем је у ћошку стајало огњиште, на њему пека и вериге које су висиле окачене о греду са плафона. Просторија је била подјељена на два неједнака дјела преградом склепаном од дасака и пруђа. У мањем дјелу су, док се ту живјело, биле простре сламарице на којима се спавало, и намјештени ковчези у којима се чувала роба и постељина. Већи дио у просторији је служио за боравак укућана. На огњишту се кувало и гријало, празни кашуни још су наслоњени уза зид, а доскора се у њима држало брашно, пшеница, јаја. На зиду су још стајале дрвене полице на којима је остало поређано неколико дрвених тањира и здјела. На прозору јој се причињају петролејке, и свијеће, и вучије за воду тамо, поред врата. Колико ли их је пута на леђима прењела са извора. Још јој се учини сјекира у ћошку, с друге стране врата, и срп о вратима, дрвене грабље и виле до них. Свега је тога било у напуштеној кући, у том трансу враћања година уназад док неко од дјеце не рече:

„Баба, окаснићемо назад!“

Иванка погледа кроз прозор и ухвати сунце гдје се спустило ниско.

„Добро кажеш! Ајмо, дјецо, назад!“, пропусти их да изађу, затвори врата и спусти резу са вањске стране. Затвори за собом и дрвена враташца на огради, вукући дјецу за рукав ка шуми, натраг, истим путем ка селу. Брже су стигли у повратку, спуштајући се низ планину. Застали су једино на извору близу колиба да се напију воде.

Кад су стигли до самих кућа у селу, раздвојише се. Душан приђе својој кући са задње стране, ушуња се да га нико не примјети, а њих двије дочека љутито Стојан на вратима.

„Опет причаш приче дјеци, баба?!“, дочека је ко на нож.

„Нису то приче, Стојане, то је живот“, мирно му одговори Иванка и уђе у кућу.

*

*   *

Старац је сједио на троношцу као у трансу. Глава му је пала напред, али да је спавао, сигурно би изгубио равнотежу и пао на под. У неко доба, дубоко у ноћ, кад се жар одавно угасио, нагло устаде па се зањиха као да ће пасти. Тако и отетура до сламарице.

„Доста је било“, помисли. Завуче се у сламарицу и покри биљцем преко главе све онако обучен са гумашима на ногама.

У просторији је мирис пепела замјенио задах устајале сламе, који му се и под биљцем увлачио у ноздрве. Негдје из ћошкова се чуо пакостан смијех. Погане очи неких утвара гледале су ка њему. Знао је он то све. Из вечери у вече осјетио би како се увуку чим се ватра угаси, као курве, нечовјечне, ћутећи, без срама. И сваку ноћ би замандалио, па опет провјерио по стоти пут прозор и врата, али џаба. Дођу, увуку се кроз најситнију рупицу међу оним камењем или изроне из земље, из змијских пукотина.

„Не бојим се!“, зујало је Старцу по глави као оне мушице од данас што су га упорно салетале.

„И вас ћу тако! Голим рукама ћу вас придавити и ископати вам те погане очи“, мисли.

Утваре, као да су га чуле, повукоше се дубље у ћошак. Наставише се повлачити уназад, сабијајући се једна у другу док не постадоше једна, па се та једна смањи и утањи у црни бљесак који се рашири у туробни облак, па се и он стаде тањити све више и напосљетку нестаде коз најмању рупу између два камена.

„Отишле курве пред свитање“, сама се помјери мисао у Старчевој глави и укочено му тјело протресе дубоки уздах, или чак какво ослобођење. Ни сам није знао.

Прошло је нешто времена. Мировање се наставило у укоченом положају, од којег му отежаше ноге и руке, и укочи се врат. Тек лагано помицање биљца горе-доље одавало је слабе знакове живота. Напољу се полако раздањило, свјеж ваздух уђе мјесто утвара у просторију и он устаде. Отвори шкуре и врата, пусти свјетло. Прожеже га језа од те свјежине па се нелагодно повуче унутра, трљајући дланове и дувајући у њих.

Мисли како ће брзо отоплити: „Тако је свако јутро под планином. Издржаћу!“

Ако баш захлади у дан и бура растјера сунце, обући ће кабан.

Изађе из колибе и крену ка бунару. Подиже поклопац, ухвати уже, кад се сјети да је нешто козјег меса спустио сићем у воду. Мораће га трошити, не ваља га дуго чувати овако. Има и онога сушенога у кући па не једе. Отврдло, а нема чиме гристи.

Спусти поклопац, узе вучију из куће и крену ка извору. Нема никога, али ће затворити враташца да се нека дивљач не привуче. Најгора је она људска, па би ко непозван могао наићи.

Пало му је на памет како је, не толико давно, било ловаца на овом простору. Биће их сигурно опет. Већ се све стишало и рат је одавно протутњио па ће се они вратити.

Не треба се бојати бомби, сигурно их има. Било их је и послје Другог свјетског рата па нико није пострадао. Па зар он сам скоро није пронашао једну баш у близини колибе?! Кашикара, бачена, чека да буде нађена, вреба. Решио би је се радо, али није знао како. У Језеро је не би ни луд бацио, радије би је прогутао, а ни у шуму не би, уништиће стабла и младице, а можда и дивљач налети. Доста је њему оружја и ратова! Онај карабин му је довољан, добро га служи. Али, нема куд донио ју је кући. Увукао је у рупу међу камењем, високо на унутрашњем зиду, тачно изнад сламарице. Мисли се: „Ако којим случајем падне, неће бити штете. Још кад би се, камо среће, он сам затеко на сламарици!"

„Ловци?", опет се поврати првобитној мисли, и у том размишљању стиже до извора.

Био је то мањи површински излазак понорнице која је вијугала у том крашком простору, неприпитомљена. Није се давала превише у надземном облику, али је била непресушна и довољна преко мјере. У дјелу гдје се Старац сагињао било је најлакше прићи. Још је који метар низбрдо колабирала у камену и шипражју док се није изгубила у земљи.

Вода је била зеленкасте боје, пуна пијавица, хладна као смрт. Од чистоте би се човјек по цијели дан могао огледати у њој.

Старац се прво уми, опра лице и врат, па напуни вучију до врха. Брзо заврши, подиже вучију на леђа и запути се назад. Како му отежа на леђима, ухвати га бол у крстима па одлучи да побаца све оно месо из бунара. Није он више за теглење. Чему служи бунар? Да лади месину коју неће јести?

„Луд толико нисам да од лудила луде ствари не препознам“, мисли.

Није за џабе сам нашао своју воду. Давно је научио како се дрвеним рашљама тражи вода па је једном направио исте такве. Находао се около колибе држећи их испред себе у рукама, пажљиво пратећи неће ли се танки краци рашље почети скупљати и ширити. Нашао ју је после једног сата, уз ограду унутар дворишта. Копао је у земљи што је дубље могао, па је зидао, слажући камен по камен и облагао унутрашњост рупе док није био задовољан да би је назвао бунаром. Вода је продирала у њега лагано и у најсушније доба је било најмање до пола. Још је каменом плочом затворио бунар да нешто не би упало па загадило.

„Мада“, признао је себи, „могао је он и јутрос очистити бунар, планира то одавно, него хтио је баш до извора. Зажелио се.“ Онај шум воде остао му је у ушима још од детињства.

„Све извире и понире“, мислио је, „ и ријека и живот.“

„Сад си на земљи, сад у њој.“

Говори себи да се мане лудих мисли, будала једна. Довољне су му ноћи кад их се отрести не може. Ако се преда и дању, шта ће од Језера бити кад непозвани и злонамјерни наиђу?!

Одбаци све мисли из главе и настави путем. Како је стигао, зађе у стражњи дио код коза па испразни вучију до пола у мало дрвено појило. Чим је ушао, козе кренуше ка њему. Он их грубо растјера руком док не нали воду, онда се повуче и пусти их да пију. Изађе, па се брзо врати, носећи виле у рукама. Прикупи са пода козје брабоњке на једну хрпу па их стаде вилама износити напоље. Бацао их је преко оградице у рупу коју је ископао за ђубар. Кад то заврши, из ћошка растресе сламу и лишће по поду и у јасле. Накупио је сламе љетос по срњишту, послије жетве, да козама буде топлије. Накупио је доста, па је натрпао и сламарицу. Није марио што су људи из тог села вилама насрнули на њега кад су га видјели у пољу. Сачекао би вече па би купио растресите остатке по срњишту, преостале

након што би слама била покупљена и однесена. Ту га више ни-
су дирали, свакако ће срњиште попалити и заорати. Знао је да
мора бити опрезан са људима, не би они дали од свога. Узајам-
но су се избјегавали: они пустињака, он нељуде. На крају су се
навикли-он није никога дирао па се ни они нису имали од чега
бранити. Тако је своје козе обезбедио сламом па им направио и
дрвену љесу од дасака и пруђа, којом је оградио дио штале из-
нутра, гдје им је чувао залихе за зиму. Козе су непрестано гура-
ле главу кроз рупе у дрвету и извлачиле све редом. Изгубио је
једно цијело пријеподне да би појачао ограду и попунио рупе.

„Намирене!“, помисли Старац и заби виле у сламу.

Изађе па се врати са троношцем у руци, на који сједе до
ближе козе и спусти дрвени лончић испред себе. Коза је, навик-
нута, мирно стајала док је из вимена текло мљеко у млазовима,
под стиском грубе старачке шаке. Како помузе једну, тако и дру-
гу. Одмах, наискап, попи трећину садржаја из суда, па пусти
козе у двориште да брсте око колибе. Ионако се драча и шика-
ра попела ван ограде.

„Има посла“, штрецну се, „ал’ има и пречих ствари. Уради-
ће се“, мисли.

Не може пустити Језеро да чека.

*

* *

Стојан је своју жену довео из тешког сиротлука. Њезини
су били сретни што су се ријешили једних гладних уста. Тутну-
ли су јој у руке доту од једне зобнице, дугачку бјелу кошуљу са
копчањем напред као спаваћицу, и пар плетених вунених чара-
па. На њој кошуља од бјелог, грубог сукна и преметача, а на гла-
ви бошћа око уског лица и уплашених очију. На ногама је имала
плитке гумаше, дебеле чарапе и сукњу проваљеницу од тањег
сукна, преко које је завезала травежу. Поглед није дизала од зе-
мље ни када су Стојан и сватови дошли по њу, ни када је ушла

у његову кућу, нити икада посље. Намјенили су је, прихватила је. Није јој било боље ни у рођеној кући, гдје су мушка дјеца прва јела за столом. Тек посље њих би женска чељад посједала ако би шта преостало. Сјећала се колико су је само пута допале кости па би их, несретна, облизивала и радовала се ако је из шупљине могла цвркнути срж.

Стојана у почетку није вољела. Видјела га је само једном прије него што ће се удати за њега, и то оне вечери кад ју је мати, кришом од оца послала по сестре које су отишле на игранку па се заборавиле. И он је њу тада видио, како је ушла у Дом, како се стидљиво гурала кроз младеж, држећи се зида, како је плашљиво загледала у коло не би ли видјела сестре које су прве њу угледале. Нешто се у њему, онако јаком, преломило. Сажалио се над мршавим, покуњеним створом, наизглед напаћеним од кољевке. Желио је да је узме и заштити, осјетио је да је разумије и да ће и она њега једнога дана разумјети. Понизно га је слушала и служила од првог трена откад је дошла у његову кућу. Све му је сестре у родбини испратила како ваља и испоштовала сваки ред. Њен глас се скоро никада није чуо, па су у почетку људи мислили да је глухонијема.

Стојан ју је баш такву и волио, супротну његовој прргавој нарави и крупној грађи, дубоком непријатном гласу којим се обраћао, и вазда натмуреном изразу лица. Из њега је излазио рад и вино, из којег је сиктала нека непријатна и подругљива мисао, изговорена и уперена против свакога осим ње.

Иванка ју је од првог дана прихватила штитећи је као своју, иако никада није нашла начин како да јој се приближи. Марија је била сјена коју је ријетко ко могао схватити. Кретала се брзо и нечујно, говорила мало, мало јела, као да није имала шта да пружи од емоција нити јој је емоција требала. Она је стрпљиво и покорно вршила земаљску мисију свога постојања, чекајући окончање.

Марта је се понекад плашила као дијете. С почетка би полетјела према њој или се ухватила за скуте њене травеже, а Марија би је узела за руке и полако одгурнула од себе. Дјевојчица би остала збуњена њеном реакцијом сваки пут кад би је мати изнова одбила на исти начин.

Временом су пресушили осмјеси који су се одбијали од стаклене препреке Маријина укоченога лица. Дјевојчица се повлачила у свој свијет, док Иванка следбено и спонтано није преузела Маријину улогу, на чему јој је ова у себи била дубоко захвална. Привукла би Марту у своје крило, рашчешљавала јој косу и плела дебелу плетеницу. Временом је са мајком успоставила помало формалан начин опхођења, па су између себе одрађивале оно што се морало и размјењивале само колико је требало.

Од оца је зазирала. Био је грлат и бучан, а сам глас му је био груб и потмуо као грмљавина. Није вољела ни кад заједно сједну за сто у вријеме ручка или вечере. Једва би дочекала да се затворе врата њихове спаваће собе, из које је увијек допирао страшан мук као да иза тих врата није било живих душа. Искрала би се из свог кревета, завукла у бабин, и заспала чврстим сном, док би је старачка рука чврсто грлила, чувајући је од сваког зла. Тако је било и јутрос.

Баба је будила Марту, њежно је дрмусајући за рукав пицаме. Она, на знак, скочи из кревета у кухињи, одшкину врата и кад се увјери да нема никога, шмугну у другу просторију, коју су одскора звали њезином собом, говорећи јој да је велика и да је ред. Увуче се под хладан биљац и покри по глави у тренутку када је Стојан завирио у њезину собу. Знала је да то ради свако јутро чим устане, и да би се силно расрдио да је затекне у бабину кревету.

Стојан је свако јутро, како отвори врата, размишљао за се како би мушко дијете у тим годинама већ начинио човјеком и радником, и колика би му била помоћ. Иванка је, за то вријеме, наложила ватру у шпорету и скувала дивку.

Топлина се проширила из кухиње до Мартине собе, и она брзо навуче одјећу па оде у кухињу. На вратима се умало не судари са Маријом. Промрмља им добро јутро и привуче столицу ближе шпорету. Била је јесен, дани су били још топли, али су окраћали и јутра су била свјежа. Иванка јој додаде стаклену чинију из које се пушила дивка са удробљеним хлебом. Марија је, без ријечи, пришла креденцу, повадила посуђе и почела спремати доручак. Спреми пуру од кукурузнога брашна, направи боте дрвеном кашиком и стави пред Стојана, са великом чинијом мљека. Он се најде, навуче гумаше на вунене чарапе, обуче гуњац преко кошуље од грубог платна и изаће без ријечи, исто онако како је устао и ушао у кухињу. Знали су да га неће бити цијелог дана, вријеме је орању и коњи су већ спремно чекали.

Марија оста врзмајући се по кући. Час је излазила до бунара по воду, час прала нешто у каину. Није дизала главе нити је са неким проговарала.

Марта је пратила Иванку до штале. Стајала је по страни, посматрајући како ова музе краве, и припушта овце чобанима из села. Онда јој је досадило, па је отишла у пушницу. Завукла се крај кашуна, у ћошак гдје су биле кашете са сијалицом на поклопцу, која је гријала тек излегле пилиће. Иванка је прво погледала да се није сакрила у конобу, па је погледала ка огњишту у засебном дјелу. Чак ће погледати и горе гдје се, изнад њене главе, сушило месо окачено о греде, прије него ће у правцу кашуна угледати дјевојчицу како сједи на поду, окружена малим пилићима који су скакутали по њој. Блиједа, са дугачком плавом косом и свјетлоплавим очима, танана и прозирна, приносила их је лицу, љубила, цвркутала с њима до те мјере да су је и квочке престале нападати. Призор се Иванки урезао у сјећање до краја живота. Гледала је у њу као у небеско створење са анђелима, неокрњене чистоте тијела и душе. Та жудња за љубављу чинила је такво чудо да је она, која жуди, несебично давала толику количину љубави другим бићима.

„Боже, сачувај је“, помисли Иванка и сва се стресе од неке зебње. Марта је одсутно сједила препуштена миловању мајушних пилића, које је хватала танким прстићима док су они клизили кроза њих.

„Данас нема Душана?“, проговори не помјерајући се.

„Сигурно му бране“, рече Иванка.

„Нека, доћи ће сутра!“, на то ће поново она.

И баш тад се зачу жвиждук и помоли се Душанова глава иза оградице. Марта се озари у трену, врати пилиће и излети из пушнице.

„Марта! Марта!“, дозивала је Иванка за њом, али је она већ отворила капију и из њихове оградице прешла преко зида у Душанову.

Иванка крену за њима. Из куће их је погледом испратила Марија, склањајући се непримјетно иза завјесе.

„Ајмо, дјецо, горе до Манастира!“, позва их Иванка и помилова Душана по глави.

Гледала је да се крећу споредним путем изнад села не би ли избјегла радознале погледе и љубопитљивце. Највише се бојала због Душана.

„Проклети бајам“, мислила је.

И кад је већ помислила да нема никога на путу, искочи пред њих Тоде.

„Гдје си се упутила, баба? У цркву водиш дјецу?!“

„Враг један, сад је морао наићи!“, мисли она. „Само да се не излане кад дође кући!“

Тоде се враћао са сточне пијаце из оближњег града, задовољан што је прошао боље него ли прошли пут. Сву стоку, од неколико оваца, коју је повео гонећи је испред себе, уз добру срећу, продао је неким трговцу који је на по пута наишао на њега. Зато се зарана враћао кући, па препречио горњим путем до села.

„Знаш ли да је у нас пуно комуниста, баба?“, шкиљећи ће он, значајно наглашавајући ријеч „комуниста“.

„Иди својим путем, Тоде! Лудој баби и малој дјеци нико замјерити не може. А и ви, комунисти, сигурно у нешто вјерујете?!“, она ће на то.

Тоде цокну зубима и зањише главом у знак негодовања, опипа оно мјесто на гуњцу гдје је у унутрашњи џеп сакрио новац, и крену даље. И оно троје наставише својим путем као да се ништа није десило, док не избише на уску стазу кроз шуму, која се даље изгуби преко врлети и макије. Спустише се до Манастира у једној ували.

„Идемо, дјецо, прво до гробова!“, поведе их Иванка кроз сеоско гробље на које наиђоше на путу ка манастирском здању.

Марта као да устукну. Она примјети и, док су пролазили поред камених крстова и безимених хумки, рече им:

„Не постоји велика разлика између гробља живих и гробља мртвих.“

„Како, баба?“, упита је Душан.

„Љепо, сине. Мртви су тиши, живе у тишини, а живи већином дангубе и банче да брже иживе оно мало живота што их дијели од свијета тишине за који се спремају откад се роде. Узалуд је, мој Душане, трошити живот на бајеме“, сагнула се и почела рукама пиљкати травке око једног гроба.

Дјеца се погледаше између себе, ниједно није разумјело шта је рекла, али се ниједно не усуди да је приупита шта би то требало бити.

„Ове траве и корова се човјек не може рјешити. Сваки пут га очупам и сваки пут би у нарамак стао колико га је“, пребаци она као да прије тога ништа није рекла.

Душан обиђе неке гробове, читајући имена покојника. Неке препозна, друге није знао па би питао Иванку, али се не усуди прекинути је. Причала му је она раније о покојном мужу и о Мартиној браћи која су помрла, али заборавио је ко је ко поименце тачно био.

„И лица се забораве, цијели људи, а камоли имена без облика овоземаљскога“, објашњавао је он то себи много година касније. Одједном подиже поглед, тражећи Марту. Покаја се у трену што је заборавио на њу.

Иванка ће, не дижући поглед: „Ено је тамо, у дјелу где су се копали некрштени.“

Сваки пут би Марта то предвидљиво радила. Прошла би кроз средину гробља и зауставила се над малом хумком. Склопила је руке и погледала час у гроб, час у небо.

Гроб је, за њу, био доказ нечијег постојања, а небо приказ замишљеног лика кроз отјеловљење бића које физички не постоји. Сузе су јој капале низ лице и увјек се питала каква их то чудна емоција из ње гура напоље, за ким и за чим су те сузе, искључиво над овим мјестом изазване. Падале су равно на хумку без имена и натапале земљу.

Душан хтједе кренути према њој кад га Иванка, предухитривши му намјеру, ухвати за руку:

"Нека ја!"

У то се Марта већ окренула ка њима, махнула им уз смјешак, без суза и трагова да их је на лицу секунд прије било. Задржаше се на гробљу још мало, а онда кренуше у цркву.

Црква је имала главна врата на западу гдје се улазило, и једна мала врата на јужном зиду. Пет прозора је давало свјетло на сјеверној и пет на јужној страни. Изнад двоводног крова уздизао се звоник који се завршавао осмостраном пирамидом, на чијем се врху налазио крст. Све троје застадоше испред. Дјеци се црква изблиза учини још већом каменом грађевином која је одузимала дах.

Иванка се истовремено у себи борила са мишљу како све мора бити тајно, не може на миру ни дјецу овдје довести, и са љутњом на људе где се подјелише и што вјерски обичаји више не постоје код многих. Не поштују ништа, комунисти су увели своје начине и обичаје, и затрли славе и црквене празнике. Нада се да је то нова мода и да ће проћи.

Сва понесена тиме, уђе у цркву, прексти се, изљуби иконе и крст, па запали свијеће. Оно двоје, снебивајући се, једва уђоше унутра. Све су испратили погледом не помјерајући се од врата. Марта се поче мигољити врло брзо и, не могавши више да издржи, ухвати Душана за руку:

„Ајмо!“

Излети прва и осјети како тешко дише. Погледа ка мана-стирским конацима. Било је мирно, нигдје никога. Погледа ка гробљу, дочека је мртва тишина, па у поље, гдје су радила два монаха. Одједном се поче окретати црква, и све у шта је гледа-ла, све поче да се врти око ње. Уплаши се од тог мира и ужасне тишине. Осјети слабост у ногама, као да ће се затетурати кад је Душан ухвати под руку.

„Добро ми је“, рече она и извуче руку у трену кад је Иван-ка излазила из цркве, не примјећујући да се нешто дешава.

Прије него ће изаћи, она још пољуби врата и камени стуб, прекрсти се и руком махну дјеци да крену. Враћали су се истим путем, раштркано и ћутећи. Свако од њих троје је у својим гла-вама вртио своју мисао, а једина спокојна је била Иванка. Ни-су проговорили између себе ни кад су ушли у село. Једино је, прије растанка, Иванка изговорила:

„Запамтите, дјецо, човјек се увјек у злу светињи враћа!“

Обоје су је погледали у чуду због вишка ријечи које за њих у том трену нису имале никакво значење.

Душан помисли:

„Ријечи ко ријечи, понекад се изговоре само да би се не-што рекло.“

Потом прескочи ограду и нестаде. И Марта се уморила па без ријечи крену у пушницу, међу пилиће. Иванка остаде пред улазним вратима, склопљених руку испод травеже. Кроз про-зор је, иза завјесе, провирила па нестала једна женска силуета.

*
*   *

Старац у неко доба крену ка Језеру, не обраћајући пажњу на козе које се упутише за њим. Ниједна не скрену са пута, је-дино би понекад заостале брстећи успут.

„Неће се изгубити. Никад нису. А и да се изгубе, велике штете!“, мислио је.

Доста их је јамио, у задњу годину највише. Није имао во-
ље, није више могао на крај ни са самим собом. Осјећао је како
је у последње вријеме све више одсутан из тог времена. Стао је
негдје у прошлости па пребира по њој. Чепрка па му излазе из
дубина гује што га ждеру у осами и пустари. Ни за то до скора
није марио, али што више бјежи и што више неће, само му се
то више наметне. Знао је он шта је то, предосјетио је воду. Ни
да се радује, ни да јадикује. Нема коме, свеједно му, и да има ко-
ме, не би. И ријеч му је тешко подјелити са неким, а камоли шта
друго. Тврд је, зна он да то није за добра ни од добра. Брига ко-
га за нечији јед. Тако је то. А и шта би свак са туђим поред оног
свог?!

„Чекаћу“, мисли и тјера пређашњу мисао од себе. По ко зна
који пут, бјежи погледом и пажњом ка планинама.

Љечи га тај поглед боље но хиљаду трава. Сад се боље ви-
ди, управо је изашао из високе шуме храстова и борова гдје га
дочека прорјеђена шикара црног граба. Гледа сјеверно, ка врхо-
вима високог ланца Динаре, и мисли како се горе бјели, сигур-
но је већ од снијега. Настaвља да лута погледом у правцу
сјеверозапада ка југоистоку, гдје се смјестила Свилаја између
два велика плодна крашка поља. У наставку, налегао Козјак, па
кад би га пратио даље, избио би све до мора.

„Шта ће ми море? Вода ко вода“, мисли и гледа у своје Језе-
ро. Опет сврће поглед ка Свилаји и крашким гребенима са ни-
зом врхова и вртача.

Позна он ту горопад, јаме у њој, у које се спуштао, шпиље
гдје се крио. Све му мило куд год погледа, па се крену даље и
избизбизи на главни земљани пут. Пређе га па се кроз камењар и ни-
ску макију, спусти до свог камена на стрмом узвишењу, испод
којег је лежало Језеро. Погледом је испратио Језеро у дужину,
докле се могло испратити, па се пребаци на другу, наспрамну
његову страну, и на крају поглед прикова на оном истом мјесту
у води, тачно негдје испод њега, низ литицу па у правцу среди-
не Језера.

Старац сједе и спусти штап покрај себе. Умири дисање. Застаде вјетар под његовим укоченим погледом. На врату му набрекла жила па пулсира у непокретном тјелу. Чекао је, гледајући у Језеро, кад се из правца Манастира помолио Монах. Приђе па до камена спусти омању чинију поклопљену лименим тањиром. Старац ничим не показа да је осјетио нечије присуство. Не рече ни ријеч.

Монах је неко вријеме мирно стајао изнад њега и гледао у воду. Прекрсти се па пође натраг.

„Кад ће се уморити?“, јави се глас у Старцу, и одмах се настави тишина.

Дан је био ведар и сунца је било довољно. Околина је мирисала дисањем планине, а испод је мировала прозирнозеленкаста боја воде.

Пролазе минути у тој светој тишини за Старца, све га заобилазе да га не би реметили. Није њему ни до времена кад га нема чиме мјерити. Само дјели вријеме на оно прије воде и оно после воде. Пита се и мисли:

„Зар је битно мјерити нешто што право измјерити не може? Као да је људски живот добра јединица мјере за вријеме?! Врага! Колико тих јединица треба да би га попунио? И да их све прикупи, све које зна и за које је чуо, па и оне за које не зна, не би се попунило. То што ми хоћемо поставити границе, те за ово, те за оно, то је у нашој памети, а не у доброј мјери. А ни добре мјере нема, то је само аршин за подјелу. Е, зато смо се раздјелили па сад дјелимо и вријеме, а оно увјек исто, немјерљиво тече иза свих подјела.“

Старац је као окамењен у природној средини камена. Само му је она жила искочила на врату и бије. Одједном, скочи и зграби штап па њиме замахну наниже, и врхом расцјепљеним на два дјела пригњечи нешто на камену.

„Змија! Испузала, тражи сунца, а добиће она своје“, мисли.

Старац јој штапом прикљешти главу, а она доњи дио тјела увија и пружа. Спусти руку и ухвати је одмах испод разјапљених уста па је подигну увис.

„Бјелоушка!“, препозна и загледа се. „Млада!“

Мисли: „Што му није допала нека отровница, шарка или поскок, има их колико хоћеш, али бјеже од овог мјеста.“

Змија се обмотавала око његове руке у тешкој борби страхова, па је он отресе грубо са руке и рече наглас:

„Иди! Чувај и ти!“, па завитла бјелоушку и баци је у Језеро.

Мисли: „Шта би друго са њом! Нема пријатеља, нит' му требају, душмане не призива, иако га походе сваку ноћ да га опомену.“ Узнемири се при помисли и жила му на врату поче јаче ударати. Потраја то стање па се полако врати на своје и свој камен, спусти ближе штап и усмјери поглед тамо гдје је стао.

*
*   *

Стојан је бјесно улетио у кућу.

„Мајо!“, тражио је Иванку.

Она је мирно сједила покрај шпорета и плела чарапе.

„Добро вече и теби, сине!“, назва му.

„Није добро!“, рече он. „Зашто опет дираш у врага, тражиш свађу?“

„Ти је, дјете, тражиш и дозиваш“, одговори она, дигну поглед ка њему и спусти игле у крило.

„Шта су ти дјеца крива, Стојане?“, упита га.

Знала је да је онај пас од Тоде једва дочекао да се излаје. Тоде је то јутро, одмах након што је налетио на њу и дјецу, скренуо са пута кући и упутио се на њиву, гдје су Стојан и Илија преоравали срњиште. Стално је напипавао оно мјесто у гуњцу гдје је ставио новац. Радовао се вијести коју ће казати и вину којим ће се почастити. „Није то узалудна част“, мислио је, „он је то зарадио, он њима, они њему. Како би у супротноме Стојан знао?!"

Сигуран у себе, избечи још више оне буљаве очи. Онако здепаст и неугледан, пожури равно ка њивама, испод села.

Стојан га је издалека угледао.

Мисли: „Од рђе се ништа добро не може дочекати." Стиска зубе док га слуша и налива га вином да не прича даље по селу.

„Мајо, остави се више дјеце и не вуци Душана! Ако Никола сазна, неће бити мира."

„Исти сте и ти и он, нека си ми сто пут син! Памети немате гдје се свађате па и дјецу трујете", устаде Иванка са столице и поче викати на сина. Вика привуче Марту из дворишта па дотрча у кухињу. Бојажљиво је посматрала час оца, час бабу. На матер не обрати пажњу, навикнута на њу као на нијемог посматрача, неопредјељеног ни за једну страну.

Спуштене главе, Марија је ређала тањире и постављала вечеру на сто као да ништа од оного што је гледала није ни видјела.

Стојан се зајапурио у лицу, коса му се накострјешила. Цијели дан је на њиви, руке га боле од плуга што га притишће да бразде буду дубље док Илија води коње. И он ће њему помоћи, тако то иде. Али, умјесто мира, кад дође кући-дочека га свађа. Стајао је као горопад над ситном старицом потпуно бјеле косе која се помаљала испод бошче. На оца је он грађом и прговом ћуди, попиће и потући се, али матер је друго, ту мушки не може рјешити ствари. Чини му се ситнија него што јесте, урасла од старости, али има нешто у њезиним очима, нека јачина од мучнога живота. Не предаје се.

„Доста је, Стојане! Рјеши ствари са Николом, зарад ове дјеце!" Поћута, па додаде:

„Одњо враг и бајам и онога ко га засадио!"

„Шта то говориш?! Скроз си полудила под старе дане! У дједовину ми дираш."

„Твоја дједовина је моја кућа! Доста ми је више!“

„У дједовину ми не дирај! У све дирај, у то немој!“, просикта Стојан кроза зубе, окрену се, са стола зграби један тањир и заврндаљи га о под.

Излети из куће као фурија. Нестаде у правцу гостионе.

Марија узе метлицу, покупи комаде стакла са пода као да се ништа није десило. Марта се склонила са прага секунду прије него што ће Стојан излетјети из куће па у страху јурну према Иванки. Стаде несигурно испред ње. Ова је привуче себи и помилова по коси, без ријечи. Затим сједе на столицу и настави плести, а Марта привуче троножац крај ње па стави главу у њезино крило.

Марија покупи вечеру са стола и врати посуђе у креденац.

Ту ноћ је Марта преспавала у својој соби. Бојала се да ће је отац, кад се врати, затећи у бабину кревету. Ко зна шта би све могло бити! Уплаши се па се завуче под биљац и покри по глави. Осим мрака и тишине, дуго се ништа није чуло, све док у неко доба не зачу шкрипу врата и Стојаново тетурање по кући. Стресе се под биљцем, а онда се опусти и умири кад се све утишало, као да је терет сишао са ње. Капци су јој отежали, али умјесто у сан, оде изненада усред поља.

Глуво доба кад нема никога сем ледине обасјане мјесечином.

Покрај самог извора наиђоше виле. Препозна их по копитама умјесто прстију на ногама. Брзо се сакри иза једног дрвета да је не опазе. Оне љепе, прељепе, њежнога лица каква никада није видјела у сеоских жена, дугачке косе све до земље, у једноставним, прозирним хаљинама од сњежне вуне. Извирује им дугачка нога и оцртава се танани струк испод набреклих груди. Изброја их осам, а оне у смијех и кикот, испреплеле руке па се хватају у коло. Заиграше!

Марта зину од чуда и толике љепоте. Опи је та слика да у заносу само што није изашла из свог скровишта и кренула ка

њима. Најсдном се пјесма прекиде. Виле се раздвојише и стадо-
ше дошаптавати међу собом.

„Дођи, Марта! Буди нам сестрица!“, рече једна од њих не
гледајући у правцу гдје се она крила.

„Дођи, Марта! Најљепше од најљепших дозивамо у коло“,
рече друга и закикота се.

„Дођи к нама!“, пронесе се ваздухом некакав лептирасти
звук умилних гласова.

Марта се укочи. Приљепи се за оно дрво, исколачи очи и
не одговара. Рука јој се затресе и пружи у правцу вила, као да је
кренула да их дотакне. Не ради то свјесно, то је нека свилена
нит вуче, а она не умије да је заустави.

Виле гледају једна у другу па погледају према њој. Онда од-
вратише погледе, не обраћају више пажњу на њу, него се вра-
ћају игри. Кад су се умориле, издигоше се једна за другом од
земље и кренуше ка извору, одакле им се изгуби сваки траг.

Било је пет сати изјутра, раздањивало се. Иванка је већ би-
ла наложила ватру и скувала дивку кад је нешто касније Марта
устала.

„Баба, какве су виле?“, упита је прије него што јој пожели
добро јутро.

„Кажу да су јако љепе, тако као ти“, рече јој љубећи је у
косу.

Марта забаци дугу плаву косу и насмјеши се загонетно.

„Причало се од давнина да су из села одводиле најљепшу
дјевојку. Кажу и да виле носе несрећу“, додаде, а Марта баци
поглед на своје прсте на ногама, и одахну. Принесе руку обра-
зу и уштипну се толико јако да се зацрвени оно мјесто на обра-
зу од њезинога стиска, па погледом окружи по кухињи. „Код
куће сам“, помисли, радосно се издижући на прсте.

Било је тачно подне када је Душан утрчао у кућу дозивају-
ћи Иванку. У кући је била Марија. Кад га угледа, устукну и пре-
крсти се. Долети однекуд Иванка, препаднута од толике буке,
па руком пригуши крик кад га угледа. Душан је стајао насред

кухиње, неприродно миран и сав крвав по лицу и мајици. Видјело се како се дјечак бори са сузама, стиснутих усана, заривајући нокте у унутрашњост дланова.

Иванка му привуче главу, загледа се не би ли докучила одакле крвари.

„Баба и оне жене су ми подвезале концем брадавицу и откинуле је“, рече он.

Иванка се присјети израслине коју је дјечак имао ниже љевог ока, мало помјерену са образа ка увету. Сад је на том мјесту стајала отворена рана, пуна крви, а лијеви образ се претворио у подбулу, црвену лопту, од које се почело затварати око.

Иванка, брже-боље, из травеже извуче чисту бјелу марамицу, натопи је хладном водом и стави му на образ.

„Држи ово јако!“, нареди.

„Марија“, окрену се ка њој, „ја ћу с њим преко поља до Хурје. Ако се појави Никола нека крене за нама.“

Учврсти бошчу на глави, ухвати дјечака чврсто за руку и у великој журби изјури из куће, па преко Старог моста равно низ поље.

*

*   *

Старац се узбунио изнутра. Раздирало га је у грудима то што замало не уби ону змију. Запамтио је одмалена да свака кућа има своју змију чуваркућу, и потресе га сама помисао да је замало није убио. Могла је бити какав дух из воде што су му га послали одоздо са неком поруком. Могла је бити нечија душа што лута у неспокоју па му се приклања дужноме.

Заустави му се дисање на минут и провали из њега језиви уздах, исјечен у дјелиће сопственом муком. Ма, и да је обични чувар у води или само змија коју је природа учинила таквом, њему се запутила. Није то случајно. То је намјера или оног одозго, с неба, или оних одоздо.

Кад размисли боље, боје су јој биле некако чудне. Како ли се само свијала и обмотавала око његове руке, млада и плодоносна. Не би га угризла, знао је прије него је у разјапљеним чељустима видио безброј ситних зуба и препознао да није отровница. Само да није претвор људски и од ђавола послата.

Одмахну руком и тргну десним раменом уназад. „Неће бити!“, помисли. „Превише је свето мјесто да би ђаво крочио вамо. Ђаво и кад покуша прићи, дође у човјеку. Има и разлике. Ниједан ђаво не може осмислити оно што човјек урадити може.“

Старцу је човјек проблем и зато он чува овдје. Помири се у себи да ђавола не треба призивати и да је имао среће што ону несретницу од змије не уби на лицу мјеста већ је врати гдје припада. Лакнуло му таквом мишљу, па се смири.

Настави своје сједење на камену, на врху литице, свој укочени поглед усмјерен на Језеро, разједен уминулом борбом против змија у себи. Изгледао је исто смирено и положај му је био исти као првог момента како је данас крочио на своје мјесто. Онда га преплави наново врели вал из њега и не даде му више мира. Ускомеша му се у глави. Обухвати је рукама и зари међу кољена. Жмури и клати се с десна наљево. Не могавши више да издржи, устаде и крену у правцу колибе. Јара и Гара су мало подаље брстиле. Подигоше главу ка њему, али се не покренуше за њим. Чак се збуњен нашао и Монах, који је касније покупио штап и чинију са мјеста на којем ју је сваки дан затицао нетакнуту изнова.

Старац се, гегајући се, усмјерио ка колиби. Једва је, с ноге на ногу, држао правац кад се дочепао шуме. Да га је неко са стране посматрао сигурно би помислио: „Види пијану будалу!“ Са муком се придржавао од стабла до стабла, псује што га сад и ноге издају. Глава га је одавно издала, откад није испунио своје, па се мисли разноразне настаниле, изродиле муку и голотињу. Иде, посрће, застаје да ухвати ваздуха, али наставља. Чини

му се далека колиба, никако до ње стићи. Некад раније би за-
час претрчао километар и више.

„Шта ако је ово крај?“, мисли.

Обузе га стран му осећај. Не препознаје да ли је то страх
или олакшање. Чинило му се да би то, ма шта да је, могло бити
рјешење. Али га буни, ако је страх, откуд сад, кад се у животу
ничега није бојао? Скоро ничега кад боље размисли, али како
да призна такву слабост која проистиче из људске себичности
названој „за се“? Бојао се он за ово и оно, овога и онога, бојећи
се за себе и своју улогу у томе. И сад је себичан, кад мисли на
Јару и Гару, на своје Језеро, на оног Монаха што му једини дође
да би од њега осјетио мирис људскости. Шта ће бити са њима,
није право питање. Мисли:

„Кад питам, зар уствари нисам питао шта ће бити са
мном?“

Обузе га отуд страх од пролазности, па опет мисли: „На-
живио се.“ Стар је, престар, бар се тако осјећа. Од живота нема
скоро ништа, а ко зна шта ће му смрт донијети. Није начисто
са свиме. Мучи га ако олакшање донесе и заборав. Шта ако за-
борав узме све себи? Чему онда све?! Е, ту је она тачка коју не
може да прихвати. Не може, од тога је још на ногама, и то га
храни. Зар залуду сад све да препусти?

Боји се те патње, те страшне агоније која би могла потраја-
ти. Научио је он на њу ноћу па се једва бори против ње, али да
живи са њом и дању, док одлази до Језера, горе је него страшни
суд. Неће га пустити на миру ни кад се упокоји, ако га заборав
побиједи. „Најгоре је умирати кад умрети не можеш.“ У момен-
ту одустаје, диже руке.

„Брига ме!“, брани се мишљу, како то једино и ради већи-
ну свог живота. Онда се поново усправи, пркосећи и опет, с но-
ге на ногу, дотетура до враташца на капији и уђе у дворишту.
Остави их отворена и ногом подбаци камен под њих. Како уђе
у колибу, стропошта се на сламарицу. Напољу је дан још увели-
ко гурао свјетло кроз отворене шкуре.

„Можеш ли Душане?“, вукла га је Иванка, стишчући му чврсто шаку.

Дјечак не одговара. Половина лица му је побјелела, а са друге стране јој се чини као да још липти крв и боји подбуо образ. Марамица се натопила крвљу, закорила и сљепила се, па Иванка зачас застаде, подиже рукав и опара комад чистог сукна са рукава. Смота га и замјени марамицу на образу.

„Још мало“, говори и гази преко поља, а мисли како ли се поље прострло пред њима као да нема краја. Ноге им упадају у меку земљу ораница, чисте блато у ходу, и све јој се чини да успоравају кад треба пожурити.

Избише на ливаду. Ту лакше ходају, иако им се чичак наватао на чарапе па их вуче и запличе. Прођоше шикару, кроз јаругу, да би им се на видику указале прве куће. Попеше се узбрдо ка кућама. Ускоро се показа и амбуланта. Дограбише неке пречице па кроз двориште приђоше амбуланти са задње стране. Прије него што ће ући, Иванка отресе руком и очисти сав чичак. Хурја је таман изашао да прозове сљедећег пацијента, кад су они ушли у чекаоницу. Била је то уска, дугачка просторија у којој су, уза зид, са обе стране, биле поређане столице, а између њих је било таман толико простора да се једва могло прићи ординацији. Није било гужве како је знало бити, пошто је амбуланта опслуживала неколико села. Сједило је до десетак старијих људи и двије млађе жене.

Кад је Хурја угледао Душаново закрвављено лице, махну му руком да уђе. Остали се не помакоше, у знак протеста због нарушеног реда.

„Јадно дјете“, рече једна од оне двије жене.

Иванка остаде на вратима кад је Хурја позва и она несигурно уђе за њима.

Доктор је посјео дјечака на столицу, скинуо му крпу с лица, и са великом лупом шарао по рањеном мјесту на образу. Натопи нечим чисту газу и обриса згрушане трагове крви. Очисти рану и поново принесе лупу.

„Младеж!“, рече. „Инфицирала се рана.“

„Шта су ти стављали на рану?“, упита.

„Стискали је, стављали смоквин лист.“

„Шта још?“

„Цједили мљеко из смоквине петељке“, срамежљиво ће дјечак.

Хурја на то не рече ништа. Устаде, приђе ормарићу са љековима, узе неке кутије и ампулу. Напуни шприц,а кад Душан угледа иглу несвјесно намјести такав израз да му Хурја на то рече:

„Мора!“

Иванка се окрену према зиду и, док је преплашен, у грчу, чекао да се игла зарије под његову кожу, чу гдје Хурја рече: „Готово!“

„Готово?“ понови докторове речи, зачуђен, па брже-боље скочи са кревета као да би се могао предомислити.

Хурја се окрену према Иванки, која је допола разумјела шта јој говори о чишћењу ране, узе љекове које јој пружи, па неспретно, сметена од свега, повуче докторову руку и пољуби је. И он се нађе затечен. Повуче махинално руку и климну главом док је отварао врата ординације.

„Велики човјек“, размишљала је, умирена Душановим збрињавањем, док су се враћали кући преко поља. Видјела га је свега два пута до сада, а наслушала се свакојаких прича и хвала о њему. Не зна се тачно одакле је дошао, зна се само да је по партијској дужности. Није му се знало ни право име, а зашто су га звали Хурја-и то је било непознато. Никад се није превише удубљивао са људима у причу, али би сви рекли: „Шта ти Хурја каже, то би ти и сам Бог рекао.“ Зато су га, на неки њихов начин, вољели и гледали га са страхопоштовањем. Ишли су и дотле да би рекли: „Он, чим те види, не само да зна шта ти је, него и шта мислиш.“

„Бог га поживио и дао му среће“, промрмља Иванка за себе.

Душан ју је пратио корачајући метар иза ње. Уморио се, али је у њему спласнуо онај страх да би могао лако умријети. Гледао је, ослобођен те мисли, равно, у бјелу бошчу испред себе, у ситну старицу чистих вуштана, са поцијепаним рукавом који је млатарао с лијеве руке све док нису дошли надомак села. Упиљише се у њих радознале очи пролазника, али им њих двоје не придадоше пажњу пролазећи мимо њих. Зауставише се тек кад су дошли пред бајам испред њихових кућа, који је дјелио два имања.

Кућа са лијеве стране, пространа приземница од камена, са дозиданом пушницом, конобом, мало подаље шталом и великом појатом за сјено која се налазила на гувну, била је Стојанова. Цијели тај простор био је ограђен каменом оградицом, тзв. сухозидом.

Прва кућа здесна, повише бајама, била је Николина. Слично камено издање као Стојанова кућа, само на спрат, са великом окућницом и опет каменом оградицом. Све су те куће около, у ствари, сличиле једна другој, осим што би нека више стрчала у висину од друге. Све су биле од тесаног камена с тим што су се разликовали кровови од цријепа или од плоча на старијим кућама. Бајам је давно изникао, истурен спреда, на самом пролазу између њихових двију кућа, на утабаном путу који се послје бајама рачвао на два крака. Један је водио Стојанову прагу, други Николином.

Иванка је оклијевала на кратко, а онда се осмјели и упути са Душаном у кућу. Стискало јy је у грудима сазнање да им прага није прекорачила од Анкине смрти. Како је ушла, видјела је да се ништа није ни промјенило. Дугачким ходником дођоше до огромне просторије која је служила као кухиња и соба.

Поглед јој одлута и прикова се за један ћошак гдје још види црни љес и предивну младу жену обучену у бјело, како снива вјечним сном. Око ње се послагале нарикаче, жене у црном и мушкарци са ракијом у руци, за покој душе.

Трже се, баци летимичан поглед на супротну страну просторије, из чијег је правца жарила испитивачка ватра баба Јелиних очију. Нити је Иванка поздрави, нити ова проговори. Само се промешкољи на столици крај шпорета. Од шока, заборави на своју костобољу и болесна кољена, због којих је била толико трома. На Душана не обрати пажњу, већ је цијелу заокупи срџба и бјес.

„Проклетница, свуда се петља!", мисли су јој пратиле поглед ка Иванки. Јела је знала да Душану неће бити ништа, она је урадила оно што се морало, а после је све у Божјим рукама одувјек било. Тако су и њој старе жене, народски, откидале брадавице. Ништа се то временом није измјенило, само су се дјеца размазила. Ко је њу тетошио вазда због глупости и водио до љекара у оно доба?! А она, преко пута, увјек се нађе паметовати. Све јој то пролази кроз главу, али не говори ништа. Осјетила је како је Иванка спремна да се баци на њу као кобац, само ако зуцне и једну ријеч. Мудро се ућутала, мада би је најрадије за косе избацила напоље. Посматрала је како Иванка из травеже вади неке кутијице и ређа их на кревет, па нешто говори Душану. Онда се удаљава и хитро се у два, три корака нађе на излазу из куће као да је хтјела што прије изаћи одатле. Јела се са свог положаја уз шпорет сагну, дохвати клупко вуне са иглама и баци га за Иванком.

„Ни каљаве гумаше не изу", просикта кроза зубе, и даље не обраћајући пажњу на Душана.

Николу је вијест затекла у кафани, већ застарјела и окаснила. Злосутник Тоде ју је донио, ко би други. Видио је оно двоје када су се враћали преко поља, пратио их и ослушкивао. Говорили су мало, али је успио нешто разазнати о некаквим љековима које је Иванка помињала, и чишћењу ране. Успио је да примјети и Душаново измјењено лице, па је појурио у кафану. Рачунао је с тим да ће Николу тамо затећи и да ће попити нешто на његову рецку.

„Заслужио сам“, мислио је гледајући за Николом који је до бајама стигао управо кад је Иванка излазила из његове куће.

Она га опази па крену према њему.

„Све је добро, не брини“, рече му.

„Хвала ти, по сто пута, Иванка“, он ће.

Осјетила је искреност у његовом гласу и на тренутак јој се учинило како је нека благост изашла из његових очију. У дну душе је знала да му није лако и би јој га жао. Постаја још мало са њим, па се окрену ка својој кући. Умор јој се навалио на леђа и тек тад поче осјећати како јој ноге дрхте. Никола је пожурио ка својој, мислећи како је ова старица Душанов анђео чувар. Да ње није било онда, не би ни Душан сада био жив. Није заборавио. Како би могао?! Сјећао се свега, сваке ствари и ситнице, сваког покрета и изговорене ријечи.

„Да не би ње онда, не би ни њега било данас“, понови у себи, и уђе у кућу.

*
*   *

„Ледено је“, говорио је Старац у бунилу.

Тресао се испод биљца у грозници.

„Заборав? Нећу! Нећу!“, окретао је главу с једне на другу страну. Помути му се у глави и заврти нека прича од раније, прича са неким и тај неко га пита:

„Како се зовеш?“

„Не знам“, одговара он.

„Немаш име?“

„Немам!“

„Од којих ли си ти?“

„Од својих!“, Старац ће.

„А који су то твоји?“

„Нема их више.“

„Нема?“

„Нема!“

„А колико ти је година?“

„Не знам.“

„Ни имена немаш, не знаш одаклен си, ни колко имаш година. Јел' ти то мене зајебаваш?“, љути се глас.

„Пусти га! Мора да је помјерио памећу“, неко трећи се убацује у причу.

„Ледено је“, цвили Старац.

Жмури све вријеме. Понекад нагло отвори очи и избуљи се ка оном мјесту на зиду гдје је сакрио кашикару. Осјетио је како му је неко скинуо гумаше и како је биљац отежао од гуња и кабана набацаних преко њега. Осјетио је задах слабе ракије што му хлади чело и врат леденим облозима од којих га хвата још већа језа. Опире се да не би извукао руку, а обледени се кад се засуче рукав и ракија натопи зглобове влажном крпом обмотаном око њих. Сад би устао и све отјерао дођавола, само да икако може. Није сигуран да ли то неко ту сједи у колиби, или је већ ноћ и вријеме за посјете. Сигурно је ноћ и будан сања.

Покуша да придигне главу, тешком муком, али је не помаче. Опет му нечија рука додирну чело и стави ледени облог. Поново се стресе. Не позна руку. Није се спустила на десно раме и он није наслонио образ на њу. Можда је призива у часу који није час за њу, а свакако куца да откуца и замре. Можда је помислио на људску помоћ и доброту у својој немоћи. Али од кога? Ко ће му овдје прићи кад и вуци самотњаци од њега бјеже?! То је само игра сјенки у колиби, и оне утваре што му се смију из ноћи у ноћ поиграву се с њиме. Траје, не престаје. Опет покуша придићи главу, ал' не иде, неће глава ни макац. Шта ти је самотност и казна од самоће?

Старац испусти крик који се проломи колибом и напоље, кроза шуму, јурну дивљи крик рањене звјери, неспокојне у осами.

Опет му је хладно рукама. Повлачи их дубље под биљац. Отежале су му. Вуче неке крпе око њих, што стално спадају. Опет мирис ракије у ваздуху и дрвена кацивола свјеже воде из вучије нагиње се ка његовим устима. Главу му подиже нека сила и сркну неколико гутљаја воде.

У колиби бљесну слаба свјетлост ватре са огњишта, а угодна топлина проструји цијелим простором. Старац је напокон почео осјећати згрчено тјело на сламарици. Опусти му се мишић по мишић па изнемогао утону у сан, празан и захвалан. Одмориће се на трен.

Ватра је догорјевала на огњишту када је неко тихо изашао из колибе и затворио врата за собом.

*

*   *

Иванку је савладао умор па је једва дочекала да се спусти на кревет. Само што јој се први сан примаче, дође јој у мисли Анка. Лежала је будна, притиснута замором који јој више није давао сна. Зна она каква је ноћ и да у мраку човјек свашта види и на свашта ће наићи. Врпољи се по кревету, стишће очи не би ли на силу заспала. Скреће мисли на друге ствари, броји у себи, и на крају опет види Анкин лик. Побунила се сјећања па јуришају на тврђаву на којој већ стоји бјела застава. Покренуле се слике саме од себе, као посљедица цијелог претходог дана.

„Чувај ми Душана“, једва изговара Анка на самртничкој постељи и гледа према вратима гдје стоји Иванка.

Ова једва задржава сузе, стишће шаку док се нокти забијају у кожу. Клима главом као да обећава, јер не може истиснути ни слово из себе, а камоли шта рећи.

„Несретнице моја“, мисли, „младости изгубљена.“

И онда јој старица љуби руке и чело. Већ је положена на одру, уз уцвиљене и радознале, већ је прежаљена и заборављена од многих. Иванка није заборавила. Како би могла кад ју је завољела ко властиту кћер?! Сваким даном, кад гледа Душана, види њу. И дан-данас тако.

„Вижластог ли дјетета“, говорила би уз осмјех, док је двориштем одзвањао Анкин смјех.

„Љепотице моја, ходи амо!“, дозивала ју је да уђе у кућу кад би видјела да несигурна стоји покрај бајама на по пута, погледајући иза себе хоће ли је Јела прекорити.

Јела није била добра ни за њу, као ни за друге. Била је само опсједнута својом костобољом и болесним кољенима. Пред другима је јадиковала даноноћно и служила се штапом само ако је мислила да је неко гледа. Кад би се заборавила, штап би обавезно негдје затурила, да би се појавио након дан или два, када би сви укућани испревртали цијелу кућу.

Људи су им све рјеђе свраћали у кућу. Одвратила би их њена пренемагања и непрестана оговарања сопствене куће у којој је увијек кудила Анку. Ни Никола је није у томе могао заштити ни кад је био код куће, поред свих својих одсуствовања. Волио ју је. Била је млада, добродушно несташна, насмијана и полетна све до часа када је престала да се смије.

„Љепотице моја“, говорила би јој Иванка и кришом јој показивала како се мијеси крув и погача, како се кисели мљеко и прави добар сир. Учила је како оплести и парати, како почистити и намести. Њих двије су се разумјеле и, колико је бјежала од Јеле, толико је трчала Иванки.

„Ништа не знаш!“, говорила јој је Јела. „Матер те ничему није научила.“

„Пусти дјете! Научиће!“, бранила ју је Иванка и учила је даље кришом.

Анка би претрчала од своје куће до њезине за мрву соли, за мрву „како ћу ово и како оно“, све док једнога дана Јела није дошепала до бајама и пред цијелим селом на сав глас изговорила:

„Крадеш ли то моју снају да је обрлатиш за своју кућу?“

Проломи се то селом као гром, и народ, жељан туђе муке поче да прича.

"Не будали, луда жено! Не просипај отров по нама“, говорила јој Иванка, али је ова сваког дана долазила до бајема и клела Иванкину кућу.

„Не куни, Јело, не гријеши душу! Знаш да клетва иде по пола оном кога кунеш и ономе ко куне," молила је Иванка, али Јела, острашћена у улози наводног браниоца свога презимена, није престајала све док нису прошли дани и док се сама није уморила.

И селу је дојадила. Ничега новог није било, нити је речено. Познате ствари не држе пажњу дуже од слабе ватре која се гаси. Са друге стране, посљедица је био Анкин смјех који је замро, те више никад није крочила у другу кућу. Весело лице се обојило туробном бојом терета који јој је сваким даном доносио нове сузе.

„Реци јој и ти Никола! Научи луду младу да поштује кућу у коју је дошла", хушкала је Јела.

„Ћути, мајо! Доста је!"

„Цијели свијет ти се смије, поштењачино моја! Довео си младу, а она трчи у другу кућу."

„Гријешиш, мајо", борио се Никола, док му онај дроњак од Тоде не приђе једно вече у гостиони и упита га на сав глас:

„Јел' истина да са Стојаном дјелиш младу?"

Кад зачу гостиона, заори се смјех од стола до стола, и кљакави Тоде, од све своје глупости, побра аплауз од људи. Никола проблиједи и шчепа Тоду за врат, кад прискочише двојица да их раставе. Он излети напоље и одјури кући.

Анка је спавала у соби кад је, разјарен, улетио унутра, свукао је са кревета за ноге, дохватио за косу и бацио на под. Онда ју је шамарао и тукао не гледајући гдје удара, док сав бјес није изашао из њега. Анка је цвилила, рањена иза сна, покривајући рукама главу, несвјесна шта ју је снашло у по ноћи.

Иванка се усправи у кревету. Срце јој је тукло у аритмији као да ће сваког часа пући и расцвјетати се на мртво. Затвори очи па их отвори, а пред њом Анкин лик, насмијан и честит.

„Шта ти је свјетина! На крст ће те часком часнога разапети", мисли Иванка.

„Ех, несретнице моја!"

Кад се споје зли језици и лоша намјера куд ћеш већег зла! Зашто ли се увијек обруши на невинога?! Слично је и са добром намјером кад крене наопако, па се добро лошим заврши за недужнога.

Сјећа се како је ишла пред Николина врата да га моли:

„Никола, не буди луд! Знаш да сам сама, да је Стојан у војсци и далеко.“

„Иди , Иванка!“, мирно јој је рекао и затворио врата.

„Џаба све!“, мислила је она неспокојна, „кад сумња једном уђе, никад више не изађе.“

Отровни вирус се најлакше убаци у тјело, изможди га изнутра, изједе мозак, и више ниси свој кад кренеш да истјерујеш правду.

Љутила се на Јелу. То је све било њезино масло. Све је то она смислила и помрсила конце. Да је бар мало заштитила ту младу снају, подучила је и упутила, а не кудила и псовала, не би се она кришом јадала другоме и молила за помоћ да се не замјери свекрви.

Послије свега, Иванка је одлучила да се повуче и да се не петља више у туђе ствари. Чврсто је била ријешена да свакога мора препустити његовој судбини. Свако има свој пут, свој запис, и не треба она да мјења нешто или некога. Не треба ни помагати превише. Све оно што нема мјеру зна се окренути против тебе самога. А колика је мјера? Чиме ли је мјерити?

Љутила се због тога на село и на себе. Биће да је она највише крива кад није видјела здравим очима претњу преко бајема. „Како ли ће је и видјети кад увијек иде чистим срцем“, питала се.

„Свеједно, овако и онако, нећу више да се мијешам“, остаје при своме.

Можда је баш то мјера и најбољи начин да се помогне- управо држати се изван свега. Али онда си изопштен и проклет, јер како бити изван свега кад јеси у њему, бар у нечему, бар у једном дјелу тога свега?!

„Сад је доста! Нећу, нећу, нећу!“

И није, ни онда кад је Анка родила прво мртворођено че-
до, ни после кад је двогодишња дјевојчица умрла од фраса, из
чиста мира, ни кад је треће дјете заспало мртвим сном од уједа
змије, док је чувало овце, па га тако нашли у ноћи када су ор-
ганизовали потјеру из села. Није учествовала ни у чему, имала
је она своју муку и своју страну бајема, с којом су клетву дјели-
ли на пола.

Умјешала се после дуго времена, оно вече кад су је дозива-
ли стравични крици из Анкиних уста. Назула је гумаше на бр-
зину и отрчала у њихово дворیште, с друге стране бајема.

Анка је чупала косу и ваљала се у страшним грчевима, по
каменим плочама којима је било поплочано велико двориште.
Никола је јецао, држећи у наручју сина, којем је главица клону-
ло падала преко његових руку. Дјечак, једино им преостало дје-
те, био је потпуно модар и подбуо као балон.

„Гледа,ј Иванка! Оде ми дјете!“, кукала је Анка.

„Никола, узми сјекиру и иди Запрежници!“, повикала је
Иванка.

Овај је намах погледа празно. „Брзо!“, понови она, па се он
некако сабра, предаде јој дјете из руку и узе сјекиру из куће. За-
пути се право у трећу кућу од своје.

„Излази, курво! Спашавај ми дјете или ћу те убити!“

Лупао је сјекиром по вратима оронуле камене куће. Како
нико не отвори, он подиже сјекиру и замахну по дрвеним вра-
тима.

„Сад си ти на реду, вјештице стара!“, викао је.

„Стани! Стани!“, зачу се глас изнутра.

„Стани! Помоћи ћу!“, понови стара.

Кад је Никола престао комадати врата, она се појави на
прагу, везујући бошчу. Он је шчепа за врат и довуче у двори-
ште. Запрежница погледа дјете у Иванкиним рукама, које је
претило сваког часа да ће пукнути од силине надимања. Узе га
у своје руке. Додирујући му стално главу, поче бајати. Бајала је
над њим све док се дјете не отвори и попиша ријеку која истје-

че из њега. Дјетету се одмах затим врати нормална боја коже и спласну сав оток са њега. И док су се сви окренули ка њему, вјештица нестаде.

„Дирнеш ли ми још једном у дјете, решчеречићу те, курво!“, проламало се за њом.

„Било је вјештица одувијек“, присјећала се у себи Иванка. Знало се тачно ко је ко у селу. Говорили су стари да ће дјете које се роди у кошуљици бацати чини и имати моћи. Зазирало се од старих баба и удовица у црном. Довољно је било упријети прстом на некога, било с добром или лошом намјером, и људи би одмах постали обазривији.

За Запрежницу су сви говорили исто. Клонили су је се. Била је чудна, живјела одвојено од свијета, врло усамљена. Знало се да је склона урећи и послати мору. Помазила би дјецу по глави, и до сутра већ зло.

И Душан је исто прошао. Направљено му је да не може да мокри. Срећа да на крају тако испаде па им бар то дјете од све дјеце остаде.

Анка је већ дотада била осушена и полулуда од боли за њима. Истањила се у лист који је вјетар одизао од тла. По цијели је дан грлила Душана и плакала. Толико је и стално плакала за умрлом дјецом, да је ископнила за кратко вријеме. Поготово се више није смиривала када су код оваца пронашли мртвог дјечака. Причала је једном и сама под бајемом, већ слаба, како је, док је ишла кроз шуму овцама, сва уплакана, пред њу изашла вила и рекла јој:

„Престани, жено, више да плачеш! Од твојих суза он је увјек мокар и не може да се смири!“

Од тада су јој некако пресушиле сузе, али и живот. Опростила се од овога свијета млада, бјеле пути и бљедог лица.

„Чувај ми Душана“, зуји у Иванкиним ушима. Још је види како стоји пред прагом своје куће сутрадан послије Запрежнице.

Љуљала се напред-назад на вјетру и нервозно гужвала травежу. Није изустила ни ријеч, само је напињала жиле на врату

у покушају да нешто каже. На крају је попустила кад јој је Иван-
ка пружила руке и бацила се ка њој, јецајући.

Некако јој се учини да ће је преварити сан пред зору, па се
бори у себи и мисли гдје ће сад спавати кад треба устати и на-
ложити ватру. Врага и ноћ! Колико год била дуга и мучна, не-
кад пребрзо зна да прође. Клону јој глава на груди, све у оном
полусједећем положају, у који се била издигла.

Марта је тихо отворила кухињска врата и још тише их за-
творила за собом. Босим ногама је дотапкала до кревета и уву-
кла се поред Иванке. Блажени осмјех јој је титрао на уснама у
трену кад се склупчала испод њезине руке.

*
*   *

Старац је истетурао из куће на једвите јаде од синоћне вр-
тоглавице и температуре горе него да га је јак мамурлук сна-
шао. Ноге су га држале несигурно док се рукама придржавао за
довратак. Мислио је, шта год да га је снашло, није боље ни за-
служио. Али опет му се и чини да му се неко увјек нађе и да ни-
је сам. Зна он то одавно да су гости познати и звани увјек око
њега и у њему, хоћеш дању, а још боље ноћу. Није сигуран да је
ово исто, али не би их се одрекао ни за час, а и одмори се кад
оде на Језеро. Тамо је миран и не походи га нико. Нико од њих
не прилази и не дира га. „Поштују“, мисли он, „ако не мене, он-
да оно испред мене у води. Можда и не поштују, али се боје“.

Како било, њему је свеједно, а миран јесте. Поглед му паде
на капију, била је затворена. Сјети се да ју је оставио отворену
због коза. Гледа, али их не види нигдје. Полако, наслањајући се
о зид куће, с ноге на другу клецаву ногу, дође до стражњег
дјела.

Козе су уредно биле утјеране у тор, намирене храном и во-
дом, а љеса затворена.

Старац остаде зачуђен. Остави их тако и врати се у кућу,
гдје се још више зачуди чуду унутра. Није то видио у први мах,

кад се с великим напором подигао из постеље. Гледа. Поред огњишта, између врата и прозора, стоји о зид наслоњена вреħа. Скрену поглед на троножац, кад на њему нове вунене чарапе. Не зна да ли да се радује или да одмах све избаци из своје куħе.

Није заборављен, тјеши га потајно та мисао, јер он сам никад не би заборавио, али неħе милостињу. Та он је бирао и научио да хода бос како би сачувао окрпљене гумаше кад наиħе зима! Од таквог хода кожа му је огрубила и задебљала се на широком стопалу и пети да ни трње више није могло продрети дубоко, а и камен се навикао на њ.

Не треба му помоħ. Неħе он да му се неко примакне да би се тог тренутка тај неко осјетио бољим у доброме дјелу. Неħе се нико искупити за своја недјела и превелики гријех дјелеħи милостињу другоме и молеħи се да сиротиње и милостиње што више има како би се он осјетио боље. Е, људске ли себичности непресушне! Може то дјело набити на колац и показивати читавом свијету! Од ког дјело доħе, треба се добро пропитати и сагледати дјелатник. Данас то буде свако, а од свакога иде свашта-и дјело и недјело. Неħу да будем објекат за ваш узвишени осјеħај хуманости, док се окреħете око себе и пратите испод ока да ли вас други гледају! Као онда кад су наишли људи из села, тобож да помогну. Није их било пуно, шачица повратника, ових или оних, послије рата који је скоро протутњао. Чули су за њега па га пратили кад се један дан кренуо од језера све до колиба. Можда су га, додуше, видјели по срњиштима, па се уплашили за се. Понијели му сутрадан у зору нешто сиротиње у рукама, биħе да је храна и прње. Није право ни гледати хтио. Уплашили се од старог чудака па дошли испитати прети ли им. Разумије он њих, није им свеједно вратити се у порушене куħе, своје или туħе. Не разумије само како им он може бити претња. Опрезни су, вјероватно. Кад те једном опаучи зло, и доброга се бојиш.

„Добар ти дан, домаħине“, викну један од оне петорице са приличне удаљености од колибе.

„Којим добром?“, упита их Старац.

„Дошли да те обиђемо. Да видимо треба ли ти штогођ, каква помоћ?“

„Јесам ли вам је тражио?“

„Ниси, добри човјече. Но, ми мислили…“, искорачи један испред осталих, али га Старац прекину.

„Не требаш ми ни ти, ни твоја помоћ. И нисам ја добар, ал’ вас нећу побити на спавању ако ме оставите на миру“.

Зграби карабин иза врата и нанишани на њих.

„Ајд’ сад својим кућама и да вас никад више овдје нисам видио!“

Она петорица се загледају па се окренуше и пожурише назад.

Тек тад Старац примјети двије жене које су се заклониле мало подаље, иза дрвећа.

„Овај је луд!“, опсова неко од њих.

„Тако је то било“, присјећа се. Гледа у ону врећу. Зна да је брашно и да није до врха пуна. Зна да је већи дио од подјеле добио он, и да није први пута да се ствари створе саме, ниоткуда, у колиби. Нека стоји, оставиће и овај пут! Још му није закржљао инстинкт за добро које не тражи ништа заузврат. Љути се изнутра, али пристаје. Више се љути на себе него на онога на кога мисли, али куда би са тим брашном. Гријех је просути га, а да га врати, неће га примити.

„Нека га!“, мисли. „Послужиће!“

Сад опет мисли колико ли је себично мекан бити, хулити на помоћ, а приграбити је. Врећам се на људски покушај чињења добра ради властитог искупљења, а на другој страни-прихватам људски удијељени дио доброте. Учествујем у двострукој игри превара. Онда и сам варам и онда кад сам преварен. Шта ли је доброта него тренутна варка, коју ће дволичност и зло временом са гнушањем одгурнути и загушити као споредну дјелатност истине?!

Е, зна он то, наживио се толико и осјетио на својој кожи. Једино од Бога је сваки дар истина, једино тако, ал' кад би бар, ко некад, вјеровао, било би му лакше, прочистио би се од сумње. Одавно је дигао руке од вјере и предао све што има.

Узе чарапе и пажљиво их послажи у ковчег. Сједе на троножац и узе ниску сувих смокава коју је минут прије скинуо са греде. Нанизао их је на канап. Родиле су ове године па их спремио за зиму. Добро му дође, повратиће му снагу. Осјећа се и даље слабим.

Једе оне смокве на силу, испадају му из руку. Купи их по себи и по поду док не изгуби равнотежу и склизну са троношца. Срећа по њега, дочека се на руку па се тако задржа да не падне и повреди се горе. Лако је то у његовим годинама и опасно. Уз врата, са унутрашње стране, угледа свој штап, па мјери раздаљину од њега до сламарице на другом крају. Процјени да не вриједи кретати по њега, па се уз муку одиже до сламарице и завуче се под биљац. Угријаће се брзо, на огњишту свакако нема ватре.

„Треба ми још само мало", мисли, „па ћу устати."

„И није ме брига што су ме оне будале прозвале чудаком и лудом из колибе. И није то ништа што нисам успио дохватити свој штап поред врата."

„Штап?", сину му. „Откуд штап уз врата?"

∗

∗   ∗

Тоде је чекао да Никола изађе из гостионе, сакривен у прогону између двије куће које су се намјестиле тачно преко пута високе двоспратнице у чијем је приземљу уређена гостиона, а до ње сљедећа врата су водила у мањи простор продавнице. Власници су били вредни људи, брачни пар Милан и Неда, скорашњи повратници из Америке. Миланов отац је први отишао у свијет после Првог свјетског рата, па како се тамо, по причи, љепо снашао, кренуо је и Милан за њим, дуго година посље. Причало се да је главни повод био тај што му се отац те последње године није више јављао, па је он покупио сва писма и све адресе са којих су долазила и кренуо за њим. У глави су му били Видојини новци и слике богатих кућа и људи, које им је раније слао.

Како је био несигуран у пут којим је наумио, усудио се питати Неду би ли кренула са њим, што је ова једва дочекала. Посље се кроз живот присјећао како су то биле једине две ствари у његовом животу за које се сам он одлучио и једине двије ствари због којих се покајао: пут у Америку и женидба Недом. Не би се сигурно још одлучио на женидбу да не би тог пута и врцаве Неде, чије су очи изазивачке шарале по њему сваки пут када би у селу наишао на њу, не знајући да је то она, не препуштајући ништа случају, уредила. А и сиротиња отворила широм гладна уста, па се побојао да не би иза Видоја све то некоме другоме остало.

Кренули су те ноћи, рано, око три сата, а испратиле су их двије старије жене. Миланова мати је плакала и кукала што јој се једини син отисну у свијет. Изгубила је главу куће, бојала се да не изгуби и њега. Има она још осам кћери, али оне све поудане и све туђа кућа.

„Не плачи, пријо!", тјешила ју је друга жена, Недина мати. „Биће добро и њима и нама."

И тако се отиснуше да нико није о њима чуо ни ријеч док се нису вратили тачно посље четири године. Милан се претворио у суморног старца у својим тридесетим, а Неда у расну женетину која је вукла за собом двоје малешне дјеце. Сва прича о Америци је убрзо замрла онако како се развила, и све се свело на тешки уздах из Миланове душе. Говорио би:

„Е, кад сам ја био у Америци!", и наставио вртјети главом.

То је звучало битно и узвишено да је свака друга прича око тога била сувишна, а гдје би прост народ сједећи нешто посље у његовој гостиони то разумио. Људи су га пажљиво посматрали преко уредних бјелих стољњака којима су били прекривени дугачки камени столови и уз њих постављене дрвене клупе.

„Што не остаде тамо кад му толико фали“, сложише се они.

Неда је гледала своја посла, односно сва посла која су отворили и развили откако су се вратили са оно мало новца. Мужа је у себи називала Мутави и поставила га за шанк у гостиони. Она је трчала из продавнице до гостионе, одатле до ткачнице, све са оном дјечурлијом око својих ногу. Продавница је била под кључем, и кад би је неко дозивао, вадила је свежањ дебелих кључева сакривених под травежом и уводила их у слабо освјетљени простор јадно снабдјевене продавнице. Куповина у селу се сматрала нуждом, а предност је била куповина на црту до неког сљедећег прилива новца, и што нису морали за ситније ствари чекати среду, сточни дан и велику пијацу у граду. Онда би она трчала на спрат, до собе коју је претворила у радиону, гдје су једне жене ткале на тари зобнице, биљце и миразе по наруџби, а друге су из кудјеље преле вуну и намотавале на преслицу кад би је острижену и опрану кроз девет вода, доњели.

Од свега је ипак највише вољела гостиону и својим грохотним смијехом је привлачила мушки свијет. У прво вријеме је на клупе стављала исткану простирку из радње, поносна на своје газдовање, а онда се брзо уморила од чишћења и прања да би је потом само у посебним приликама износила. Милан би јој се склањао са пута, најчешће сакривен иза шанка, гдје би кришом попио да она не види. Вино и ракију је држао у малим бачвама па точио у букаре и мале стаклене чашице донете из Америке. Некад би набавио каквог сока и боцу другог алкохолног пића, али је најбоље пролазило домаће, због јефтиноће и навике. Људи су свраћали током дана, а увече их је знало бити пуно на бришкули и трешету, поготово кад наиђе бура и хладно вријеме.

Тоде је једном наишао у по дана, када је Неда викала на Милана, називајући га мутавим и љеним, док се овај бранио још једном букаром вина напуњеном до врха, у инат. Одмах је Ми-

лан постао Мутави пред цјелим селом, то вече, у својој сопстве-
ној гостиони. Није се ни бранио.

Само се повукао уздишући: „Ех, та Америка!“, и ћутао ци-
јелога живота о томе како га је скупо коштала

Нашао је оца гдје лежи на неком гробљу, у брдима гдје је
вадио руду и живио у радничким баракама. Оно новца ако је и
имао развукли су лешинари у бараци, скупљени од сиротиње
са свих страна свијета, па од силне бриге да им се нађу у муци,
приме њега и Неду у бараку. Издржао је четири године, једва
преживљавајући, штедећи за карту и да се врати са неком цр-
кавицом, мислећи како ће од свијета у селу, на очи им. А кад се
вратио, само је једном пред селом објаснио:

„Није ме задржало ни Видојево благо, ни куће. Груда своје
земље-најмилија.“

Народ је то прихватио и оканио се ћорава посла, а у себи
је мислио: „Лопов, лажов, млакоња, будала…“ И кад су се сви
уморили од оговарања, оставише га на миру.

Милан је ћутао на све то, а у себи се цијелог живота питао
откуд Видоју слике оних раскошних кућа и вила што му је го-
динама слао.

Тоде изађе из прогона када је Никола замакао иза кућа. У
празној гостиони, Неда је поправљала стољњаке по столовима,
превлачећи руком по ивицама да боље приону.

„Добар дан, газдарице!“, поздрави је.

„И теби, Тоде“, одговори она. Оно „Чворуга“, како су га у
селу звали, изостави.

„Јел’ Никола свраћао по партијској дужности или из разо-
ноде?“, закикота се злурадо.

„Гледај своја посла!“ мирно ће она.

Надала се да ће отићи кад види да се нема коме прикрпи-
ти за коју чашицу, али он, сигуран у се, приђе ближе и стаде јој
иза леђа.

„Засукала ти се травежа, Недо!“

„Све ти видиш!“, одбруси му она, одмакну се и намјести травежу.

„Некад и зажмурим на оно што видим. Зато, почасти једном ракијом.“

„Да те частим зато што ти жмуриш?!“

„Ако прогледам и попијем коју више, па ми се језик одвеже, неко ће настрадати.“

„Шта причаш, сподобо?“, поче она да се љути.

Он се загонетно насмјеши и задовољно протрља руке.

„Него да те питам, Недо… Спада ли у партијске дужности и ваљање по сјену?“

„Црко дабогда!“, зајапури се Неда од бјеса, повуче стољњак од љутине и баци га пред њега.

„Шта оћеш да кажеш?“, унесе се према њему.

„Ништа и свашта. Зависи од тебе. За почетак, дај ракију! И нема више цртица!“

„Ти да ме уцјењујеш, псето једно?! Има и изнад тебе неко, не брини!“

У том трену на вратима се појави Милан.

„Здраво, Тоде! Јеси ли дошо ил’ пошо?“, упита га видјевши како овај стоји на по гостионе, окренут вратима. Чуо је повишен Недин глас, али није могао разазнати о чему прича.

„Пошо, кад нема никога, ал’ сад, кад си ти дошо, попићу једну. Неда навалила да части.“

Милан погледа ка Неди па се зачуди гдје се наједанпут продобрила. Обично би пазила на сваки новчић који је крила у сламарици, а њега би редовно провјеравала и испитивала да не прелије чашу или почасти кога. Знао је он, додуше, и за оне новце што је држала кришом у ковчегу, под кључем, у њиховој соби, само је тешко било доћи до кључева са свежња који је чувала под вуштаном и прегачом. Али и даље је у чуду.

Неда је киптила од бјеса на Тодину смјелост. Шта може? Кад се будала усуди испасти јунак, нема веће будалаштине у којој ће страдати многи.

Подиже онај стољњак са пода и ули двије ракије прије не-
го ће изјурити из гостионе.

*

*   *

Старац се пробудио обливен знојем. Кошуља је на њему
била толико мокра кад ју је скинуо, да се са ње цједила вода
Извади из ковчега чисту, изношену кошуљу, преобуче се,
а ону мокру пребаци преко ковчега. Нек чека бољи дан у којем
ће је опрати у извору! Сав је још сломљен, али некако се осјећа
лакшим. „Боље ми је“, говори у себи и некако му драго од те спо-
знаје.
    Ноге га слушају, а то му је битно ускладити ум и покрет.
Битно му је, посебно у тим моментима кад мисли да луди, па
онда нареди ногама да ходају све кроз шуму и узбрдо док се лу-
де мисли не уморе и оставе га на миру. Сад је добро што је умом
бистар, а ослања се и на властите ноге. Шта би са умом да му
ногу није, поготово кад ум полуди у предвечерје, или овако, кад
га савлада каква немоћ напречац?! Дограби штап и, ослањају-
ћи се на њега, изађе вани.
    Необично тихо вече изашло је испред самог мрака и он, го-
тово очајан, схвати да му не вреди кретати до Језера. Пресјече
га бол у прсима од помисли како данас није ишао доље. Наљу-
ти се на себе и опсова гласно и матер, и материну, и немоћ и но-
ге што га данас издадоше, па и мрак што се брзо привуче од
јутрос. Од муке је поплавио у лицу, и свака длака му се нако-
стријешила на коси и на бради. Већ је касно, а ко зна да ли би га
ноге носиле до доље и назад. Сачекаће! Сачекаће јутро. Ваљда
неће баш на овај дан наићи неко зло на Језеро! Почеша се ру-
ком по бради, загади је покретом одозго наниже, и пренерази
се кад схвати колико је порасла да је готово до прса сезала. Уђе
у кућу и из ковчега са самог дна извуче вретено и маказе. Вре-
тено врати на мјесто, узе маказе и крену ка вратима. Успут до-

хвати руком поломљени комад огледала који је висио на зиду изнад вучија. Огледало је било оштрих и неједнаких крајева да је морао водити рачуна да му се не усјеку у кожу. Свјетлост је измицала из колибе, али се на прагу, гдје се Старац смјестио, још колико-толико дало видјети.

Помисли колико се већ дуго није понашао по правилима цивилизованог живота. Прво је мрзио правила, потом оне облике које су људи називали цивилизацијским, а на крају реда, и сам живот, тачније потребу за животом, нагонску и омаловажену од бездушнога краја на чијим вратима се издашно кези смрт. Правила су подразумјевала поштивање свемогућих ограничења, од којих се бунила цијела његова унутрашност и опирао се мождани сустав. Није он за утапање у просјечност, и стога се мора супроставити оквирима те исте просјечности, изван којих ће он сам себи наћи право стање без граница, прилагођено његовој одурној и огавној природи самотњака. Не тежи он тиме да поистовјети тај пут као једини начин свачијег бивствовања, већ само свог. Други нека се утапају у постављеним нормама друштвених оквира и социјалне заједнице, нема он ништа против. Његово „против“ се буни само ако њему одузму право на избор у том саркастичном и неправедном људском поретку, у којем је и он добио своје мјесто. То је одмах повлачило питање чиме ли је заслужио такво мјесто? Зар није исти он могао добити мјесто повлаштених и сретнијих, наћи то исто мјесто у нецивилизованом друштву, у облицима Каледфулча светог мача, Вагнеровог либрета из Парсифала који је сам писао, мјесто Фридриха II, или бар једног од његових ловачких паса, па да том истом друштву у аманет остави нешто историјско и нарочито, макар то била златна псећа огрлица оног истог малопређашњег пса, или његов узвишени измет који ће великодушно загнојити земљу? Зашто то мјесто није могло бити међу гностицима и јеретицима који ће постављати питања па горјети на ломачи? Мада, и кад сагори у прах, зна он да остају питања и да се сљедећи човјек и даље пита чак и кад добије одговор, и све тако кроз вјекове. Зар се Свевишњи толико наругао њему као човјеку да га је изједначио са ништавним ништавилом у којем ће се до гуше закопати, немајући право ни снагу да олабави онај оковратник, олован и теретан, који га је толико гушио и ограничавао му дисање? И још, поред тога, да заслужи правила кад су га унутрашње догме његове свијести спутавале горе него ли било каква казна за непоштовање истих? И зар брада коју је носио није чинила његов лични избор у поштивању туге и несреће као његовог личног скрнављења и разлога за непоштивање људи и сирове потребе за животом?!

Свакако се људски створ склањао од лудака и пустињака, како су га називали, тако да дужина браде неће промјенити однос ни мишљење о њему. И чему се онда враћати парадигми савременог друштва, уза све исфорсиране норме љепог понашања које људи користе у сврху свега интересног и изопаченог, чешће но нечег љепог?

Једино што га мучи је да ће изгубити свијест о постојању њега као човјека са датом улогом, јер одавно осјећа да се претворио у неку шумску животињу коју ће све остале у ланцу исхране почети избјегавати. Да су му порасле длаке на рукама и тјелу, као што су брада и коса, схватио би да се претворио у вукодлака. Овако, двоумећи се, одлучи да остане бар пола човјек иза оне нечовјечне цјелине у његову изгледу, јер би га доље, на Језеру, могли замјенити са чудовиштем и упуцати га. Није да се не би сложио да га упуцају, него осјећа да његова улога још није истекла и да мора чувати Језеро док га не преда неком поузданом насљеднику, изабраном и заслужном.

Одлучи се па, како је сједио, привуче мршава кољена и стави на њих огледало и лијевом руком узе добар дио длака са браде и исјече их тупим, полузарђалим маказама. Понови то још који пут, не спуштајући поглед ка огледалу. Брада остаде, али се видно скрати. Затим дохвати прамен косе који му је прекрио врат и падао на рамена, па у два потеза одреза неједнако косу.

„Тако“, рече и устаде.

Ногом ћушну у страну длаке што су му попадале око ногу и ухвати се за шток врата. Заврти му се у глави и забруји у ушима, како је нагло устао, још увијек без снаге. Заиграше му свјетле искре пред очима. Жмирну два-три пута да их отјера, док му се не разбистри вид. Заплићући ногом о ногу, врати маказе и огледало на мјесто па клекну крај огњишта, и од припремљене суховине запали ватру. Није се сјетио кад је припремио то грање за потпалу, али му лакну што је сад тако и што ватра, као по команди, одмах плану и унесе мало топлине унутра.

Сједе на троножац и погледа ка полицама на зиду. Ваљало би што хране ставити у уста, али му се не да. Остави то за сутра.

Пуцкета ватра и диже се пламичак па се спусти, док Старац, као омађијан, погледом испрати највећу искру што се изви, одвоји од пламена и паде на земљани под. Онда поче расти, ширити се у бјелу свјетлост која се претвори у њему добро знани лик. Насмјеши се тужно и склопи очи. Осјети њезину руку у својој коси и, кад му се спусти на десно раме, он спусти главу на њезину руку и овлажи је једном крупном сузом што му се неконтролисано оте низ лице. Зна он ко брине о њему и ко не заборавља. Зна и ко му ноћу сједи у колиби и загледа се у њега док спава.

„Боже, шта ли мисли кад ме оваквога види?“, тргну се.

Није то ни битно, зна он, не гледа она то што види на сламарици, него онај дјелић душе, чист, неокрњен гдје још свијетли од давнина и храни га да и данас на ногама стоји. Смирише га такве мисли и спокој га заокупи.

Баш кад се смири, кроза сан му, из чиста мира, наиђе Стојан. Гледа људескару како парадира према бајему. Цврцнуо мало у гостиони, па све задиже ноге увис како хода, као да маршира. Грмаљ који је имао најдуже руке и највеће шаке које је икад видио. Блентава глава док је не дирнеш па у њој нешто кврцне.

Дође до бајема, гледа у дрво милостиво, са поштовањем. Дрво се разгранало и чудно подјелило крошњу на двије стране. Пређе руком по кори и напипа мјесто на коме су давно била хоризонтално урезана два имена, његово и Николино. Насмија се гордо на сав глас па извади ножић из џепа и изрезбари онај дио са Николиним именом, да се више није могло разазнати. Остаде површинска рупа ширине његовог великог прста.

„Он ће мени натурати сељачку задругу!“, пљувао је око себе гадећи се на саму помисао.

Сјетио се како га је Никола дочекао под бајемом оног дана када се вратио из војске. С толиком жестином и бјесом га је ударао, онако висок и танак, да му је крв једва стала липтати из поломљеног носа, кад их раздвојише. Стојан је био затечен. Од шока није могао доћи себи, а камоли одбранити се. А да се устао и ухватио Николу за врат, задавио би га ка’ тића, знао је он то. Та одрасли су заједно и толико пута одмјерили снаге! На сву срећу, Иванкино запомагање је призвало свијет, а и Тоде, по надимку Чворуга, се одмах створио. Анка је стајала по страни, дрхтећи као прут.

„Није крив! Није крив!“ …, муцала је.

Ту ноћ, цијела гостиона је врвјела ко кошница од прича о тучи испод бајема. Неда је падала од јурцања између столова и никад јој се до тада није десило да испразни бачве иза шанка. Ни до тада нити икада послије. Стојан је зачепио брбљива уста и стао причи на крај кад су изненада сватови довезли коњском запрегом Марију као младу.

„Ех, кад се само сјетим тога!“, мисли Стојан. „Поломио би га ко вола!“

Зато је он одлучио да бајем, по свим правилима, припадне њему, јер га је његов дјед засадио на њиховој земљи, давно прије него што ће се нове куће саградити у селу Полен. Брига га што се земља даље цјепала и дјелила, и што је некако баш крај бајема прошао пут између двије куће које су се саградиле пред Други свјетски рат. Најезданпут се Стојан изгуби и ликом и ријечима, онако крупан, грмаљ од човјека. Како је у мисли ушао, тако из њих изађе. Старац се на трен обрадова, а онда се смркну кад постаде свјестан у ком правцу би га исте могле одвести.

*
* *

Душан је гледао у карабин испред себе. Није могао доћи себи од чудног осјећаја који га је обузимао, од дивљења, мало надробљеног страха и кратких наговјештаја среће које су чинили ријетки тренуци проведени са оцем. Додирну руком цијев пушке и, лагано клизећи по њој, заустави се на рукохвату. Пређе затим прстима преко неравнина, које су представљале изрезбарене листове храста у дрвету, и протегну се до кундака, гдје је сличан такав дворез приказивао главу јелена и два пута веће рогове. Ремен је био чврст, од дебелог слоја коже.

Никола се посебно поносио насљеђем од свог оца, који је пушку добио на дар од високог чиновника аустроугарске војске, којем је у једној прилици током Првог свјетског рата спасио живот, па му се овај захвалио тако што га је послије низа година пронашао и поклонио му пушку у знак захвалности.

Душан подиже пушку и окачи ремен на раме.

„Још мало, сине, па ћеш и ти њој дорасти!“, насмија се Никола кад видје како карабин виси низ Душана. Овом би нелагодно, па брже-боље скину карабин и пружи га оцу, али га овај у по покрета задржа руком.

„Полако! Нека је!“, рече.

„Видиш ли оне флаше што сам их поставио тамо?“

Душан климну главом.

„Е, њих гађамо! Ти први!“

Намјести му карабин прецизно, у правцу флаша, са добрим ослонцем на рамену.

„Стисни јаче!“, нареди му.

Душан је дуго нишанио. На крају, стисну зубе, репетира пушку како му је отац прије тога показао, стисну очи, зажмури и опали. Кундак му се зари дубље у раме и изазва страховиту бол, од које још јаче стисну зубе. Протресе се јаруга од праска, од чега све јаребице излетјеше из шипражја.

„Понови! Не ваља!“

Длaнови почеше да му се зноје и руке да се тресу. Сва срећа па нико није видио ни чуо како је дубоко у пољу, испод винограда у правцу јаруге, неко стално понављао, дижући глас и мијењајући му боју у ону љутиту, бијесну, која ће запретити одмаздом.

„Не ваља! Поново! Понови! Не ваља!“

Душану се стисла омча око врата и гуши га, дави. Из желуца му креће нагон за повраћањем, због јеке која потреса ушну дупљу све до центра равнотеже и ремети га. Ништа осим тога не чује, ништа друго не ради, осим што вади метак, ставља у цијев, репетира пушку и пуца у зрак. Не осјећа више ни кундак, који му одваљује десно раме. Само му јечи у мозгу и души: „Не ваља! Не ваља! Не ваља!“ …

Зграби га јед и окомота у се, па му свеза руке и ноге, и зачепи уста, да немоћ изађе кроз очи. Скотрљаше му се сузе низ лице. Баци пушку на земљу и побјеже у правцу јаруге, брже од вјетра. „Волио би он да је вјетар“, мисли. „Од њега добра има: људи га воле кад им је вруће, кад суше месо у пушници. И ако га не воле, кад им је јак и хладан, не могу му ништа. Сам вјетар не мари за њих нити их слуша.“ Кад би он тако могао!

Волио би и да је глиста, па да се увуче дубоко у земљу. Бар би земљи чинио добро.

Трчао је, трчао, док није зашао дубоко у јаругу. Није се освртнуо ни кад га је Никола по стоти пут дозивао из свег гласа.

Све је утихнуло онај час кад је запео о камен, пао лицем на земљу и изгубио свијест замишљајући како је вјетар и црв.

„Кад ми допадне шака, видјеће он свога Бога, балавац један!“, мислио је Никола.

Прође од тога пола дана и он се узврпољи по кући.

„Нема Душана?“, вели он Јели.

„Сигурно је са онима преко бајема. Опет их она луда од Иванке вода ко зна куд“, на то ће она.

Никола се замисли над тим.

„Видјеће он кад дође!“, узјогуни се па изађе пред кућу и са мурве откину једну чврсту младицу да направи шибу. Млатну њоме кроз ваздух, пресјече га и зацвили танак фијук, које је као заостали звук, пратио режање шибе горе-доље. У то се зачу нека цика преко бајема и он сиђе до њега па се пришуња колико је згодно било да боље види.

Марта је пљескала својим прозирним рукама окрећући се и обрћући у ритму неке пјесме коју је пјевушила. Била ја нестварно лагана и полетна у неком хаљетку бјеле боје, од грубога сукна што је као врећа висило на њој, док је босим ногама газила по камену. Иванка је увлачила учкур у дугачке мушке гаће, сједећи на каменој клупи испред куће. Душана није било.

Никола се поврати код бајема. Сад већ у налету панике, поче да се прибојава да се није нешто лоше догодило. Одлучи да не пренагљује, сачекаће сутон. Сачека да и ноћ падне. Мркли мрак разиђе се по селу, и он се тек тад запути у једну кућу.

„Тај зна свакога врага. И сам је враг и ђаво, одњели га заједно, дабогда!“, мисли док се ближи кући Тоде Чворуге. Увријестио се у њему осјећај сваки пут, кад прилази његовој кући, као да прилази осињаку, или још боље змијињаку, па ће га осе, чим осјете, прекрити плаштом милион отровних убода од којих ће само избечити очи у непознатој алергијској агонији са познатим реакцијским исходом. Ако оману или заманькају оне обузете другим, јаловим послом, распетљаће се љигаво клупко стотину отровница, и као по команди, успузаће се на њега, успињући се по тјелу као по старом дрвету у чијој крошњи на врху лежи гњездо ластавице са малим тићима који чекају свој усуд како би другоме били награда. Пренерази га мисао од које му корак успори и заустави се, али помисли на Душана па настави.

Тоде је живио сам што није било чудо, јер тешко би неко могао вољети такву ругобну напаст, очију избуљених до испадања из очних јабучица, здепастог, грбавог, зарозаног и траљавог, а надасве погане зујалице отровна убода и сувише опрезне отровнице која се спрема на напад.

У постаријим годинама, његов допринос људству је био убод у срце мачем који ће извадити из ране па убости опет-да са сигурношћу и двапут потврди већ сигурну смрт. Није он ни био стар, али је улога коју је имао у животу била толико стара кроз вјекове, од памтивјека, да је реинкарнација у његовом животу била само додатно нахнута недаћом и погани од претходног.

Прије него ли ће Никола покуцати на врата, Тоде Чворуга је таман завршио бројање новца. То му је била опсесија свако вече прије него заврши у кафани или по селу. Попео би се на столицу и дохватио пластичну кесу пуну новчаних смотуљака. Крио ју је високо на греди, која је држала улеглу конструкцију крова од камених плоча. Додуше, тај новац је махом поштено зарађен од продаје оваца, средом, на сточној пијаци оближњега града. Тетошио је и тимарио сваку новчаницу понаособ, све док задовољно не отпухну, поређа их редосљедом по величини, смота у неколико смотуљака, повеже гумом и врати све у кесу па на греду.

И тада зачу куцање споља. Прво погледа јесу ли шкуре скроз спуштене, да не би ко вирио кроз прозор, па кад се увјери да је све у потпуном реду, отвори врата. Кад видје Николу гдје стоји испред њега, онако висок, одскочи у страну од страха да је овај дошао по Нединој наредби да га сад, ту, на лицу мјеста, задави и убије. Никола се изненади гдје овај одскочи као гумени точак па му брзо исприча зашто је дошао заборавивши сву бонтонску увертиру којом улазиш у туђу кућу. Није му било до поздрава нити му је вече било добро, него пожури да што прије затражи помоћ, док се не предомисли, сјетивши се од кога је тражи.

Тоде се окуражи и поврати кад чу разлог Николина доласка па брзо навуче гумаше. Предложи да крену до гостионе по људе, организоваће помоћ у тражењу.

Увјек мука окупи људе и примири заваћене, бар до нове заваде. Још кад је у муци неко невин, неко ко још није стигао да развије животне гријехе, нити да се замјери половини непознатих и свим живим познатима који ће му замјерити на врлини једнако као и на мани, на успјеху више но гријеху. У гостиони је био полумрак, уз шкрто свјетло малобројних петролејки и мјестимично загушени ваздух од дуванскога дима, који се издизао из лула. Неколико столова је окупило играче бришкуле и посматраче са стране, уз гласно навијање за изабрану страну.

Милан је безвољно разносио букаре са вином, па се враћао шанку, записујући у некакву биљежницу рецке поред имена. Како су Никола и Чворуга улетјели унутра сви су се погледи у моменту усмјерили ка њима.

„Људи, нема Душана Николиног!“, издуши Тоде наједанпут.

„Како нема? Откад?“, запиташе.

„Од поднева! Нема га нигдје!“

Поскакаше сви од столова. Милан излети из гостионе и врати се са неколико нових петролејки из своје продавнице. Подјели их људима. Направише групе као на разбројс у војсци, па се стадоше договарати којим путем ће ко кренути.

Село је било велико, од неколико стотина кућа, познато село Полен у равној долини плоднога крашког поља. Требало је претражити све. Кренуше заједно главним путем уз који су, са обе стране, поређане нове куће спратнице све до Старог моста изнад ријечице Драге, која се мало подаље уљевала у велику ријеку Цету, док су се, сјеверно од моста, куће груписале и шириле полулучно, у правцу ка планини Свилаји. Ту се раздвојише.

Једна група се упути туда, кроза густу и ниску шуму пањачу путем који је изнад села водио све до Манастира. Друга група се спусти испод моста, па пратећи ток ријеке, крену у правцу њеног корита. Трећа група се упути низ велико, плодно поље, кроз винограде и воћњаке, у правцу јаруга. Кроз ноћ су газили гумаши пратећи ритам њихања петролејки, уз слабу свјетлост коју су давале пркосећи вјетру. Било је језиво тихо и готово да се уплашиш кад би се тишина пропарала мушким гласовима који су дозивали: „Душанееe! Душанееe!“

Илија је водио групу од пет-шест људи кроз шуму. Није био један од оних што се затекао у гостиони, али је сједио испред куће на степеништу и пушио лулу кад је видио неко комешање и чуо да се нешто лоше дешава. Узео је штап и сјекиру, и без ријечи пошао у потрагу.

Волио је Николу из комшилука док се овај није слизао са комунистима. Отад би га овлаш поздрављао, сматрајући га позером новонасталог поретка. Клонио га се од оног дана када му је добронамјерно у разговору рекао:

„Никола, не чини човјека функција него начин на који је обављаш“, а овај му је одговорио претећи:

„Ако мислиш да ја нисам погодан за функцију у партији, разговараћемо друкчије, друже Илија. Ја ћу наставити да будем погодан, а ти ћеш бити изгубљен, а можда и погубљен на неким отоцима.“

Илија је био довољно мудар да му не противрјечи, мада би му најрадије разбио главу на лицу мјеста, али је знао да би био довољан само мали искорак да му комунисти дођу главе у неком од политичких логора. Није имао коме оставити болесну Смиљу.

„Ћути, Илија! Ћути!“, говорио је себи.

„Душане!“, јечала је шума од дубоког, промуклог Илијина гласа док је газио по утабаној козјој стази пропланком изнад села. Млатио је штапом око себе и замахивао сјекиром на ситно растиње што му се бацало под ноге и боло га у очи. Други су га пратили на добраном растојању. Мрак је био толико густ да мјесечина никако није могла продрети дубље кроз крошње, па је сваки искорак ван стазе био глуп потез, који би за посљедицу имао тражење двојице или више залуталих, умјесто једног дјетета. Избише тако до Манастира. Стаде дах у људима када се просу мјесечина пред њима и указа вјечно почивалиште упокојених на сеоском гробљу и у даљини зграде манастирског здања као у по бјела дана. Прекрстише се неки од њих и окренуше назад, сигурни у кривицу да би корацима нарушили мир светилишта у овој бесаној људској ноћи.

Иванка је скочила од стола и немоћним шакама упирала у Стојанове груди кад је овај мртав пијан дотетурао кући и кроз смијех испричао како је нестао мали Никола и како су се све сеоске будале дале у потрагу за њим.

„То је дијете Стојане, враг те не однио! Зашто ти ниси пошо, несрећо?“

„То је мали Никола. Не би ни велики тражио моју Марту да је нестала.“

„Би! Он би је први тражио, лудо једна!“

„Би, би, како да не?!“, ругао се Стојан и подригивао тоне усмрдјелог алкохола из себе.

„Ајме мени, јадна ли сам!“, закука Иванка од муке, узе црни шал, обмота око рамена, назу гумаше и изађе у ноћ.

Марта се нечујно искрала за Иванком све до бајема, гдје је грубо шчепа Стојанова рука.

„Ти се враћај у кућу! Куд си пошла?“

Ходала је испред њега па утрча у кућу матери. Марија је само погледа и без ријечи настави својим послом по кухињи. По трећи пут је те вечери изнова брисала чисто посуђе.

Марта је побјегла у своју собу и склупчала се код прозора.

„Душан ће се вратити“, мислила је. „Чекаћу га.“

Треперило је њено тјело, танано и недозрело.

Никола се борио у себи и са узораном земљом у коју су му упадали гумаши. Час се љутио на Душана, час би га било срамота шта ће село рећи, час би му се надао и радовао само да се врати. „Однио враг карабин и пуцање!“, мислио је. „Шта би ми Анка рекла?“

Вадио је ногу из топле земље и отресао наслаге са ногавица. Других десетак људи, што је пошло за њим низ поље, расуло се што по виноградима, што по јарузи све до другога села.

„Нема ништа, људи!“, чује се кроз ноћ.

„Душане! Душане!“, не одустају други.

Однекуд глас црног Тоде Чворуге надгласа друге, и сви зачуше кад се овај продера по пољима из свега гласа, па се глас пронесе као јека равницом без баријера.

„Никола! Нашли смо Душана! Ено га мртвог у Драги!“

*

*   *

Старац отвори очи, трже се, погледа око себе, не разазнајући ко је и гдје се налази. Осврће се око себе, пита се откуд Стојан ту?! Уплаши се да није он сам био Стојан док је гулио кору дрвета са исписаним Николиним именом. Кад се прибра, видје да нема никога у колиби, али се забрину, Шта је овај тражио тапкајући по његовим можданим вијугама својим теретним стопалима? Није нашао ниједан разлог зашто би га призвао.

Уздахну дубоко, изгњечи цијелу мисао и читав сан који га је те ноћи спојио са Стојаном. Истуца у прах све преостало сјећање и дуну у њега док се честице не разлетјеше по просторији. Тако га је одгурнуо од себе да се више није сјећао ни лика, ни имена, ни великих шака. Ништа од свега не оста у колиби, осим њега самога у тишини.

Би му боље. Осјети се сигурно, на своме. Било би му сасвим добро да га не завлаче ускомешана гомилања обличја. Покуша неуспјешно да смири уздрхтало срце што је било и ударало из груди као да ће излетјети изнутра. Навуче биљац преко главе, правећи се да не види лица што су се под мјесечином нагињала кроз прозор ка њему, кроз отворене шкуре.

„Утваре! Опет дошле!“, мисли.

Е, не да им да га докрајче! Неће ни да их препозна особице по имену, ни младе, ни старе, ни дјецу што се прва трсе и гурају напред.

„Не дам!“, понавља у себи.

Ако би их ословио, онда би их и оживио. А како оживјети нешто што је одавно заробљено у тишини и животу?! Не треба му то, не може с тим да изађе на крај.

„Утваре!“, рече наглас као да ће их отјерати тиме.

И стварно, престаде гребање по прозору, циктање и кикот, дозивање и шапутање. Све се часом умири и претопи у ноћ.

Старац одахну, откри главу испод биљца и утону у сан.

Ујутро је устао са првом зраком свјетла која се пробила у колибу. Осјетио се још слабим, али му се јави потреба за храном. Дуго није јео, морао се окријепити. Потпали ватру и из оне врећe са кукурузним брашном заграби својски дрвеном кашиком, па скува пуру. Док се она охлади, он помузе козе и истјера их да брсте око куће.

Чудом му се повратила снага како се наједе, па потјера козе испред себе и упути се ка Језеру. Задрхта му рука којом се ослањао на штап од саме помисли да би шта другачије могао затећи ако би се неко усудио ту поремети мир. Грабио је журним кораком, не осврћући се на козе које су заостале иза њега. Манастир се указа на узвишењу са лијеве стране обале, на лијево од мјеста на коме је Старац сједио.

„Нека га ту!“, помисли и спусти се низбрдо до свога мјеста на стрмој обали и свога камена, на којем је толико времена пресједио, да се стопио са њим и упознао му камену душу све до саме сржи. Још му је милије било кад је убиједио себе у једном тренутку да је камен ту одвајкада и да је испратио све што је једино Старцу било знано, а другима страно.

„Е, мој њеми саучесниче у судби и времену! Тврд си на ријечима, ама ко и ја!“, као да се љутну на њега и на себе док се спуштао.

Задиви га љепота Језера. Онда га нешто штрецну таман на оном мјесту гдје је срце у грудима, и освјести се.

„Чему се ја дивим? Несрећи својој и туђој?!“, мисли.

Не може воду одвојити на два дјела па је посматрати као обичну из природе, против које нема ништа, а други дио као несретни потоп издељан водом.

Добро је што камен испод њега ћути. Могао би му рећи оно што не зна, мада он све зна и све осјећа. Најтеже би било причати, створити обавезу да некоме одговараш и нешто питаш, макар то био и само камен. То би понекад изискивало превелики напор-бити увиђаван или љубазан. Све су то глупости људске игре усмјерене ка одређеном циљу да нешто добијеш или оствариш. Њему ништа не треба ни од кога, а неће ни да неко каже за њега да је добар. Ето ти готове будале увјек у истом размишљању!

Опет је добар неко за некога кад овај други има одређену корист од првога, директно или опћенито. Разазнаје освјешћен како се поново бави нечим чије значење је-бити добар. Зашто би онај други иначе називао добрим оног првог и уопште му поклањао пажњу, заинтригиран њиме кроза себе?

Сад посматра себе кроз првог и другог. Неће он то, не треба му. Дража му је голотиња, душевна и физичка, чистија је него та префригана људска међусобна махинација у игри опстанка у којој нико на крају не побједи, јер нико трајно не опстаје. Захвалан је што камен испод њега ћути, тако се најбоље разумију.

Укочи се у свом ставу и положају. Усмјери поглед на мјесто посред Језера. Разбистри ум чим отјера од себе мисли и усредсреди поглед ка мјесту гдје се из воде помаљало врхом њему познато здање. Чудно се вода понашала у том период, зависно од киша. Кад их је било много, водостај би у Језеру порастао и ништа се није дало видјети, а у сушно доба би се вода повукла добрим дјелом. Упила се у земљу и показала се изнутра, гола.

Гледао је Старац и пратио то низом година. Чак се и спуштао литицом до саме воде, али није залазио у њу. Поштовао је душе и мјесто, бојао се скрнавити светињу. А знао је сваки камен, сваки облик и знамен напамет, с оне стране коју би његов поглед захватио. И гледао је како вода то годинама једе и истањује, како све нарушава и пропада. Бољело га је сваком годином јаче. Чак је некад више волио велику воду, јер је онда све замишљао и видио како је било и како је он хтио.

Онда се прекоравао због своје себичности и глупог људског својства да ствари прилагоди себи и гледа онако како није. На крају је пустио да иде онако како јесте и како мора. Та свеједно ће и они и оно нестати заједно временом, прије или касније. Он стари, ствари труну, душе лутају и у круг. Зато је остао, зато је старио заједно са пролазношћу онога испод воде, прихватајући то као своју животну улогу у којој чува светињу док живи дах из њега излази, надајући се да ће послије њега предати ту улогу некоме ко ће разумјети. Превише је било надати се да ће све то опстати с кољена на кољено кад су овдје кољена готово изумрла.

Старац је сједио непомично. Биће да је подне прошло. Осјетио је по сјени која га је начас заклонила и по једва примјетном покрету лаганог стопала иза својих леђа. Не окрећући се, осјети како је рука испод мантије спустила покрај њега скромну чинију са још скромнијим садржајем од ручка. Пробуди се у Старцу неки осјећај радости што се све вратило на старо, иако је знао да неће окусити ни залогај од тога и да неће проговорити ни ријеч са Монахом ни овог пута. Неће му поменути брашно, ни чарапе које би се с времена на време појавиле у његовој колиби или би остављене чекале на прагу. Неће му сигурно поменути штап који је заборавио крај Језера, ватру, ни ракију, ни хвала, ни збогом, ништа од тога.

Монах је стајао неко вријеме иза Старца, гледајући у воду. Онда се прекрсти и оде.

„Разумјели смо се“, мислио је Старац, као онај камен што га је испод њега разумио њеним говором, без ијене изговорене ријечи. Све се врати на почетак и настави се по старом, цијели поредак ствари.

У неко доба сунце изгуби сјај, предаде се налету облака који га покрише између себе. Старац подиже поглед ка посивелом небу, и прво што му паде на памет било је како је било сувише љепих дана, а јесен је добрано кренула. Ражалости га помисао на зиму, на хладноћу, кад неће моћи по цијели дан сједити на Језеру. Стар је, престар. Паде му на памет и како први пута ове године није припремио, чак ни размишљао о храни за зиму, о дрвима, о слами.

„Стар сам, престар, и можда ми неће ни требати“, мислио је.

У то, крупне капи ударише, и он невољко устаде из своје укочености и крену ка колиби. Остао би он још, не боји се кише, али још је слаб и исцрпљен и још све није зготовио. Сјети се па се врати, узе чинију са земље и понесе је ка Манастиру. Остави је испред манастирске порте и, док је Монах, видјевши га кроз прозор конака, изашао према њему, Старац је већ нестао.

*

* *

Никола је обезглављено трчао ка Драги. Иза њега су остали удови, труп, органи… Није их осјећао од унутрашње боли која га је паралисовала, пустивши корјење из његових ножних прстију у дубину земље, а онда га ослободила претварајући га у тупи сноп који је јурио на мјесто крај ријеке које је обиљежио онај глас. Група која је кренула за Чворугом спустила се испод самог Старог моста, који је пред крај села спајао обале Драге. Није ту била предубока вода, али је била хитра, бистроока и хладна притока коју су дјеца препливавала у љетно доба, ударајући ногама о плитко дно и хватајући пастрмку голим рукама. Низ ријеку се могло с обе стране обале, само се није дало добро видјети од бљеска мјесечеве крљушти који се љескао по површини воде.

Кретали су се споро, претражујући грм по грм, колико се дало видјети. Често би се спустили до саме воде. Прошли су крај остатака старог манастира с лијеве обале Драге, низводно. Ту се још више чуо одјек Душановог имена.

Стари Симеон се прекрсти и зађе међу рушевине некадашњег манастира. За њим искорачи један из групе, по имену Владо, говорећи:

„Види ђоре, како види по мраку!", али га гостионичар Милан предухитри, осујети му намјеру.

„Пусти сад партију и цркву. Није вријеме, другим смо послом!"

„Увјек је вријеме," одговори му овај, претећи стиснутом песницом.

У то изађе Симеон, окрену главом као да нема ништа. Они зађуташе и кренуше даље.

Ту се група подјели на два дјела: једна крену даље низводно, друга се врати узводно, ка извору. Већ су били прилично одмакли, дозивајући се час међусобно, час Душана, па опет међусобно, претражујући обалу и воду, кад наједанпут Чворуга узвикну:

„Ено га!"

У води, насукан на обали, плутао је неко или нешто. Није се дало добро видјети, али људи наслутише. Притрчаше сви, док је Чворуга нестао у трену.

Иванка је бауљала сама у мраку, по пољу. Изгубила је једну ципелу, спала јој да није ни осјетила. Низ лице су јој текле сузе од срама, од немоћи, од бриге. Накупљени терет замутио јој вид па се још слабије служи њиме куд се креће. Тек кад је дошла до извора, уз оно мало мјесечине, схватила је гдје је, бојажљиво погледајући ка води. Није осјетила ништа.

„Није ту! Гдје да га тражим?", мисли.

Покри дланувима лице и зари прсте у косу. Стајала је тако неко вријеме, онда спусти руке и крену напред, несигурна, у страху од читавог животињског свијета што ју је плашио, искачући из јаруге и оглашавајући се крицима и чудним звуковима. Од тога није осјећала хладноћу што се стегла око ње, ни крварење ноге којом је боса газила. Намах јој се учини да неко промаче испред ње и сакри се иза дрвета. Упути се ка живом створу, али га не нађе иза дрвета. Забљесну нечији лик нешто даље, у правцу другог села, иза јаруге, и она пожури опет за њим, мислећи да је неко из портаге, са слабом петролејком у руци. Како дође до тог мјеста, свјетла нестаде, а њој замуче глас. Одвоји се као да није њезин, да не може дозвати, ни викати. Бљесну искра нешто даље и Иванка крену за њом. Пратила је бљесак женског лика испред себе, док је не уведе у село, гдје се изгуби тачно поред амбуланте доктора Хурје.

Иванка се наслони на зид амбуланте док је свјетлост нестајала и вила се изгубила кроз ноћ.

Кад је Никола стигао, људи су из воде већ извукли стари пањ и женски вуштан који се био закачио за њега. Сигурно га је вода непримјетно однела некој жени док је прала веш на ријеци, сложили су се. Никола је само зурио у пањ, а онда паде на кољена и зарида. Чак се и Илији, који им се таман прикључио са својом групом, стегло око срца да би и сам заплакао.

„Не вреди овако… Слабо се види. Ајмо, људи, кућама, па ћемо наставити зором“, договарали се остали, расправљајући између себе шта им је чинити.

Неко потапша Николу по рамену, а овај се осорно брецну на њега:

„Идите кућама! Ја настављам!“

Опет се пробуди самилост, распали ватру од једног до другог човјека па се изнова прегрупише и потрага се настави даље, у три правца од Старога моста.

„Никола! Никола!“, дозивао је женски глас из поља.

„Никола, Душан је жив! Жив је!“, прилазио је глас све ближе.

Са Старога моста све очи су биле упрте ка двема одраслим особама, од којих је једна гурала нешто испред себе. Кад обриси постадоше јасни, из мјесечине изађе Иванка. Поред ње је ишао доктор Хурја, гурајући испред себе кариволу у којој је спавао Душан.

Никола им потрча у сусрет и стаде над кариволом. Стајао је неко вријеме у грчу, па се саже, узе Душана у наручје, као перце, и крену према селу.

„Ајмо и ми, људи“, рече неко, па се запутише за Николом.

Душан је чврсто спавао док га је Никола, сад већ једва, носио у наручју. Отежао му, онако млитав и оклембешен. Први пут га је загледао људски.

„Од Анке је наслиједио љепе црте лица и њен карактер, а на мене висину“, мислио је Никола. Промакло му је како је од ситног дјечачића постао одрастао дјечак, и запече га, по први пут, савјест колико је мало времена проводио са њим од Анкине смрти. И да није био главни одборник у селу и главни човјек у партији, знао је да би нашао разлог да га нешто друго одвуче.

Посрами се у себи због свих изговора кад је бјежао од куће док га је Јела тровала својим отровним гласом против цијелога свијета. И да га бар Душан није толико подсјећао на Анку!

Њих троје у истој кући су били три сукобљене различитости, од којих му властити син некад није био прави мушки насљедник гена Пршљанове лозе. Желио га је другачијег, или је и то био још један изговор.

Вечерас је осјетио неиздрживу патњу док су трагали за њим, или се то ђаво кривице увукао у њега, неспреман да призна своју грешку што га копа изнутра.

Ушао је у кућу док је Јела брондала око шпорета:

„Несрећа једна од дјетета! Зар да село испире уста са тобом?! Каља ти углед!“

„Пусти углед, мајо, има пречих ствари!“

„Синко, ниси ти било ко у селу.“

„Доста ми је свега за вечерас!“, раздера се Никола на матер, и она ућута.

Душан се промешкољи на кревету. Осјетио је такву хладноћу да се сав стресе изнутра. Кад се погасише петролејке и остаде сам, осјети нечије присуство поред кревета. Нечија рука повуче покривач нагоре и лагано га пребаци преко њега.

„Мама?“, прошапута он, и већ је сљедећи трен трчао кроз јаругу и осјетио страшну бол у глави од ударца кад је запео и пао. Придигао се мамуран из несвјести. Уплашио се како је вече у јарузи страшније и тамније него на било ком другом мјесту. Тумарао је тамо-амо, мијењајући правац са сваком новом стазом која се појавила испред њега. Већ је почео губити наду да ће до јутра изаћи из јаруге, кад се изненада појавише куће.

И све чега се сјећао било је како се склупчао изнемогао уз неку кућу, док га нису подигле нечије руке, увеле га унутра и посјеле на чудну столицу, раскошну у разбарији какву до тад није никад видио. Тај неко му је превио рану на глави на оном мјесту гдје је осјетио бол и дао му нешто слађуњаво да попије.

Све то вријеме на грамофону се вртјела плоча, а око њега се вртјела цијела соба са мноштвом књига на полицама. Тек послје је сазнао како се зове та чудна справа која је пјевала.

„Душане! Душане, код куће си!“, говорио је Никола, дрмусајући га за раме док је овај бунцао и јечао у сну.

Сутрадан зором, Иванка је дохватила поцијепану вунену чарапу, очистила згрудване комаде земље и чевајом провукла неколико пута, хватајући очице да се даље не цјепају. Стопало ју је бољело, сво изгребано, у ранама. Нико још није био будан, па она замишљено сједе на праг куће. Поглед јој се заустави на бајему, и послје толико година помисли како би било лакше да се Мирко жив вратио из рата. Онда јој ту помисао изгура друга, пуна љутње, кад се сјети како се свађао са старим Пршљеном око бајема.

„Однио враг међу гдје је засађен бајем, стабло и плод, ко што је и њих однио! Дабогда се осушио из ових стопа!“, помисли.

Љепо су стари рекли: „Пут није ничији, али је свачији. Само га не треба својатати.“

„Бајем је за све крив!“

„Бајем!“

Марта се, попут мачета, склупча на прагу поред ње, и ова је пољуби у косу. Диже се, донесе чешаљ, и расуту плаву косу, која је падала у слаповима низ леђа, укроти у једну дебелу плетеницу. Марта је пољуби у чворнату руку па часком уђе у кућу. После минут се врати, носећи у руци двије гумене Иванкине ципеле.

„Видјела сам да ти нема једне ципеле од синоћ.“

„Гдје си је, дјете, нашла?“

„На извору“, рече Марта.

Иванка у чуду занијеми кад се сјети да јој се гумаш изгубио у мраку, ко зна гдје у пољу, и да јој је од све муке за Душаном то била најмања.

Погледа чудно у Марту и хтједе нешто рећи, кад се код бајема појави Душан. Махну му руком и он дође па сједе до ње на праг. Иванка их загрли обоје.

„Дјецо моја“, рече, „нека вас добри Бог чува!“

„Тата каже да не постоји Бог у нашој кући. Само партија… “, Душан ће на то.

„Свако у нешто вјерује, ил’ у Бога ил’ у моду. Само, мода прође, а вјера остаје.“

Душан се замисли и почеша по глави тачно на оном мјесту гдје је рана почела зацјењивати, а заљепљена газа са ње спала. Жацну га бол кад ноктом загреба по красти, па спусти руку.

„Баба, ко ме је нашао у пољу?“, упита оно што га је копкало.

„Хурја, доктор Хурја… Дотетурао си до његове куће.“

Душан се присјети као кроз маглу Иванкина гласа од синоћ.

„А откуд ти тамо?“

„Пошла сам те тражити“, она ће на то.

Нервозно је тапкао ногама у мјесту. Онда устаде, у полу-чучњу ухвати Иванкину руку, и пољуби је. Видио је Марту како је то радила и учини му се исправним. Истог часа се постиди и отрча у правцу бајема.

Никола се тих дана није могао видјети у гостиони ни у селу.

„Још који дан“, мислио је. „Само да село престане причати…“

Душану је забранио излазак из куће да га не би ухватили људи па увели у причу. Шта се кога тицала његова кућа?! Али проклет народ па прича!

Посебно је избјегавао оно нечељаде од Чворуге. Знао је да га вреба ко кобац, и да је исплео паукову мрежу од стотину прича из ноћи у којој је Душан нестао. Познавао је он пса, знао да неће престати лајати док не задовољи своју ситну ругобну нарав и не сазна зашто је и од кога дјечак бјежао.

Зато је Никола одлазио прије свитања у оближњи град Дремуш, а враћао се по ноћи. Правдао се силним послом који му се натоварио око сељачких радних задруга. Та он је по функцији у партији био први човјек у селу, па коме ће него ли њему допасти сав посао око организације и спровођења!

Са друге стране, прибојавао се да му ово што се десило са Душаном не осујети углед. Храбрио се и добро држао, наизглед рачунајући да му његово мјесто осигурава одређено право као првог човјека у сеоском одбору. И ако неко нешто каже против њега, вријеђа и партију, а онда ће он већ знати како ће са њиме поступити. Ако шта запне, под ингеренцијом је Тате, као свемогућег на врху пирамидалне структуре моћи. Позваће се на њега, подсјетиће их како је једном сједио за истим столом са њим. Додуше, само га је видио у пролазу из далека, бар тако мисли, кад је дошао обићи омладинску радну акцију у изградњи жељезничке пруге, на којој је он кратко учествовао. Али шта зна народ да ли га је само видио или је сједио са њим! Сви ће ионако завидјети, уз дозу страхопоштовања, па неће ни питати. Нема оног из села који му је раван, зна он то, али нека само причају. Зачепиће он губицу свакоме ко се окуражи!

＊

＊　　＊

Док је Старац стигао до колибе, киша се сита испадала по шуми. Лишће је заустављало воду која се стуштила са неба, али је под теретом попустила па се сливала у танким млазовима по Старцу и на земљу. Старац је мокром руком брисао воду са лица и очију, жмиркајући због слабе видљивости испред себе. Застао је да дође до даха и ослонио се на дрво. Гушило га је у грудима.

Покида везице и разгрну кошуљу испод врата. Гумаши му отежали, пуни воде, набубрили, док је из њих раскежених при сваком кораку врцала и шљапала вода. Није се смио дуже задржавати, већ се мрачило, иако је било рано послијеподне. Могао се заглавити у блату и корову, па га ни ухоге не би никад нашле.

Паде му на памет како је то, у ствари, добра идеја, али се брзо стушти у њему, паде све у ону воду и испра се потоцима који су вијугали по земљи.

„Шта бих ја без њих?“, помисли, и крену даље.

Одјећа му се слијепила до голе коже док је осјећао липтање воде низ кражежницу.

Јара и Гара су, покуњене и мокре, стајале испред дрвене капије. Старац се ражалости над њима. Ко зна колико су га чекале. Прво се њима позабави па уђе у кућу и преобуче суво рухо. Натрпа грања што му је преостало, па заложи ватру. Понестало му дрва, мисли како их мора накупити по шуми што прије. Не вреди му купити по киши, јер мокра неће да горе, а кише ће са југовином бити све чешће. Од паће тада ништа. То му је најгрђе кад су му руке везане као затворенику којег је обична киша оковала у гвожђе и бацила у тамницу, па му са сваком капљицом баца рукавицу у лице.

Изборио би он своју битку да има против кога. Карабин би напунио пуним шаржером муниције и сасо јој у лице истом мјером, само да постоји обликом човјека или звијери. Овако, побиједила га је на самом уласку у арену, док безглава руља помахнитало лапће, исплажена језика, све до подијума за борбу, да врхом језика осјети мирис крви који се кроз мождину провлачио од саме помисли на оне који се бију на живот и смрт.

„Не! Престрог сам!“, мисли. „Нисам строг него себичан. Себичан сам и проклет! Грабим себи, замјерам другима, а има пречих којима киша треба. Натопи се земља па се не сасуши, подигне се вода у Језеру па не видим оно што ми је пред очима и још колико примјера има, а ја се ухватио кише па је кудим и осуђујем.“

Угрија га ватра са огњишта, стави лонац воде и метну у њега пуно трава што је по брду набрао. Пријаће му и утоплити га прије него се ватра угаси. Планирао је помусти козе. Одавно сир у мјешину није ставио, зажелио се. Остави то за касније, има још до ноћи, или ће сутра. Распоредиће свега помало да превари вријеме. Најгоре му кад нема никаквога посла па се бави оним мислима што га ноћу обузимају. Доколица би га могла одвести у још већу празнину.

Сјети се наједанпут оног сушеног меса што је спустио у бунар. И то мора повадити и побацати да звијери оглођу.

Баци поглед напоље, иако је по звуку удараца по шкурама знао да још пада. Стаде на праг и загледа се у чистину испред куће док се поглед не заустави на мјесту гдје шума преузима ограничавајући видик. На самој тој граници, ободом шуме, иду људи, њих четворица, и пети између њих. Препознаје га, везан је. Одједном се створи стотину очију и ушију, Сви ћуте и гледају. Неко из потаје шапну: „УДБА!“. Остали се у страху праве да не чују, и даље само ћуте. Завезала их стара мудрост у себичном страху за себе. Тако је најсигурније, док не пређу праг своје куће и по три пута заманале прозоре и закључају врата. Чак су и тада опрезни. Боје се пошасти што може завладати селом.

Старац му добро види лик, том петом, који се окреће према њему. Смијеши му се, зна да није он крив. Опрашта се и гледа у њега, а његов поглед пече Старца по тјелу као гелери кад се забијају у топло људско месо. Старац протрља очи да боље види, али не види више ништа. Умислио је. Свјесно умишља и подређује се својим мислима о времену прије воде. Оне га воде, другују са њим даноноћно, чак имају и облик, прсте и косу, долазе му у сан и у ноћ. Полуди на себе од свакојаких призивања. Запути се код коза. Опет се врати размишљању како ће усирити сир и попити чај од трава, како ће косјером сасјећи оне грме и сву драчу око колибе. Можда ће очистити испред оних неколико других колиба, оронулих и запуштених. Док тако мисли шта ће и како ће, све му се више гура и иступа пред њега она пређашња мисао како је и онда падала киша и како је поглед тог петог у средини остао на њему за вјеке запечаћен. Бјежећи од тога, на крају ипак обави понешто и испи чај. Испече мали крув испод пеке, истуца ораса и бајема за вечеру. Сакупио их је на запуштеној земљи близу села. Били су ничији и нико их није купио сем њега.

„Бајем?!“, чудно изговори ту ријеч док их је ољуштене јео, смочивши их са крувом.

Кад је завршио, устаде, па замандали прозоре, стави резу на врата и задовољи се како нико не може привирити споља. Обрадова се, признајући то дјелићем своје свијести, што ће оне наћи пут до њега и кроз најмању пукотину у његовој глави. Чекао их је и ове ноћи.

∗

∗   ∗

Душан је прошао на прстима поред Јеле која је куњала на столици. Намотано клупко вуне откотрљало се испод стола. Глава јој је цоцнула ка грудима, а прсти се умирили у крилу. Једна игла за плетење се задржала, а друга је висила са плетива низ вуштан. Одшкринуо је прозор таман толико да га са спољашње стране може без шкрипе отворити, а онда закључао врата и изашао. Знао је да ће Јела једва дочекати па рећи оцу ако посумња, а са њим није било разговора ни преговарања у посљедње вријеме. Битно је да га није видјела. Мислиће да спава у својој соби, а тамо га неће тражити јер јој је било тешко попети се степеницама. И сам се чудио како о њој размишља као о страном, трећем лицу и како је никад није ословио са „баба“. Још више се чудио себи због сопственог чуђења. Тешко је било тако нешто извести послије псовки и врагања којима би га дочекивала и испраћала. Сто пута му је рекла да је он крив за Анкину смрт и Николину злу срећу, самачку. Чак и за бајем га је оптуживала, јер да није његовог трчања код Иванке за оном чудном Мартом, мирније би им свима било.

„Нека је још више боле дебеле ноге! Нека се још теже креће!“, мислио је толико пута у себи.

„Нека цркне онако гадна и зла!“, колико је пута пожелио.

„Никола, Никола и само Никола!“, колико га је то парало изнутра и слагало камен по камен на његову главу, притискајући га и сабијајући у земљу. Онда јој је нашао слабу тачку, оног дана када су у Драги хватали жабе и бјелоушке. Сав сретан, ставио је змију у теглу и одјурио кући. Јела је у дворишту љуштила кромпир, па како га видје гдје прилази, дижући теглу увис, скочи и уз врисак улети у кућу. Закључала је за собом, заборавила на године и да се тешко креће, што од болести, што од људскога претвора.

„Враг те однио! Носи то одакле си донио!“, викала је.

Душан се поче смијати из свег гласа.

„Видјећеш ти кад ти Никола дође!“, претила је.

„Видјећеш ти кад ти ја сваког дана будем доносио по једну змију у двориште!“, пркосио је он њој.

Јела је кукала и запомагала иза закључаних врата. Све док је није довео до суза, није је оставио на миру, а онда је отишао показати змију Марти.

Она је мирно гледала склупчану змију, узела теглу од Душана и босонога се упутила селом до Драге. Отворила је поклопац и пустила је у воду.

„Будало!“, окренула се ка Душану, који је ишао иза ње.

А он је из првобитног стања усхићености, па моћи над Јелиним страхом, доспио у стање збуњености, иза које није остало ништа осим Мартина прекорног погледа. Обузе га толики бијес да би јој најрадије почупао дебелу плетеницу што је марширала за њом.

„Глупача!“, повика и сједе на обалу, бацајући пиљке у воду.

И сад му удари у понос, али се осмјехну у себи кад се присјети тога, па пожури ка шуми.

Идући њеним ободом, избјегну куће па се, са другог краја села, спусти у поље, у правцу јаруге. Није залазио у њу. Ходао је паралелно уз њену спољашњу страну, и већ је знао гдје је пресјећи утабаном стазом. Осмјелио се па га страх одраније напустио. Сада му је сваки пар буљавих совиних очију, које су га посматрале, изгледао пријатељски. Пријао му је сваки шум ломљења гранчица под копитом или стопом дивљачи. Свако куку, ку-ку кукавице и сваки крик ноћних птица долазили би му као благослов и као поздрав из те мрачне куће.

Прегрмио је страх оног дана када је остао лежати у јарузи, рањен и несретан. Нашао га је у својој глави, у костима и кожи, док је чекао крај, мирећи се са њим. Како је вријеме пролазило, схватио је да је страх припитомио у себи, а откако је преживио јаругу, схватио је да се излијечио од главе, костију и свих мјеста у којима се страх наталожио. Није га више било, стопио се са његовим крвотоком као нова врста крвних зрнаца која су га бранила. Одједном, тај страх није ишао против њега, него је радио за њега.

Успорио је корак пењући се ка првим кућама села Дорјан. Сад је боље видио оно чему се издалека дивио. Свјетло! Право, правцато свјетло гдје гори по кућама!

Душан се заустави испред једне куће. Кад хтједе закуцати на врата, нешто га закочи у грлу и он повуче руку назад. Премишљао се да ли треба закуцати или се вратити и на све заборавити.

Кућа је била висока приземница, кроз чије прозоре се могла лако видјети унутрашњост па он скочи и провири. Заскакивао се док није пронашао избочину на зиду, на коју се лако могао ослонити. И баш кад се подигао до прозора, нога му склизну и он се свом тежином нађе на земљи. У то се врата отворише и крупан мушкарац се појави на њима. Приђе дјечаку, па како га препозна, рече:

„Опет ти?!"

Док му је пружао руку да устане, Душану се образи зажарише од врућине и стида. Стајао је ситан, мали, попут какве човјечје рибице, уплашен и слијеп. Покушао је нешто да каже, али је и даље само буљио у човјека испред себе.

„Дођи", рече Хурја, и он крену за њим у кућу. Руком му је показао да сједне на ону исту столицу у резбарији која се љуљала, што му је у магновењу остала у памћењу. Просторија је била освјетљена и, док се доктор негдје начас изгубио, он пређе погледом преко полица на зиду, на којима су згуснуто биле поређане књиге. Примјети један модеран кауч за спавање и сточић у ћошку, са којег је допирала тиха музика. Устаде па приђе прво полицама. Прстима пређе преко дебелих, тврдих повеза успјевајући да прочита понеки наслов. Остало није разумио. Осјети чудну топлину у нервним завршецима на јагодицама прстију.

Оволико књига није видио ни у школи, кад се сакупе све заједно, а још каквих књига и колико су се само разликовале од оних које је до тада виђао. Није знао у шта прије да погледа, па приђе сточићу, омађијан звуком који је излазио из справе што се дјелимично окретала.

„Грамофон... Зове се грамофон", рече Хурја дјечаку, носећи у руци чашу воде.

Застао је прије тога који секунд, загледан у наиву дјечје радозналости, и спопаде га у грудима осјећај нечег давног и познатог.

Пружи дјечаку воду. Овај испи механички, наискап.

„Вагнер", опет ће Хурја, показујући на плочу која се окретала на грамофону.

Душан схвати да је то што је доктор рекао нешто веома важно, али се не усуди питати шта је. Завлада тишина кад се игла подигну са плоче и настави се вртјети у празно.

Душан се освјести и крену ка вратима. Како се ухвати за кваку, паде му на памет зашто је дошао. Окрену се ка Хурји и у покрету промрмља несигурно: „Хвала!“

Како рече, тако изјури што га ноге носе кроз туђе село, низбрдо, преко јаруге и поља, назад, кући. Хурја је стајао на прагу гледајући фигуру дјечака, која нестаје кроз ноћ. Затвори врата и упути се ка полици са књигама. Помјери оне из првога реда. Иза њих извуче скривену танку Новалисову књижицу, на њемачком. Прије него се завали у столицу, пусти још једном Вагнеровог „Парсифала“.

Колико се покуша концентрисати на читање, толико га је нешто ометало у мислима. Спусти брану и брзо пресјече проток мисли у том правцу.

Одавно се оградио каменом око себе да би се сад враћао ономе нашто га дјечак вечерас подсјети. Себе је сматрао одлучним и сталоженим човјеком, рационалним чак и у говору, и неће сад допустити да га емотивно пољуља помисао о времену које је отишло у неповрат, поткопавајући темеље властитог избора којег је начинио оног дана када се вратио да би свјесно остао у оваквом животу, уколико га уопште оставе живог.

Поново подигну књижицу и утону у Новалисову филозофију.

„Вагнер, Вагнер, Вагнер!“, понављао је Душан у себи, трчећи кроз поље.

„Сазнаће он једног дана ко је и шта је то“, обећао је себи.

„Вагнер!“, понављао је у себи и кад је послије више од пуног сата хода отворио одшкринути прозор и увукао се у кућу.

*

*   *

Илија се запутио старим путем преко оградица до сеоске школе, на заказану сједницу сеоског одбора. Откад се појавила вијест о сељачким радним задругама, нешто га је подбадало изнутра. Не би он био ван свих људи у селу, али га је плашило да сиротлук не учини још већим.

Није њему стало до њега самога него је њему до Смиље. И кад на њу помисли, онако болесну и нејаку, још већа му мука припадне. У посљедње вријеме се плашио оставити је саму, па би молио Иванку да је привири с времена на вријеме. Плашило га је да ће пасти па да неће више ни устати.

„Падавица“, објаснио му је Хурја болест. Схватио је да је то нешто у вези мозга и да лијека нема.

„И шта ти ја ту знам“, мислио је Илија, а Смиља би само изненада пала, заковрнула очима без свјести, и тако неко вријеме док се не дозове себи.

Рекли су му да може кренути пјена из уста и да јој гурне нешто тврдо међу зубе, да не прегризе језик и не науди себи, па се он припремио на све. Зачудо, Смиља би понекад само мирно лежала у бесвјесном стању, као да спава, па је он мислио: „ Ко да и доктори знају све!“

У томе се примаче школи. То је некад била кућа покојнога Ранка, у коју је као дјете залазио, а како је дуго стајала празна, без насљедника, општина ју је преуредила и додијелила селу као школу за ниже разреде. Он сам се једва знао потписати, и зато је први поздравио наредбу да послје Другог свјетског рата сви морају ићи у школу.

Волио је са Смиљом гледати кроз прозор кад би Душан и Марта, држећи у рукама своје плочице за писање, раним јутром протутњали поред њихове куће.

Из Дрмуша је сваки дан долазила учитељица Зора, на запрежним колима, којима је управљао Винко, по службеној партијској дужности. Од ње је познатија била њезина шиба, којом је ударала по дјечјим длановима као да се свети незнању и погрешном покрету из своје мрзовоље и прецијењеног јој самоауторитета. Још веће зло је било причати о батинама код куће, јер би онда кренуле још веће, због непоштовања и превентивне мјере спречавања лошег понашања, које води ка странпутици.

Марта није вољела школу. Стојан је није ни притискао због тога. Рачунао је да ће се удати. Женско је, туђа је кућа, не мора бити писмена.

Иванка јој је сваком приликом показивала како се она, неписмена, потписује, и како умаче кажипрст у нешто прљаво, што послије једва спере, а онда остави печат на папиру, ваљајући умацкани прст улијево па удесно.

Марти је то било гадно, а како је Душан морао ићи редовно у школу, да га Никола не би пребио од батина, онда је и она ишла, што због њега, што због Иванкина прста умоченог у неку врсту постојане тинте.

И сад је тај исти школски простор окупио све из гостионе и ван ње, махом мушки свијет, у радозналом покушају откровења нове идеје о сељачким задругама.

На самом прочељу предсједавало је неколико утицајнијих људи из села, на челу са Николом Тршљановим, како су га по надимку познавали због његова дједе који му је исти оставио у насљеђе.

Причало се да је стари био толико отрован да се залетао у очи и бљувао отров гдје год би стигао, да су се његова убода и насртљивости бојали сви редом, па су га из истог разлога избјегавали што су више могли. Тако је Карабин, како су га прије звали због хвале и силе у част карабина добијеног од часника аустоугарске војске, замјењен надимком Тршљен.

Жамор је посустао када је Никола подробно почео објашњавати како је систем задруга замишљен, и колико доприноси општем благостању, уз заједништво, здружено и све „наше“. Говорио им је како се морају удружити стројеви, алати, коњи и стока, земља и приноси да би се заједнички обрађивало на удруженој земљи, испомагало и братски дјелило у том јединству.

„А, шта је ту онда моје?“, довикну Илија из задњих редова гужвајући капу у руци.

„Ти ни овако немаш ништа своје“, добаци неко, уз погрдан смијех који заталаса масу.

„Другови, ово је озбиљна ствар и нема мјеста шали!“, брецну се Јово, човјек са узглавља, који је стајао са Николине десне стране.

Стојан је све вријеме пажљиво слушао цијелу ствар, наслоњен на довратак улазних врата, па пљуну у страну и изађе вани.

„То ли је сад смислио онај лопов Никола“, мумлао је главним путем преко Старог моста.

„Јебем ја њега и његово „једнако“ и „заједничко“ да би он могао више красти!“

Сав се зајапури од бијеса па поче пљувати: „Пу! Пу!“, на саму помисао Николина лика.

На другој страни, у школи су све више расли таласи ускомешане људске масе, набубриле од електрицитета супротстављених и истих магнетних поља, која су се привлачила и одбијала у подијељеним таборима „за“ и „против“.

„То је наша обавеза, другови! То је идеја новог друштва за које се боримо! Друштва свих нас, једнаких!“

„Али ти, Никола, имаш највише од свих нас!“, опет се јавио Илија.

„Да си и ти радио, и ти би имао!“, брецну се Никола.

„Мислиш: тако ко и ти?! Зарадио гузицом свој положај тако што си био два пута по мјесец дана на радним акцијама, па побјегао!“

Како је то Илија рекао, маса занијеми и прекину се сваки даљњи вербални сукоб. Све очи се упреше у Илију, а овај, несвјестан ријечи које је брзоплето и увредљиво превалио преко уста, тек тад схвати у какву се позицију заглибио.

„Друг Илија је хтио рећи да ће се у сељачким задругама изједначити статус оних који имају нешто више и оних који имају мање“, опет се зачу Јовин глас, који одјекну као гром преко глава окамењених људи.

„Тако је! Тако је!“, подржа га неколицина гласним повицима.

„Није тако! Друг Илија је мислио на нешто друго“, подјарми однекуд Чворуга.

У Николи се цијела ствар претвори у лични окршај. Није могао дозволити да њему неко противурјечи, упире прстом у њега оптужујући га, и то она цркотина од човјека. Илија је, са своје стране, поносито бранио своју част и своју ријеч, макар то овог трена морао платити главом. И да не би Јовина разума, ко зна како би се завршило.

Остали су ћутали, док је Никола упирао ужарени поглед ка Илији, преврћући беоњаче у закрвављеном појасу животињског инстинкта да скочи и шчепа га за врат. Суздржи се некако, па настави са излагањем концепта под налетом топло-хладних трнаца који су га потресали изнутра.

„То је наша дужност, другови!“, глас му је сад већ подрхтавао.

„То је за наше добро!...“

Расправа се одужи до у ноћ. Одложи се до сутрадан доношење одлуке за прихватање заједничке ствари.

„Ко је против, противан је и партији“, заврши Никола кад се почеше разилазити.

Он међу првима напусти школу, исцрпљен и изможден од толике говоранције, посебно од заједљиваца.

У пролазу избјегну групу која је стајала са Илијом.

„Запамтићу ти“, помисли у себи.

Стојан се, откад је напустио школу, негдје изгубио и није га било до вечери, кад је улетио у кућу рашчупан, прашњав од силине пркоса и гњева, што су избијали из њега. Са полице у кухињи је зграбио неке папире па претурао по њима док није извукао црвену књижицу са звијездом петокраком, српом и чекићем. Искези се према њој, а онда је стаде кидати, цјепкајући папир до наситнијих комада.

Марија је гледала у чуду. Онда брзо скочи и закључа улазна врата.

„Нећу јести“, изусти Стојан кад је на крају све папириће побацао по кухињи. Покупи се и оде у собу. Марија се таман сагнула да покупи исцјепкане листиће са пода, кад се неко ухватио за кваку, гурајући врата да уђе. Она брзо сакри под травежу покупљене остатке, и чувши им гласове, пусти унутра Иванку и Марту. Иванка упитно показа главом ка вратима, а Марија стави прст на уста и показа према Марти.

Тек кад је дјевојчица отишла на спавање, она исприча Иванки шта се десило. Иванка отвори врата шпорета и рече:

„Баци то у шпорет! Брзо!“

Ухвати је мука од помисли да ће онај њен несретник избрбљати све у гостиони, кад попије. Тада га нико неће спасити. Унервози се још више ходајући око стола цијелу ноћ. Чак је и Марија остала уз њу, замишљено сједећи крај шпорета.

Марта се у неко доба појави босонога, расплетене косе, у дугачкој бјелој кошуљи за спавање, надајући се да ће се увући код Иванке у кревет, али чим опази матер, устукну и врати се у своју собу.

Сутрадан је цијело село причало о новини која их је затекла. Све ново тражи своје вријеме да се прими и никне, или да се отресе и одбаци. Нагађало се па претпостављало овако и онако, што гласно изречено због других или у себи помишљено, због себе. Многи су прихватили то као наредбу партије, вјерујући у пролетерску идеју, други су пришли да не буду ван свијета, трећи из страха од посљедица. Тако се створио велики ред испред школе, у којем су људи чекали да се пријаве и потпишу на списку „за“. Сви су редом носили црвене књижице чланова партије.

Било је и оних који се нису појавили тог дана, а ни наредних дана. Стојанова одлука се унапред знала, Илији није дозвољавао понос, стари Симеон је кришом одлазио у цркву, Милан је живио од гостионе и не би дјелио ни најмањи свој дио. Још понеко није приступио сељачким радним задругама, по праву избора и власитом нахођењу. Био је ту један добростојећи Мирко, који се уплашио да му све не одузму, док му на крају национализацијом и нису све одузели.

Мањи број њих је остао у увјерењу да не види сврху у про-мјени постојећег стања ствари, какво год да је. Било како, се-љачка радна задруга је оживјела, људи су заједно, удруженим снагама и средствима, обрађивали здружене парцеле земље, за-једно убирали приносе и бринули о заједничкој стоци. Једино што се у свему томе суштински није измјенило је-да нису по-стојали заједнички велики амбари ни торови за стоку, ни поја-те за сјено, ни мјесто за заједничке штале, ни гувна довољно велика за све плугове и мотике, тако да је свако и даље задржао заједничко у своме, само се то сад звало наше. А како се распо-ређивало равноправно по броју чланова домаћинства, Бог са-ми зна, и Чворуга који је био прилично обавјештен и упућен у све.

За оне чије је учешће у задругама било изузето властитом вољом стигла је директива да сви на изабраним парцелама по-јединачно саде једногодишњу засаду памука, као допринос со-лидарности удружених и поштованих чланова који су бе-спрекорно, без поговора, увеличали заједничку ствар задруга.

Нико од неопредјељених није остао изузет из овога. Пар-целе које су изабране махом су се налазиле у пољу, између из-вора и јаруге. Сјеме засада је свима обезбједила задруга, а сав посао си морао обављати сам. Многи су се покајали, гледајући на ово као гору казну од уласка у задругу. Најчуднија ствар је била у томе што би се зреле чауре памука распукле пред брање, у току ноћи, а вјетар разнио садржај у јаругу. И сјеме би се у ча-ури толико сасушило да се није могла добити ни мрва уља.

И док су се сви исчуђавали таквој ствари, Марта се на сав глас смијала причама о памуку који ноћу лети у јаругу.

Илија је наложио ватру. Навукао је толико дрва да је Сми-љу почело подбадати испод ребара гледајући га сметеног и ужурбаног као хрчка који је данима довлачио у кућу и склади-штио све и свашта.

„Илија, шта те је снопало?“, упитала је сувоњава жена са сламарице.

„Лези ти, Смиљо! Не брини ништа! То ја онако…“, одговори јој.

Она се не умири, али га послуша.

„Умориће се“, мисли, па ће лећи. „Доста је, и дуг је дан.“

Савлада је сан. Лако јој се привуче, али на кратким ногама. Накашљава се ноћу, гуши је, па је више будна него што спава. Исцрпљена од болести што се навали на њу, ни криву ни дужну. Још је муче море ноћу, али о томе не прича Илији. И да му се повјери, ко да га види гдје јој каже:

„Свашта умишљаш, жено! Полудила си од те твоје болести.“

Боље онда ћутати, ради мира, а жао њој и њега несретнога кад види како се око ње мучи па да га још и она додатно оптерети. Неће, не иде.

„Ко каже да то нису живци?“, пита се.

„Све је то у у твојој глави“, говорила би себи. Одустаје даље од разговора са њим.

Илија је избјегавао њезин поглед, молећи се да она што пре заспи. Тако ће га лишити горе муке од оне која му се запетљала око врата. Знао је да се неће моћи отарасити. Већ су му зујали у ушима невидљиви кораци апокалипсе испред врата. Сам мисли: „Луда памети, гдје те језик претече!“

Није он глуп, али му се глупост неће опростити, зна то простодушна сељачка душа, огарена гаром и смочена влагом од рудника у којем је зарађивао хљеб. Поштено је бирао, али на погрешан начин изабрао. Ко га је тјерао да пита и да каже недопустиво наочиглед свију?! Ко да није знао да је било довољно само да неко упре прстом на те и нема те! Пришију ти плочицу и шифрирају те као унутрашњег непријатеља, русофила. Надију ти надимак „стаљиновац“, а да ниси баш ни сигуран ко је ко и на чијој страни је Информбиро, и како то иде у раскораку и противно КПЈ.

Неук је народ, а учитељи су осјетљиви на незнање у мјери у којој не радиш онако како ти се каже. Наука се пред тим скрушено повукла, а образовање одступило у страну. Остао је само прст уперен у оно што радиш, или у тебе, ако не задовољиш. Онда мисли: „Ако га је његова лична брига потјерала, како ли је страх из тога извукао корист за себе, противно здравој памети? Зар своју муку не патиш тако што је приморан носиш? А каква будала мораш бити да је сам себи величаш па као ново бреме намјерно натовариш на ту постојећу?!

Савлада га горчина до те мјере да би сам себи гркљан ишчупао.

„Није требало бити тако, морао сам и даље мислити само на Смиљу“, мисли.

Страх је одлучио умјесто њега, збунио га изнутра, у глави, и само га начинио слабим.

Какав је он то мекушац и поводљивац кад је допустио да га брзоплетост на брзину збрза?! И сад чека да кораци престану зујати у његовој глави, да се претворе у бат корака удбаша испред његове куће.

„Шта ми је то требало? Шта ми је то требало?“, гледао је у Смиљу како спава.

*
*   *

Устао је раном зором да би прекинуо несаницу и задржао што дуже трезвене мисли о ноћашњем сабору душа у његовој кући. Мислио је о њима у посљедње вријеме све више и дању. Прибојавао се да није као некад јак да их заустави у трену, закочи и не обраћа пажњу на њих, док се саме не зауставе и одустану од њега до ноћи. Све више су дириговале нотама по свом избору, пуштајући музику у његовој глави. Прво те финим тактовима заголицају и навуку, а онда те растуре у ситне дјелове. Бојао се, али се пуштао све више, несвјесно се предајући и свјесно се наслађујући, ругајући се себи због казне која га стиже.

Старац дохвати косу која је висила са лијеве стране улазних врата, окачена о греду. Нађе брус на полици па изађе пред кућу и поче оштрити косу.

Сваким потезом бруса по танкој ивици металног дијела ба-
цао је варнице из себе. Нагињао се напред-назад, повлачећи
брус низ оштру ивицу сјечива косе. Толико га је обузео ритам
покрета који су се убрзавали и звука варничења бруса у додиру
са косом, да се начас изгубио у томе. Земља је још била нато-
пљена синоћњом кишом, а трава је омеканила, онако полусува.

Старац не сачека до подне него тврдоглаво зграби нао-
штрену косу и поче косити, најприје у дворишту куће, а онда
пређе преко ограде и покоси све докле је могао дохватити. Раз-
гранао се коров, драчу је морао са косјером и сјекиром чупати
да би исјекао што дубље у корјен.

Подиже тужно поглед ка осталим колибама у низу. Оста-
ле су двије наоко читаве, које су вириле из растиња које их је
гутало деценијама. Друге су биле урушене, неке чак до те мјере
да се нису ни видјеле од шипражја, а из једне је, посред среде,
расло дрво.

Старац ту покоси танки слој траве испред њих да би про-
крчио пут ка шуми и извору. Раније је све косио и одржавао,
мада ту нико није свраћао откад већ. Одустао је и он временом
и с годинама које су га поразиле, наводећи га да гледа власти-
тим очима како све трули и нестаје. Није имао снаге ухватити
се у коштац са тим, јер је и сам годинама слабио и старио уз те
колибе, као некадашњи живот који се одавно исцрпио из њих.

Ужасавала га је помисао да ће од свега, једног дана, остати
само камен и шума која ће га прекрити. Бранио се тако што је
поставио невидљиву границу око своје колибе и правио се да
ван тога нема ништа, да је то једина колиба у цијелој планини.
Лакше му је било жмурити на то дању, за видјела, него гледати
како све нестаје пред његовим очима.

Сјећао се, како је, кад се повукао у планину све још било
стамено и темељито. У сваку колибу би ушао, у свакој су пул-
сирали некадашњи трагови живота, а он их је удисао и присје-
ћао се. У свакој је пронашао понеку ствар и пренио је у своју
колибу да продужи вијек успомени у садашњем времену. Не-
гдје је нашао дрвену чинију, па сито, негдје вериге и виле.

Сјетио се како се једном полакомио, па се и сад наљути на себе због тога. Било је то онда кад су пале велике кише и кров почео да му прокишњава. Одлазио је и узмао камене плоче са других колиба. Мислио је: „Свакако никоме не требају, нико се не би љутио.“ Онда га запече савјест гдје се он нашао као рушитељ онога што је спасавао.

"Нека!“, мисли. "Људски је бити себичан и мислити на се кад је у питању опстанак. Па и животиње инстинктивно то исто раде.“

Најтеже му је поставити границу и не помјерати је, а онда је најтеже стати. Шта је човјек неголи инстинкт, кад не користи нимало оно свјести што му је Бог дао?!

„Е, нећеш! Нећеш, стоко људска, бити инстинкт!“, повика гордо у себи и врати, једну по једну, све плоче које је узео са кровова других колиба. Смрзавао се и укочио купећи воду по колиби, док кише нису стале и он оправио кров туцаним каменом и плочама које је нашао по врлети.

„Ма!...“, ману руком и обриса зној са чела. Није знао да ли то гура од себе немоћ или прошлост коју чува и оживљава, или је само још љут на себе. Исто му дође, шта год да је, и неважно је да ли је ово или оно, на исто се опет сведе.

Имао је он те моменте резигнираности и упадања у процјепе својих настојања кроз животарење у колиби. Чинило му се понекад да се цјелокупни смисао врти око њега, у ковитлацу и исмева га. Скоро се опустио у том безнађу и лакоћи бесмисленог и несврсисходног мишљења. Буде му чак и боље. Готово да се осјети добро, лагано и празно као лист на вјетру. Помисли: „Кад би тако могло на дуже!“, па схвати да не иде то задуго. И лист и вјетар имају сврху и удио у постојању. Гади му се бивствовање њега самога као проклете, некорисне сметње у универзуму.

„Пих!“, пљуну на помисао о себи таквом.

Поново обриса зној са чела и ухвати се гдје стоји наслоњен о косу.

„Боље да нисам траву ни дирао, задржа ме“, помисли гледајући како се слабо сунце негдје издигло пред подне.

У журби крену ка колиби, нешто ће прегристи на брзину. Сјети се да је заборавио на козе па га запече савјест због тога. Пожури још више, сав у чуду како је далеко одмакао, а да није ни примјетио.

Следећи момент је већ журио ка Језеру брзо, колико су га старачке ноге служиле. Потрчао би да може, као да би Језеро могло нестати и оставити га самог. Стуштио се низ шуму до пута, бацио поглед ка Манастиру и све гурајући макију испред себе, избио на литицу изнад Језера до свог мјеста. Осјетио је немир у себи оног трена кад је сјео на камен.

Пређе Језеро погледом, уздуж и попреко. Учини му се, на први поглед, да је све мирно. То га мало смири, али остаде осјећај нелагоде, којег се није могао рјешити. Потраја то, и Старац се, из стања уобичајене неприродне укочености, поче клатити горњим дјелом тјела напред-назад.

„Знао сам! Матер им њихову!“, скочи на ноге кад угледа дрвени рибарски чамац на другој страни обале, тачно наспрам њега. Усхода се на лицу мјеста, грчевито размишљајући шта ће. Најрадије би их побио, несреће једне, гдје су се усудили доћи и пецати рибу из Језера. Једном их је карабином гонио дуж обале, јужније, са исте стране гдје су и сад, али тад их је чекао цијелу ноћ. Дочекао их је, вратили се. Отад их дуго није било.

„Ово су сигурно неки нови“, мисли. „Ко зна одакле су дошли. Ови домаћи се не би усудили да дођу на сјеверни дио Језера.“

Знали су сви за приче о Језеру, и како се из воде ноћу, кад је најтише, чују црквена звона, и како душе тако звоњавом подсјете на се, и звучним таласима из воде разбију заборав. Људи су се плашили да се неко проклетство не обруши на њих ако не буду поштовали воду па јој нису радо ни прилазили, нити су дјеци давали да се купају у Језеру. Прекрстили би се, тјерајући од себе лошу помисао, да не привуку какав лош усуд. И од једне приче се примило много сличних, зависно од тога ко је вјештији и маштовитији да оприча. На крају су се држали свога и пустили природи и небу њихово.

Старац се и даље вртио у круг, размишљајући. Не може се спустити низ литицу. Чак и да то уради на некој приступачнијој стрмини, опет би им био далеко. Запути ли се обалом, ко зна колико би му времена требало да се нађе на другој страни. Сигурно би их до тад изгубио.

Поче викати и дозивати, машући рукама што је више могао. Знао је да га у том растињу нико не може чути ни видјети са толике удаљености. Вјетар је дувао према њему, па су му се све ријечи и псовке враћале равно у лице.

Учини му се како се чамац на Језеру покрену јужније, низ воду у правцу којим готово није ни залазио. Што би, кад то није била његова брига?!

„Ко зна откад су ту, а ја косио?“, прекори себе.

Одлучи се, па наслијепо крену кроз макију на пут, али не у правцу колибе већ у правцу Манастира. Кад је био надомак, угледа Монаха који је излазио из манастирске порте носећи у руци чинију са храном. И он је истовремено угледао Старца па му би чудно куд се овај запутио.

Старац се није зауставио. Продужи својим путем без поздрава. Убрза корак. Нешто га је вукло и носило одижући га од земље као бестежински предмет у васиони, на тачно одређеној путањи. Нешто га је кидало изнутра, тутњало у њему и гушило га једом, да би сопствену жуч могао исповраћати на мјесту. Манастир и Монах осташе иза њега, а он се упути у правцу који му се сад већ чинио непознатим. Како се пут губио, он скрену наниже и спусти се кроз макију све више ка обали.

Пратио је кретање чамца и није обратио пажњу на пустару у коју је запао. Готово га ухвати језа од предјела који је личио на познат, али није био његов. Старац изби на малу чистину у дјелу гдје је обала била нешто мање стрма.

Чамац се у то заустави посред Језера, штапови се заковитлаше у ваздуху и мамац улети у воду.

„Хеј!“, повика. „Хеј, ви тамо!“

Двојица људи из чамца подигоше главе. Један устаде да бо-
ље осмотри старог човека који је избио из шуме. Помисли у пр-
ви мах да се неко изгубио у шуми, мада се одмах затим запита
шта ког врага и ради ту.

„Ко вам је рекао да се овдје смије пецати? Губите се, лопо-
ви једни!“

„Немој више да вас видим, иначе ћу вас побити!“, урлао је
Старац.

„Ти то нама претиш?“, устаде онај други револтирано.

„Је л’ ти ово ћаћино, будало стара?“

„Губите се одавде! Губите! Губите! Губите се!...“, избезумљен,
разгорачених очију пјенио је Старац.

„Цркни, стари!“, довикну му први, узе весла и покрену ча-
мац даље од средине Језера ка супротној страни.

„Рекао сам ти да није требало“, рече оном другом.

„Шта није требало?! Зар да се бојим?!“, одврати други.

Старац клецну, сломљен, и спусти се на кољена.

„Губите се! Губите се!“, доња вилица му је подрхтавала без
снаге, а глас је јењавао у шапату.

*
*   *

Илија је сједио на прагу куће. У руци је, по обичају, држао
лулу из које се дизао танки облак дима. Мирисао је на паљеви-
ну сухог дувана, којег је непосредно прије протрљао међу дла-
новима па мирисао оцјењујући каквоћу.

„Шта ти је живот?“, мисли, вртећи лулу међу прстима. „Са-
гори ко дуван.“

Касније је Старац, размишљајући о истој ствари, објаснио
то на свој начин: „Прво замирише свјежином, намами те да га
кушаш, а онда временом, постаје бљутав и неукусан. И младост
пролети, само те на кратко завара да може бити љепо, а кад се
навучеш на ту помисао, баш тад клепи те законом негирања у

милион чланова који стижу из оног обавезујућег уговора који се склопи са животом.“

„Сагори ко дуван“, рече Илија наглас и насмија се горко, погледајући у жмиркаво свјетло петролејке са прозора, која је јасно оцртавала контуре човјека на прагу, дајући потврду свакој његовој мисли.

Прошли су мјесеци откад он чека. И село се већ било измирило у веза „за“ и „против“ сељачких задруга. Те исте вечери, у приближно вријеме, Стојан је, враћајући се из гостионе, налетио на групу непознатих људи. Збуни се још више кад прођоше поред њега ступајући један поред другога као нека цивилна војска, прозбиљна и тајна.

„Гледај своја посла!“, сину му у глави, али се брзо предомисли, као да је нешто наслутио, па крену за њима, прикривајући се кроз пролазе између кућа. У сусрет им наиђе један човјек и поведе их кроз село.

Стојану се човјекова фигура учини познатом, али због мрклог мрака и понеке упаљене петролејке на прозорима није био сигуран.

Кренуше у правцу моста, па се вратише около, кроз Долу, као да заваравају траг. Прођоше ред нових кућа и упутише се у правцу бајема. Ту се Стојан у трену укочи. Кољена му се одузеше, па у паничном страху поче размишљати да се врати и побјегне у шуму док још може. Одбаци такву помисао, и још га буде стид ради тога, док говори у себи како он није од тог кова.

„Иступиће он сам, гордо и поносно, а шачица бједника нека чини са њим шта им воља! Истрпиће он све, у инат оној кукавици од Николе, што их је послао на њега!“

Прије но ће доћи пред бајем, они нагло скренуше ка Илијиној кући, све са оним човјеком на челу. Препозна га у моменту кад Илија отвори врата, са петролејком у руци, и свјетлост му обаса лице.

„Чворуга!“, занијеми Стојан и врати се неколико корака иза бајема, иза којег је пратио погледом везаног Илију како се креће испред њих, са пиштољем упереним у главу.

„Људи, шта то радите?“, искорачи Стојан према њима.

„Одступи, друже!“, повика један од њих и упери пиштољ у њега.

„Иди кући, пијандуро!“, брецну се Илија. „Другови, радите ви свој посао! Пустите човјека! До јутра се неће сјећати ничега.“

Стојан се не помјери са мјеста док га неко не узе под руку и поведе у кућу.

„Марта?! Шта ћеш ти ту?“, саблазни се он кад се поврати од шока.

Марта нешто промрмља, али је надгласа Иванка: „Шта причаш, Стојане? Ко одведе Илију?“

„УДБА, мајо! Биће да су они, у цивилу. Везали га и одведоше.“

„Ајме мени, несретан ли је!“, Иванка ће.

„Видио сам ону гњиду од Чеде, како упире прстом у његову кућу.“

„Ћути, Стојане, ко Бога те молим! И тебе ће...“

Марта је стајала иза врата и слушала сваку ријеч коју су оно двоје размијенили. Чим је Стојан сјео за сто са пуном букаром вина, отупио у невјерици, она се искрала из куће, за Иванком. Затекла је Смиљу и Иванку у Илијиној кући, у тихом плачу, гдје је тјешење било скучено у уском простору узалудности, између четири зида собе.

Најсретнији си био кад те такво шта мимоиђе, а кад те снађе-онда ти у кућу сви упиру прстом, прозивају те и ниси добродошао у животу ни у заједници. И ако ти ко приђе, рескира да и он буде прозван унутрашњим непријатељем и одведен у неки политички логор.

Марта је са врата сажаљиво гледала обе жене, слушајући како Смиља понавља кроз сузе:

„Оће ли се вратити?“, док је Иванка тјеши: „Биће све добро! Све ће на добро изаћи, видјет ћеш!“

Ни сама није вјеровала у то што је изговарала. Плашило ју је сазнање да никад вијести о њему можда неће стићи, да врло брзо нико више у селу неће споменути Илију, понашајући се као кад се искоријени кукољ из жита, па сви мирни и намирени. Знала је и да код Смиље мало ко сврађа, сем ње, а одсад поготово неће.

Иванка је зато своје посјете удвостручила и утростручила дневно, накратко да јој донесе храну и припреми огњиште, посебно у данима када Смиља не би устајала из кревета. Слала је и Марту да је обиђе и увјери се да није пала.

Смиља је вртоглаво све више губила снагу, па кад више није могла рукама, Марта би јој својим тананим прстима очешљала и сплела косу.

Стојан је све рјеђе одлазио у гостиону. Није могао гледати у очи „курвиним синовима“, како их је називао, а сад је сам радио и своје и Илијино. „Можда се једнога дана врати“, надао се.

*
 * *

Није се дало ништа више учинити. Чамац је отишао предалеко, на другу страну обале.

„ Можда их је удаљио, можда се ови више неће вратити. Да, било би добро“, мислио је погнуте главе, поражен у немоћи. Вратиће се други једнога дана поново, знао је, и то га дотуче још јаче. "Урадиш праву ствар, исправиш скучено и савијено, одахнеш ликујући накратко, а онда се испостави да се исправљено поново савило и ти опет исправљаш и опушташ, оно се даље савија истом толиком снагом и брзином колика је твоја воља и жеља које неће испратити твоје ноге кроз вријеме које ће од лаког корака начинити тежак и спор бат од нагомиланог терета."

Није прошло много времена кад се, са оног мјеста гдје је поклекао, поново успаравио и све гледајући у воду, вратио назад кроза шуму на пут, истим путем до Манастира. На манастирској порти стајао је на истом мјесту онај Монах, чинило му се, и у истом положају.

Старац застаде на неких десетак метара удаљености и погледа у њега. Преплави га бијес према том човјеку у мантији, а љубичаста боја му обоји подбуле образе. Да је могао, сву би бујицу псовки уперио у њега и сав гњев би излетио и распрсо се према доброти испосника.

„Неће мене његова доброта преобразити у друкчијег човјека“, мисли Старац. „Уморио сам се од доброте.“

Стајали су један преко пута другога без ријечи, Старац и Монах, гледајући се, док Старац на крају не попусти и настави путем.

„Лако је осудити некога. Пробај живјети у његовој кожи!“, говорио је за себе Старац.

Монах га испрати погледом све док није зашао у шуму. Начас видје како је застао, тапкајући у мјесту и како гледа ка води. Погледом пуним разумјевања испрати погубљеног Старца, помоли се да људска немоћ не пређе у своју слабост и почини веће зло. Прекрсти се и нестаде кроз двориште.

Старац је зашао у шуму, али се не упути западно ка колибама, него удари правац ка врху планине. Ходао је дуго, тешко се пробијајући кроз густу шуму, иако је бирао макију нижег раста, кроз коју се лакше пролазило. И самом му се учинило да се оснажио откад га је та идеја повела. Застајао је врло често крај глогова грма. Сад су глогиње зреле и њихов опор укус у устима га је кријепио. Набрао је пуне џепове бобица, жваћући их успут, док му се по рукама разливала и сушила тамна течност из опне црне глогиње.

Камење се котрљало под његовом ногом сапличући га и пробадајући излизане гумаше све до саме коже. Напред га је гурала воља, све се супростављајући сили гравитације, која га је упорно вукла надоље. Пењао се, кривудајући по дивљем крашком терену, не марећи за рањаве ноге у гумашима из којих би пошла крв при сваком новом убоду оштрог камена. Није ни примјетио како су се гумаши излизали у великим рупама величине ораха. Напокон се, израњаван и уморан, успео до самих пећина, високо у планини. Знао је за њих неколико са те стране планине. Некада давно је могао заћи у све њих, али је сад већини било тешко прићи, и требало би добро промислити гдје су тачно поједини улази.

„Шума је то! Све узме себи и у се", мисли он. Упути се у ону његову, која је исто имала скривен улаз, обрастао и дополa прекривен грањем.

Знао је одраније да се пружала кривудаво унутар планине, до тридесетак метара, при чему се од половине сужавао пролаз у мрачан канал. Ни сама унутрашњост није била пријатна. Дјеловала је као тунел неједнако спуштеног свода, мјестимично са великим каменим избочинама које су штрчале из зидова са свих страна. Није то било дјело човјека, осим пода на који је био нањет ситнији камен и нешто утабане земље. Мјестимично се дало видјети расутог пепела и остаци заборављене ситне дрвенарије, што је потврђивало да је ту некад некога било. Још у дјетињству је чуо приче како су се људи баш у тим пећинама сакривали бјежећи од Турака и Млечана. Највише су се монаси ту повлачили из манастира, сакривајући ствари из манастирске ризнице и библиотеке, што је било прво на удару. Старац је долазио посљедњих година када би се напунио јада којег чак ни самоћа у колиби није могла сварити. Бјежао би тада од колиба и повлачио у планину што више, као што би се сам увлачио у себе, што дубље и самотније, чекајући да се стиша и дјелом прође. Тада је јаче мрзио доброту и људе, поготово оне кадре да донесу неправду и дирају у њега. Сва пошаст долази од човјека, од његове уврнуте, гладне и радознале главе, знао је он то. Шта вриједи ишчупати клицу, кад је зрно пустило корјење по земљи, па зло час никне овдје, час ондје? Да му је тај огавни људски род сакупити у једну врећу па удри по њој, док све ваши не поиспадају, онда би се можда пробрало и остало оно мало чистоте од човјека! Борио би се он са тим силама да је то нешто што се да уништити. Али како се борити са замислима и идејом луцидног ума, кад ће тај исти врбовати још трећину сличних себи?!

И неће му бити тешко, јер је таквих изобиље. Њима је врхунац успјеха у усаглашеној идеји користољубља и лицемјерја, које ће сопственим механизмом спровести себе у дјело, газећи преко олтара нејаких и разборитих.

Кроз то он види и не престају да га муче она два рибара на сјеверном дјелу Језера. Скупи усне и шаке од полуделих емоција немоћи, патње, бијеса и горчине, које се завртјеше око њега, увлачећи га у најдубљи вир. И кад су га до те мјере исцрпили, склупча се на поду пећине уза зид, умири се као да ће задријемати. У полусну му се јавише двије животиње, и прође му кроз главу: „Јара! Гара!“ Скочи из дремежа и прекори себе по ко зна који пут, како је остао грешан према њима.

„Паметне су то животиње, сто пут паметније од људи“, закључи, умирен спознајом да ће се саме вратити кући. Није им први пут. Опет се унервози кад се сјети да им није отворио ограду. Ни љесу, ни воду им није оставио. Чуди им се понекад, кад их тако остави и оде од њих, како га увијек дочекају и опет иду за њим.

„Чиме ли сам то заслужио?“, пита се.

Веже се стока за човјека из навике, зна то, па се по навици води, а да јој је проговорити, имало би људско ухо шта чути. Како би онда козе назвале људе? Стоком не могу, тај појам је већ заузет, морале би измислити неки грђи, људскији. Навикне се и човјек на ту стоку, па виче на њу и удара штапом кад га шта најели, одвезује и привезује омчу и ставља јарам кад не може зауздати људе око себе, помилује их кад осјети недостатак топлине, а оне све то трпе гледајући оним тужним и тупим погледом, праћеним мекетањем.

„Побјегао сам и од њих“, помисли Старац.

*
*   *

Како ствари нису отишле на боље, кроз неко вријеме, биће преко једне године, укинуле су се сељачке радне задруге.

Многи су замјерали Николи, али су ћутали. Јачи је од тога био страх да не заврше као Илија. Све се, кроз неко вријеме, вратило на старо, на своје и на почетак. Готово све, осим људи и мисли.

„Мисли не можеш обуздати, нити људе довести у ред“, говорила би Иванка, грдећи Марту кад би ова само ишчезла, искрадајући се кроз ноћ.

Душан је у то вријеме осјећао неизрециву срећу због новине коју је Никола баш њему првом казао у тајности, а он у тајности одмах пренио Марти.

„Струја, Марта! Замисли свјетло, Марта!“, усхићено је говорио, а у себи је замишљао ону справу коју је Хурја звао грамофоном. Одувјек се чудио како је само село Дорјан од свих села имало струју, а како се његов Полен налазио баш насупрот Дорјану. Као што су двије планине у њиховим позадинама пркосиле једна другој, тако су и људи из мрака гледали са завишћу и жељом у свјетло преко пута. У даљини су куће свјетлеле у ноћи, разбијајући онај страшни мрак, под чијим теретом су дисале хиљаде људи оног часа када се посљедња петролејка угасила по селима у долини.

„Због рудника морају имати струју“, сјећао се како му је једном објаснио Никола.

„Тамо, здесна, је трафостаница, стотињак метара од посљедњих кућа“, показивао му је прстом у даљину. „А, на педесетак метара од ње је сепарација за чишћење угља.“

Говорило се да је село Дорјан свјетлило још од Краљевине, мада се промоћурна, још бистра глава старог Михајла заклињала да је то било давно прије тога, по постојећим списима које је држао у властитим рукама и у којима је писало да је 1834. године рудник преузела бечка твртка, а четрдесет година послије италијанско дионичарско друштво, а био је и најзначајнији рудник угља у Аустроугарској. Никола је, сав важан, трљао руке, задовољан што је центар дешавања са незадовољства око пропалих задруга у селу пренио на нешто ново, што су сви једва дочекали.

„Нема им бољега. Добро каже моја Јела“, хуктао је задовољно, док је са рударском комисијом инжењера и електричара обиљежавао мјесто за трафостаницу и мјеста за рупе у које ће поставити бандере, због развођења далековода.

Душан је, по први пут, осјетио полет због неког посла. Одједном му је отац постао неизмјерно важан. Чинило му се да се однос између њих двојице промјенио на боље. Почео је да му се диви због његове способности, разумио је како нема времена за њега због свеопштег добра људи у селу. „Није то мала ствар“, мислио је.

Пријавио се међу првима у добровољце младих припадника СКОЈ-а, на чије састанке га је отац прије тога редовно тјерао, а он их још редовније бојкотовао на сваки начин који би му се тог момента учинио згодним.

Није био попут оца. Цијело његово биће и понашање је жељело бити баш супротно њему, највећи дио времена, осим што је наслиједио његову витку и високу мушку линију, дјечачку љепоту у лицу, сањалачку и зелену, насупрот искусним и перфиднољепим цртама лица његовог оца у средњим годинама, пред којим би се непримјетно зауставио поглед сваке жене у пролазу.

Најбоље је то знала гостиничарка Неда, која је поодавно бацила своју намјеру пред његове ноге и привукла га себи својим разузданим грудима и подигнутом сукњом, безочним смјехом необавезног уживања, задовољавајући своју женску незаситост и његову мушку потребу за женом. Био је наочит мушкарац, удовац коме су намјештали многе пристојне удаваче и удовице, али би Неда увјек прва сазнала и својим мудрим језиком свакој пришила ману, непримјетно као змија пуштајући свој отров међу људе, кудећи потенцијалну младу. Довољно је било упрети прстом и окарактерисати је: разрока, неплодна, блудна, кљаста, кљакава, да би се село саблазнило и све се прекидало, осујетило се само од себе.

Никола се надао, док се временом није и сам уморио па одустао.

„Биће да није суђено“, мислио је, чудећи се како је могуће да се за њега таквога не може наћи ниједна. Јела је несвјесно доприносила томе, притискајући га свакодневно.

„Жени се, Никола! Шта се не жениш?“, говорила му је, док је Душан на то стискао усне и бјежао од куће. Кад се све то стрпа у један кош, Никола је налазио мир високо горе у појати, на сјену, међу раширеним Нединим ногама, уз растерећујуће кикотање подивљале распуштенице која није питала, није притискала, ни тражила.

„Е, мој ти!“, префригано би се у себи смјешкала Неда, отресајући сјено са сукања.

Марта је босонога газила сеоским путем, носећи у руци дрвену посуду са храном. Кожа на ногама јој је била прозирна и танка, а ниједног ожиљка ни огреботине није било, као да није додиривала тло корачајући по њему, или јој је неки невидљиви ваздушни ђон штитио табане од прашине и оштрог камена. По глави јој се врзмала прича њене мајке, Стане, и Иванке, коју је начула о некаквим морама и одласку код Ђуке под планину. Осврну се око себе, погледа у чуду докле је стигла и освјести се кад схвати куд се упутила. Скоро је до гостионице стигла, а Смиљину кућу је одавно прошла. Брже-боље се ухвати прогона између кућа, и зађе изнад њих да би се кроз оградице вратила, а да је нико не види. Сад би је Иванка изнова грдила како ли је мисли неразумно воде, а било би горе да је види у оградицама. Још више би се расрдила у страху од змија у по дана, по тој врелини кад нема живе душе.

Прескачући преко зидића, спази Неду гдје излази из једне појате, провирујући бојажљиво има ли кога. Појата је била изнад куће старог Симеона, који је све појате и њиве уступио Николи пред селом у закуп, јер од старачке мрене није више видио.

„Шта ће ту?“, била је радознала Марта, па брзо спусти главу и сакри се иза зида. Остаде у чуду кад видје да за њом излази Никола, отресајући сјено са косе. Наједном ухвати Неду око струка, пољуби је сочно у образ и онда се разиђоше у супротним правцима.

Марта сједе на земљу, наслонивши се на зид.

„Морам испричати Душану“, сва затрепери од нестрпљења.

Онда осјети како су јој руке олакшале па се сјети ручка. Врати се на оно мјесто гдје је спустила посуду са храном и невољко се запути ка Смиљиној кући.

„Иванка би ме убила да не однесем ручак“, мисли Марта док прилази улазним вратима.

Врата су била напола отворена и обузе је чудан осјећај. Пажљиво приђе вратима и отвори их широм, не улазећи унутра. Дрвена посуда паде и сав садржај из ње се расу по поду. Она устукну, руком заглушујући крик који јој се отео из уста.

Смиља је лежала на поду, непомична, широм разгораченых очију, главе забачене у страну. Из уста јој се сливала допола скорена пјена с крајева бјела докле крв није стигла пребојити. Цијело тјело је било непомично, осим ногу које су трзајући се у посљедњем мртвачком ропцу, давале привид нечег живог у њима.

Марта се, корак по корак, као у трансу, повлачила уназад. Онда поче да трчи из све снаге, да вришти и запомаже, дозивајући бабу. Иванка је чу на дворишту, остави посао и обриса руке о травежу.

„Оде и ти, Смиљо“, рече наглас, прије него је Марта стигла до ње.

Стаде грлити и тјешити узнемирену дјевојку и остаде са њом док се не увјери да ће бити добро. Свјесна да је све на њу спало, поче дозивати Душана, и тек кад се он појави од бајема, окупи од жена Марију, Стану Јовину и двије сестре усидјелице, Дару и Мару. Заједно кренуше ка Смиљиној кући, на посљедњу јој спрему и ноћно бдење уз мртво тјело, све до зоре, када ће је опет исте оне, уз још понеку мушку главу, испратити до манастирског гробља.

Душану се стегло око срца док је стајао у Мартиној соби. Гледао је како се крхко тјело склупчало на кревету док јој је поглед празно циљао једну непостојећу тачку. Помази је руком по коси па сједе на под до кревета. Узе блиједу и танку руку у своју, и ту је задржа. Она се на то слабо осмјехну па затвори очи.

„Душане, хтјела сам ти нешто испричати, али не знам како.“

Он помисли како јој је тешко говорити о призору који је затекла, па јој рече:

„Одмори се прво.“

Марта поново затвори очи и усмјери мисли ка извору. Осјети олакшање због жубора воде и мириса поља, па је то поред Душановог присуства, додатно смири и поткријепи осјећај сигурности.

Иванка их је тако затекла: Марту, уснулу на кревету, и Душана, који је сједио наслоњен на кревет, држећи њезину руку у својој. Гледала их је један трен, и очи јој се засузише.

„Иди, Душане, тражиће те!“, рече му.

Он без ријечи послуша, а она сједе на кревет, узе Мартину главу у своје крило, расплете јој плетеницу и широким чешљем стаде чешљати непрегледне слапове свјетлоплаве косе, да би је поново сплела у плетеницу.

„Како си знала да не спавам?“, упита је Марта.

Она поћута, па рече: „Мораћу касније да идем тамо поново.“

„Иди! Добро сам.“

Иванка погледа у њу и учини јој се да се баш у том трену пред њеним очима мршави дјевојчурак расцвјетао у предиван пупољак.

„Боже!“, помисли, „ не личи ни на кога.“

Чак се није сјећала ни из приче да је неко од старијих генерација имао такву кожу и боју очију. Уплаши је нестварна дјевојчина љепота, па помисли: „Само да не буде за патњу!“

Марта је тачно осјетила Иванкине мисли. Прекину их мијењајући ток на другу страну, па јој исприча шта је данас видјела у оградицама. Ова је саслуша, и послије краће паузе јој рече:

„Не говори Душану! Некад је боље заборавити него рећи. Од једног зла могу испасти два.“

Марта се врати сањарењу и жубору воде са извора крај јаруге. Учинише јој се виле како јој машу и дозивају. У том је Иванка покри бјелим ланцуном и пожури на бдење.

*

*   *

Старац узе зобати преостале глогиње из џепа.

„Вратиће се саме“, опет помишља на Јару и Гару, па се стресе од хладноће. Како није имао шта да потпали, а ни чиме, устаде, и при слабој вањској видљивости са улаза у пећину искида неколико густих грана боровине и покри се њима. Шћућурен тако осјети се растерећено, лишен тешког емотивног набоја. Обузе га нека врста спокоја. Умирио се као гране простртe под њим и набацане по њему. Мисли му се испразнише и утону у дубок сан у тишини пећине. Нико га не узнемири ту ноћ. Не нађоше га они из земље, ни из пукотина. Спавао је као заклан, дисао мирно, вазда жељан сна, исцрпљен и притиснут теретом који се навалио на њега као челични точак испод којег ни макац. Само дише и дише, док дисање не изгуби ритам у прекидима. Не може га помјерити са себе, гуши се у сопственој немоћи док не отупи од покушаја да промјени ствари помјерајући точак са себе, па се предаје тој индолентности и летаргији да би наставио у свему гдје му то све ионако постаје свеједно.

„Мали си земаљски, још мањи небески“, врти му се по глави.

„Удахни и издахни, као први и потоњи час, као удах живота властитим плућима по рођењу и издах последњи којим ће те живот напустити!“ И кад се све то налијепи на човјека, нагомилано у толикој мјери, обамре му ум и тјера себе у сан не би ли одахнуо на трен кроз пусту жељу да би се шта могло промјенити док спава, у нади да се појави свјетло ниоткуд и да се ко зна шта... макар једном деси. Сваки сан је кратак, ако се из њега буди, зна то Старац, и док жмури, мисли да је и даље можда сан. И кад ум почиње да се бистри иза сна, он га опет свјесно усмјерава на сан, а зна да није. Не може се непрегледно сањати да би довољно побјегао од свега. Само једном можеш уистину побјећи: кад одеш у вјечни сан, а онда није више ни важно да ли сањаш, јер ничега и нема. И ту се изгуби и она мрва смисла из осредњег људског животарења у оволиком, превеликом бесмислу.

„Буди се! Буди се! Пробуди! Свиње!“, почеше га боцкати борове иглице кроз одјећу, и Старац макну грање са себе и устаде, растежући укочене удове. Боле га леђа, то је стара бољка. Боле га вратни пршљенови и зглобови, пуцкета огољена хрскавица како помјера руке и кољена. Разгрну грање са улаза и свјетлост јаче продре у пећину. Сједе на сами улаз и загледа се у шуму. Мисли како је прошло много времена откад је посљедњи пут долазио овамо. Престао је одавно пратити вријеме, али је сигуран да су прошле добре године откада је најдуже био ту, пуних двадесет дана. Баш тада се некако и вратио у село Брезе, у своју кућу, ријешен да остане.

С почетка га нико није препознао, прошло је толико година, али чим им рече од којих је био из Полена, прихватише га раширених руку. Кућа је била већ оронула од година. Одавно је умро човјек који ју је одржавао. Нађе кључеве у зиду изнад довратка, и како отвори врата, запухну га смрад устајалог ваздуха. Широм отвори прозоре да чисти ваздух проструји извана, и баци поглед по старим прашњавим стварима. Није остало много, али није га ни изненадило. Разњели људи, што из потребе, што из објести. У ковчезима је остало нешто сукненога платна и постељине, у кухињи посуђе и алат. Приђе кухињским плочицама при крају зида, ножем опара и извуче три плочице из задњег реда. Указа се рупа у зиду. Он гурну руку и извуче карабин умотан у платно. Предосјећао је зло и знао је да ће му ка- рабин затребати. Испод прозора је свјетина славила.

„Дошао си у право вријеме“, тапшали су га по рамену.

Није им могао објаснити да је њему свако вријеме било криво, и није их смио питати шта ли је у овоме то право. Сме- тала му је наклоност људи, сродност и братство којим су га об- везали. Поче да му смета чест контакт са омасовљеним људством из окружења које се везало у чвор без почетка и кра- ја, док не почеше врцати на све стране покидани комади из ње- га. Осјећао се у ваздуху распојасани нагон различитих вјероисповјести да бију вјеру и невјеру одмјеравањем снага и оружја самониклих побједника и изнједрених непријатеља ко- ји су се омрзли међусобно до потребе за уништењем.

Старац, по природи и искуству, повучен у себе, још је ви- ше затегао катанац своје куће, избјегавајући контакте колико је могао.

„Ти си наш! Наш си!“, гурали су му пушку у руке.

Старац је ћутао и мучио се све док једног дана није пукло из њега.

„Ја сам свој рат давно изгубио, а ваш нећу да водим!“, ре- као је и бацио пушку.

„Њихов је! Знао сам да је њихов!“, рече један предводник из редова спремних за ратно јуначење са исходом изгубљене главе. И да не би неког Михајла, из Полена, који га познаде, оде му глава са рамена. Окрену се село против њега зачас посла, па нигдје није био добродошао. Старац се разочарао не од људи него у мир који није нашао маштајући о њему четрдесет годи- на. Презаситио се празних скитања по земаљским браздама па му је доста било за овога живота и сукоба и ратова.

„Не учествујем у стварима на које не могу утицати,“ ми- слио је, „кад нисам могао урадити ништа за оне које су зависи- ле од мене.“

„Гдје сам дошао да се смирим?! У највећи немир. Ескали- рао им сукоб?! Ех, будала будаластих! Како ће нешто ескалирати ако су га држали под контролом?! Пустили га намјерно, па сад трпите посљедице, а мене се маните!", мисли у себи.

„Ви њих, они вас! … Чему?!"

Недуго затим, паљевина настаде посвуда. Ко би како дошао, само би палио. Горјеле су куће, јер су туђе и непријатељске па их је требало побити до темеља. Опет су горјеле кад су људи сами своје палили повлачећи се пред непријатељем, да им случајно не падну шака. И једни и други тако и једнако.

„Не волим мирис крви, ни мирис паљевине."

„Није за утјеху утапати се у маси и мјерити с њоме", говорио је у себи.

У томе су га опљачкали, покрали му у налетима све што их је занимало од ствари и лакрдије несретног човјека који мисли да ће, грабећи материјални моменат, прибавити нови положај и промјенити ствари у глави.

„Све је само у тој лудој глави", мисли Старац, „ и богатство и кукавичлук."

Није их ни питао од којих су него их је пуштао, говорио им гдје је шта за оно што би упитали, да злата нема, гдје стоје документа и папири да виде чији ли је.

Говорио је он за њих: „Сви који ратују губе понајвише себе."

Осјећао је како су га рашчеречили, вукући га и развлачећи на све стране. Једног дана је само нестао. Повукао се из хаоса у жељену осаму, тамо горе, у шуму високо изнад села Брезе.

„Колибе!", сјетио се.

Не може се сакрити, знају они за њих, али ће се бар за прво вријеме склонити и примирити из тог кужног лудила. Није марио ни да дођу по њега и да га убију. Рат је, не може он сам бити изопштен из тога. Понио је оно мало ствари из кофера што је носио са собом и оне ситнине што је преостало у кући. Кроз шуму је баухао и губио се док није избио на колибе.

Заборавио је како до њих, давно је било, а шума је затрла све стазе и путеве. Кладио би се да нико годинама није долазио, а и шта ће овдје наћи сем заборава, а и вријеме је такво да су друге ствари постале приоритет.

„Ко још заборав сматра битном ствари, сем мене?!“, мислио је.

Та луђи је он јуришник на бојноме пољу у рату који води сам са собом него многи из села који ће ноћас изгинути!

„Погинеш, и за те се рат завршио. А кад живиш рат не престаје,“ мисли.

„Нека свако бира! Ја водим свој, нећу туђи.“

И сељани, са обе стране, су га временом оставили на миру. Прогласили га будалом и чудаком па дигли руке од њега. Нису га дирали ни кад је ријетко силазио у село до куће, да купи јаја, брашна и дувана или штогођ другога од оно мало црквице што му преостало. Кад је тога понестало, ишао је у надницу за храну и помагао у сезонским пословима, јер је мушке снаге у селу мало преостало, остала сама старчад. Остали се разишли по фронту или су чували контролне пунктове и барикаде, јер се рат прилично био захуктао и у тој фази су већ биле постављене границе од-до. Из ћутљивог Старца си морао кљештима чупати ријеч из уста.

Једном се осилила једна жена па га упитала:

„Црни човјече, што ниси са својима?“, а он јој одговорио:

„Сви су моји са мном!“

Жена га погледа у чуду, махну руком као да отреса неразумну биједу од себе и оде својим путем.

„Луцпрду и лакрдијашу од живота, ниси ли им могао дати шта друго доли рата?“, љутио се Старац у себи, гледајући у сву ту несрећу. Није га се тицало и није била његова ствар, али је знао, тачно је знао и видио многе од њих у себи, у колиби, и то га је пекло, али опет није била његова ствар и није било до њега.

Старац се промешкољи на мјесту гдје је сједио на улазу пећине. Подиже се па руком избаци два-три већа камена испод себе, поравна мало ситније камење и опет засједе. Замисли се како уопште није размишљао о том времену до сада и сам се себи чуди одакле му то одједанпут на ум пало.

„Мора да ми се примакао крај“, помисли.

„Нека, вријеме је!“

Остави то као закључак и склони у споредну фиоку можданих ћелија па се удуби изнова у оно вријеме када се рушило и палило.

Отишли су сељани неколико година откад изби рат, избјегли, бјежећи од оних других. Старац је гледао за њима дим који се високо дизао, и слушао дивљање бојеве муниције свих врста и калибара како пљушти по селу сакатећи све редом. И сам је кренуо ближе селу кад је то почело не би ли видио изблиза шта се дешава, кад га запара призор натоварених коњских запрега, крцатих трактора и аутомобила који су се сливали у колону на излазу из села преко брисаног простора ка сјеверу. Неко га је дозивао са трактора. Онда су му сви из приколице махали и показивали нека ускочи, пружали му руке … „Хајде, спаси се!… Убиће те!…“

Закорачио је напред, поњела га је мрвица нечије бриге за њим, мало људскости и исте муке, а онда се зауставио и окренуо натраг ка колиби.

„Свеједно мени нема спаса“, одлучио је.

Затворио се у колибу, излазио, улазио, држао руке на ушима да не експлодира глава од језивих звукова распрскавања ракета, зачепио ноздрве да не удише мирис дима са згаришта.

Трајало је и сутрадан, и онај слиједећи. Није издржао. Покупио је неколико ствари и бјежао уз планину, бјежао високо, пењући се до ове исте пећине. Како је ушао, завукао се дубоко у мрак и заплакао.

*

*   *

Стану Јовину су сви у селу Полен звали по мужу, иако у селу није било двије Стане да би их разликовали по имену. Како је Јово био умјерен и сталожен човјек, тако је Стана била ведра и насмијана пуначка жена. Имали су шесторо дјеце која су узајамно бринула једна о другима, па је Стана стизала окупити жене на прело и пјесму, повести их да заједно перу веш на изворској води, и наговорити Јову да пристане кад су га људи из села дошли молити да буде у сеоском одбору уз Николу.

„Људи, ја вам нисам за то“, бранио се.

„Јеси, Јово! Ти си поштен. Зато смо те дошли питати.“

У себи је мислио како није ни велики комуниста, ни добар говорник, а и шта ће њему то.

„Добар си човјек! Нама треба неко правичан, ко ће стати уз Николину усијану главу између петокраке и вјере.“

„Посвадиће се народ ни због чега“, није одустајала Стана док није пристао зарад ње и људи.

Иванка је знала да на Стану може рачунати као на саму себе. Одмах је дотрчала кад је Смиља умрла, кад нико није хтио прићи плашећи се да не буде виђен. Она се није плашила људи и није их дјелила ни вако, ни нако, мада је увијек говорила:

„Шта човјек човјеку направити може, то Бог не може ни замислити.“

Познавали су је по трескавом ходу и развученим устима од смијеха.

„Ти, Стано, кад уђеш ко да је сунце ушло“, говорили јој.

„Ја дошла да отјерам мрак“, смијала би се она томе, на сав глас.

Свратила би често до Иванкине куће, највише због Иванке, да обиђе Марију, јер се ова ријетко по селу могла видјети. Посједила би мало, изјадала се, с ногу псујући мушкадију и жалећи се на дјечурлију.

„А сад идем!“, скочила би са столице срчући у покрету остатак кафе.

Марија би једва прозборила, али ју је пажљиво слушала. На одласку би јој обавезно рекла:

„Дођи опет.“

„Таква joj ћуд“, мислила је Стана, осјећајући просту и чисту Маријину душу. Изненадила се, не мало, кад је Марија прије Смиљине смрти, позвала њу и Иванку да им нешто каже. Ломила је прсте, погледала кроз прозор, не знајући како то да објасни.

„Ноћу, док лежим у кревету, чујем како се врата отварају и гледам, али ништа не видим. Помјерити се не могу, нити могу гласа пустити. Дође ми с ногу и притишће, притишће ко страшна стијена, наваљује се на мене па ми на прса сједа и гуши ме, не да ми дисати.“

„Мора! То је мора!“, рече Иванка, и сама више зачуђена Маријиним отварањем него самом причом.

„Набацио ти неко! Води је Ђуки под планину!“, рече Стана.

„Пођи и ти с нама!“, позва је Марија, као да би је то више умирило.

„Врага ће он мени помоћи, а и не би због Јове“, одмахну она руком.

У том спази Марту гдје је застала код врата па брзо устаде.

„Идите ви само!“ Крену ка излазу па се још једном окрену.

„Знаш мене!“, додаде као да се правда.

Марија загризе усну и зажали што је проговорила. Очи joj се напунише сузама па се окрену ка шпорету да Иванка не види.

„Није ништа лоше мислила. Не бој се, дјете моје!“, стави joj Иванка руку на раме.

Марта је радознало разрогачила очи у једну па у другу, и кад је хтјела упитати шта се то дешава, Иванка joj оштро рече:

„Нису то ствари за тебе. На, носи Смиљи да једе!“

Тутну joj завежљај у руке и изгура је вани. Марта се побуни, али joj се не усуди супроставити.

Недуго послье Смиљине смрти, Стана стаде испитивати Иванку јесу ли ишле Ђуки под планину. Она joj потврди, па исприча како је он увео Марију у просторију рекавши joj да стане испред једне слике.

„Својим очима сам гледала како слика поче одоздо нагоре да плави, плави, док не поплави читава и сва мора сиђе са Марије.“

„Шта је још рекао?“, упита Стана, „Ко је направио?“

„Рекао је да ће сутрадан, зором, доћи неко да тражи нешто из куће и да му не смијемо дати.“

„Ко је дошо?“, Стана престаде дисати.

„Рекао је да не доводимо ону трећу код њега“, Иванка ће.

„Коју трећу?“

„Тебе, Стано!“

Она оста разјапљених уста, знајући да Иванка не би лагала.

„У праву си. Некад је боље прећутати“, врати се знатижељи не би ли Иванка ипак проговорила.

„Из једног зла настају два, моја Стано“, на то ће Иванка, не откривајући ко је дошао сутрадан тражити дивку, и кад јој није дала окрену се та иста особа и испод зида испиша ријеку воде.

Стана се поздрави са Иванком и забринуто крену кући главним путем кроза село. Махну Душану кад га угледа гдје сједи на прагу код старог Симеона и помисли, кад наиђе даље на Чворугу: „Ено оне сподобе!“

Заинати се у себи да неће са њим проговорити ни ријеч, па се изненади гдје јој он назва: „Добар дан“, и настави даље. Прође је убрзо и прича са Иванком па се насмија гледајући како Неда виче и удара дјецу испред гостионе.

„Не бниј дјецу, руке ти отпале!“, довикну јој кроза смјех.

„Боље ти гледај своју!“, бијесно јој одговори Неда и уђе у гостиону.

Чворуга се тада управо враћао са сточне пијаце у граду, задовољан смотаним свежњем новчаница дубоко сакривених у унутрашњем џепу. Трљао је руке због продатих оваца и високе цијене којом превари људе, кад га наједанпут заскочи једна пијандура из масе, изружи га пред свима на пијаци називајући га

грбом, нечовјеком, потрчком Николиним који га исмијава и ру-
жи док му овај завршава послове, па га назва још старом уси-
дјелицом и гољом. Затече га да се овај није стигао одбранити.
Окупи вика људе, направи се гужва коју Чворуга искористи да
шмугне са пијаце док је сва пажња била усмјерена ка оном ви-
чућем лудаку који настави пљувати по партији, по животу, све
док га двојица не ухватише за ноге и одвукоше иза пијаце, у
уски пролаз међу зградама. Остали се разиђоше вртећи гла-
вама.

„Неће освануи", мислио је свако за себе.

Чворуга се увреди и забрину због изговорених ријечи. Ко-
лико год да је пијанац био луд, погодио га је тачно у жицу, јер
се већ неко вријеме и сам мучио са тим.

„Толико потурам леђа забадава! Нема хвала ти, Тоде, ни
поштовања према Тоди," мислио је.

Додуше, добио би он свој комад колача, то признаје, али
му се то сад чини ко утјешна награда, као кад псу бациш рђаву
коску да би те оставио на миру. Обузе га страшан бијес који
провали заједно са унутрашњим гњевом који се накупљао го-
динама. Смири се тек кад скину са греде дебели свежањ папир-
натих новчаница додајући му мањи смотуљак из кошуље.
Протрља руке задовољно и примири се.

„Има за све лијека", помисли како се завали на сламарицу.

Сутрадан је прво отишао Николи, са идејом како би се
Илијина земља могла расподјелити и обрађивати под ингерен-
цијом партије у селу.

„Или да се бар запечати док се не одлучи о њој", рече му.

Чворуга је добро знао да Илија није имао рода ни насљед-
ника. Изгледи да се врати су били никакви, а земљу је радио
Стојан док је Смиља била жива.

„Не може Стојан присвајати себи и отимати крув другоме",
говорио је Чворуга.

„У праву си Тоде", Никола ће.

„Пусти за сад, није преша. Ни гроб се Смиљин није охла-
дио. Нека одбор одлучи!“, поколебао се Никола чим се сјетио
Стојанова лика.

„Тако је најбоље“, сложи се Чворуга па оде неким другим
послом.

Журио је према њивама гдје је Стојан радио сам, као пу-
стињак, без помоћи, и своје и Илијино. Рачунао је: напуниће му
појату, узорати, покосити, попалиће срњиште, засијаће и убра-
ти, нека га све чека кад се врати у празну кућу. Досад су увијек
заједно радили, редом, па ће он наставити.

„Дужан сам! Вратиће се!“, говорио је Стојан.

У то зачу како га неко дозива и сав проблиједи од језе кад
угледа Чворугу.

„Ил’ је дошо пити, ил’ носи ружне вијести“, пролети му
кроз главу.

„Добар ти посао, вриједни човјече. Дај неки гутљај па да ти
нешто кажем!“, Чворуга ће.

Стојан остави посао, оде до зобнице у хладовини и нали
му вина у букару. Чворуга попи наискап па, охоло вртећи гла-
вом, направи подужу станку.

„Причај, човјече! Шта си зањемио?“, нестрпљиво ће
Стојан.

„Ево вако! Идем од Николе и реко ми је да ће ти у име пар-
тије одузети право да радиш Илијину земљу. То што ти радиш
он зове лично-користољубље.“

„Не радим ја Илијино за се, него за њега кад се врати“, у пр-
ви мах се поче правдати Стојан, а онда се жестоко разљути.

„Никола реко, велиш?! Изем ти ја њега и оно што је он
реко!“

„Што не дође сам да ми каже, псето једно?! У име партије
ће он! На! Носи све у име партије!“, викао је Стојан из свег
гласа.

„Не знам ти ја ништа“, окрену се Чворуга па поче узмица-
ти пред разјареном грдосијом. Процјени да је боље што пре уз-

макнути него се латити још једне букаре вина. Стојан је од бијеса бацио груменицу земље за њим, а Чворуга је у трку, све се саплићући ногом о ногу, бјежао што даље. Кад изби на пут, сакри се иза смоквина дрвета и исплази језик као пас од велике врућине. Повративши дах, брзо стаде размишљати шта му је даље чинити.

Врати се кроза село до школске просторије за састанчење. Ту затече вриједнога Јову, који је једва дизао главу, затрпан међу папирима.

„Друже Јово, куд ли оде друг Никола?", упита га.

Баш се у том трену Никола појави на вратима и Чворуга му махну руком, позивајући га у ћошак просторије да би му потихо саопштио новину како је налетио на Стојана. Још га је похвалио како ради туђу земљу ко прави друг и комуниста, јер мртва земља не служи ничему, греота је да никога не храни.

„Па, шта је ту лоше?", упита Никола, очекујући да је суштина говорникове уводне ријечи у оном лошем што сљеди.

„Нападе ме из чиста мира. Пљује по теби, говори да нећеш њему одузети Илијину земљу као што си Симеону. Да, баш тим ријечима! Да си отео слијепцу земљу, растјеро му дјецу па ниједно, од страха да не буде проказан, не смије прићи."

Чворуга то исприча глумећи потрешеност и чуђење при свакој ријечи. Никола позелени у лицу, трудећи се да остане прибран. Просикта кроза зубе: „Платиће он своје!", и излети из школе.

Запути се до Старога моста да разбистри главу. Није напречац смио доносити одлуке. Гласаће и одборници и остали чланови партијске организације. Одавно би он њега склонио да није Иванке. Заваћена крв никад не мирује, стално кључа у круг. Расхладиће га Драга, охладиће од тренутна бијеса којим би се радо повео па гркљан ишчупао Стојану, без милости.

У пролазу спази Душана како сједи на прагу Симеонове куће, пажљиво слушајући шта му овај говори. Није то први пут, зна он.

„Душане, ајде кући!“, повика таквим тоном да овај одмах скочи.

Није смио противурјечити оцу, а препознао би кад је најбоље клонити га се. Осим тога, није желио да га овај пропитује о томе шта прича Симеон, вјешто му извлачећи ријечи које би покушао прикрити. То је за Душана било прилично опасно, пошто би га то могло довести до књига које је пажљиво скривао испод отомана у својој соби. Сигурно би се и ту одао.

„Полази, ждребе једно!“, настављао је Никола сам за себе, не обраћајући више пажњу на Душана.

*
*   *

Старац се присјећао како је тада морао остати сакривен у пећини неко вријеме. Знао је да су сад дошли други, да и они пале и да би га у свему прије убили него ли га питали ко је. Расподјелио је и уситнио на што дуже времена оно што је с руке понио, али ни то не потраја.

Прво није излазио из дубоког мрака у пећини. Онда је почео стражарити на улазу и излазити ноћу. Глад га је натјерала да се у рану зору ишуња па накупи корјења меког биља и лишћа које је жвакао да завара жеђ. Кише није било, суша окружила са свих страна. Наишао је на гусјенице са лишћа што је жвакао па их је почео скупљати и јести. Испрва му се гадила помисао на живо у устима, које се мрда и копрца, па их истуца каменом и умота у лист да би ублажио гадост. Навикну се на то изненађујуће брзо ко сваки жив човјек што се навикне на свашта. Послије се окуражио, или му је већ постало свеједно па се спуштао низ планину до оних истих глогиња које је синоћ набрао. Наишао је и на дрењине. Како су дани одмицали, постајало му је хладно у пећини, зујало му је у ушима, у глави. Бранио се од мушица којих није било, и газио по мравима за које би се заклео да су намјерно милели по њему.

Старац, сједећи сад на улазу у пећину, напипа руком са десне стране, бразде у камену. Још су биле ту. Сјети се како их је ножем дубио и зарезивао, биљежећи дан који је прошао. Тачно је још данас стајало свих двадесет. Задигну рукав и загледа се у руку. Кожа се објесила о кости подлактице све до рамена. Наборана и млохава, треперила је са старачке дрхтаве руке.

„Исто као и онда", помисли и брзо спусти рукав.

Након тих двадесет дана проведених у пећини, на једвите јаде се стропоштао низ планину до колиба, а послье га је глад одвукла тако исцрпљеног до села, гдје га ухвати друга војска, свеза и притисну цијев под браду. Онда кундак завитла кроз ваздух тачно о његову главу. Пробудио се у неком стационару, на носилима. Одмах потом се укочи и помисли да је мртав, кад угледа младу жену плаве косе-свезане у реп, блиједо прозирних очију, која се нагињала над њим.

Прво није разазнао ниједну ријеч, гледајући у њене усне које су се помјерале. Онда се полако повратио и схвати да га пита како се зове. Изнова му је понављала да је имао среће што је наишла у правом тренутку кад су га „они" ухватили, чешљајући терен, да га је довела у склониште УНХЦР-а у великом граду,... да је сад збринут и на сигурном, па све испочетка. Пита га како се зове... Старац је све вријеме нијемо гледао у њу, паралисан на носилима. У то прилази неки млађи човјек, официр, и започиње разговор са њом. Старац ухвати похотан поглед разузданог јарца који се усмјерио ка њој. Позна он ту пасмину. Да може устати, одвалио би га преко одвратних лажљивих уста. Обраћа јој се на њемачком и она му истим одговара. Причају о њему, погледају га из прикрајка. Официр покушава да буде духовит пред њом са својим лицемјерним додворавањем и упадицама на његов рачун. Не зна да га Старац разумије кад га назива обраслим чудаком и шумским човјеком из дивљине.

Она игнорише такве ријечи, хладно посматрајући официра, али кад он поче да се смије-успротиви му се и брецну се на њега:

„Он је човјек, има име! Није у реду тако! Чујеш ли?! Има име!“

Старац се, по први пут, постидио своје трошне одјеће, своје мршавости и запуштености. Није се постидио официровог ружења пред њом, већ њезине одбране.

„Можда је глухонијем?!“, добаци официр у пролазу, гледајући на њега као на циглу. Ако би могао да је искористи, ређаће једну на другу да сазида бар зид. Ако се не да употребити, нема је сврхе ни одржавати. Одбацио би је, дозволивши да је притом сви ћушкају ногом, док је неко не заврљачи о зид да се разбије у ситне комаде. Она се сагну и помаже му да се придигне, нахрани га и донесе чисту одјећу.

За све то вријеме Старац није проговорио ни ријеч. Дођоше још три униформисана лица и једна дјевојка са њима. Приђе му и она. Опет га пита исто: „Ко је, шта је, гдје се крио, зашто, како?...“ Загледају му се у уши, премјеравају метром по њему, разваљују му ноздрве и гркљан.

„Анђелика, биће да је ПТСП или овај не умије да прича“, обраћа се првој плавој жени.

Сви ваде неке папире, биљеже, записују запажања, уносе податке у формиране табеларне исказе који ће послужити за статистичку евиденцију бројева без лика и имена.

„Анђелика је сигурно Анђелија“, мисли Старац. „Анђелија јој љепше стоји“, једино му то пада на памет.

После неког времена сви се покупише и накратко остаде сам. Анђелика се врати и спусти на сто, пред њега прибор за бријање и мало огледало.

„Како ти је име?“, загледа му се равно у очну дупљу на испијеном лицу.

„Знам да ме чујеш и разумијеш“, рече му.

Старац је гледао у плаву косу свезану у коњски реп, одсутно, све док она није одустала.

„Зовем се Илија“, рече јој на њемачком.

„Моје име је Илија Торбаров“, понови запрепашћеној жени која је кренула према излазу.

„Сад ме врати тамо одакле си ме довела! Ништа ти више нећу рећи!“, рече на течном њемачком и сјети се старог Илије, одавно мртвог, и његове жене Смиље.

Мисли: „Свеједно ко сам, да ли сам он или неко други, жив или мртав. Зар је важно? Као да ће знати или је некога брига?! Њима треба још једна попуњена рубрика, а мени не треба ништа од њих.“

У записнику је стајало: глухонијем, вјероватно неписмен, назнака да је могуће да се ради о Илији Торбарову, прослиједити хитно информацију Црвеном крсту у случају да га неко тражи…

Ипак, нису га пустили неколико дана док се ситуација није иоле средила. За све то вријеме он је игнорисао њих, они њега, без ријечи и контакта. На крају су га вратили у село, а Анђелика је довукла пуна кола помоћи.

„Носи то!“, грубо је рекао. „Нећу ништа!“

Она је мирно гледала у чудног човјека из шуме, не противурјечећи му, и окренула велики џип УНХЦР-а натраг.

„Анђелија!“, позва је изненада прије него ће отићи, „узео би само двије козе.“

Прошло је доста времена до оног дана када је неки повратник из села дошао по њега у колибу да сиђе у село, да су му довезли козе. Анђелика није дошла.

„Ено чудака из шуме! Јадан, није чист у глави“, упирали су прстом у њега чланови новопридошлих породица који су у међувремену запосјели туђа огњишта у селу Брезе.

Старцу се чинило, док је сједио у тој истој пећини, да је од тада прошло сто година, а од свега му је најупечатљивије у сјећању остала плава коса оне жене и очи чудне боје, прозирне. То га врати у стварност, па устаде и крену низбрдо ка колиби. Јара и Гара су га чекале.

Душан је трчао пољем у правцу куће као да га врази тјерају. Нешто му није дало мира. Добро је срачунао да му је од куће до села Дорјан, брзим ходом и мјестимичним трчањем, требао добар сат. Ако томе дода исто толико при повратку, уз краће задржавање у кући, било би довољно времена да неопажено буде одсутан. Вечерас је, као за инат, окаснио. Допали су му се дјелови књиге коју је Хурја читао на њемачком, а онда преводио.

„Хесе", говорио му је док је Душан у себи понављао да не заборави.

Почело је то недуго послије његове прве посјете Хурји. Осмјелио се да поново закуца на његова врата. Тај пут није изгубио глас, чудећи се самом себи одакле му смјелости када је затеченом Хурји, који му је отворио врата, рекао:

„Могу ли још једном да видим ону справу?"

„Коју справу?", збуњено је упитао Хурја.

„Гранотон."

„А, грамофон!", насмијао се Хурја и пустио дјечака унутра.

Душан је пажљиво отворио поклопац и плашљивим покретом прстију прелазио преко покретне ручице на чијем се крају налазила игла што је танким врхом додиривала кружне линије плоче која се окретала производећи звук кроз огроман звучник звонаста облика, налик труби.

Хурја је гледао у невјероватно бистре очи дјечака који је стајао опчињен музичком справом.

„Волиш ли да читаш?", упита га.

„Немам књига", рече постиђено. Није рачунао на оних неколико, на "Комунистички манифест" и „Капитал" у Николиној соби, којима није смио ни прићи.

„То читају прави комунисти, достојни чланови, образовани људи. Још мало па ћеш и ти", присјети се како му је Никола објаснио, чувајући то као реликвију, коју би нежељени поглед, а камоли туђи додир, могао окрњити.

Хурја му на то даде једну књигу у којој је било пуно илустрација са дјеловима људског тјела, стручну литературу почетног нивоа.

У почетку је више разазнавао и тумачио. Онда је све више читао оно што је разумио, да би после неког времена гутао, поред тога, разноврсне пјеснике и писце, све чешће посуђујући књиге од Хурје.

Добрано је већ зашао у мрак, мада је и везаних очију напамет знао сваку стопу поља куда се кретао. У исто вријеме, у селу, Никола је изашао раније из гостионе. Није му био обичај оставити толики свијет иза себе, зањет беспослицом, расањен картањем и букарама вина разасутим по столовима. Мучила га је Неда у посљедње вријеме. Постала је цангризава и забринута због Чворугиних све чешћих добацивања пред свијетом. Кињио ју је због Николе и ређао рецке на рачуну којег није имао намјеру платити, па би она из свог цепа надомјестила дуг да Милан не посумња. Није она жена која се боји, али је Чворуга тип човјека од којег сви зазиру, јер не можеш предвидјети докле је спреман ићи. Полако је губио границу и то ју је плашило. Ни одласци на Симеонов сјеник јој се више нису милили, па је молила Николу да нешто учини. Зато се то вече сакрио иза старог храста на врху Доле. Чекао је Чворугу, морао је туда проћи.

Дола је била увала на једном дјелу пута кроз село, са обе стране ишикљале лијане, израсло високо дрвеће па се све то чудно спојило у ваздуху као рајфешлусом повезано, чинећи мрачан пролаз и у по бјела дана док би се ноћу појачавао тај ефекат па је изгледало као улаз у пакао. Било је свакојаких прича о Доли па су и мушки ишли ноћу у групама кроза њу. Никола за то није давао ни паре. „Људи само причају. Нека их, то им је у природи“, мислио је.

Прошао је мирно Долу, зауставио се на излазу са друге стране и чекао иза храста. Ослушкивао је различите шумове који су допирали из ње. У једном тренутку му се причини да чује женске крикове. Подиђе га језа од тишине која усљеди. Нешто мало касније, причини му се женски смијех, опор и рђав, прво један усамљен, а онда му се придружи кикотање више њих.

„Доста сам чекао!“, помисли, па изађе иза храста кад се зачуше нечији пијани кораци који су запињали о камење кроз Долу. По гласном говору препозна Чворугу и Марка. Сачека их да прођу поред храста, па полако крену за њима. Марко отетура узбрдо кроз прогон, гдје му је била кућа, а Чворуга настави у правцу своје. Никола је пажљиво ходао како га каменчићи који су врцали, притиснути његовим стопалом, не би одали. Чворуга се заустави у уском пролазу међу двјема кућама, откопча дугме на панталонама и олакша се уза зид. Још је понегдје горило свјетло по кућама па се стаде премишљати да ли да завири из даљине, кад га, у моменту док је закопчавао дугме на гаћама, ухвати нешто с леђа за врат и притисну га толиком силином да изгуби дах. Од страха му се ноге одсјекоше. Скоро би пао да га нечија рука не шчепа за груди и прислони о зид. Ту је попустио стисак око врата и Чворуга се у моменту отрезни кад препозна Николу при слабој мјесечини.

„Ти?“, изусти.

„Ко би други?“, рече овај. „Мада, коликом свијету си се замјерио, могао је бити било ко.“

„Шта ти је, Никола? Удавићеш ме“, једва је изговарао, копрцајући кратким ногицама по ваздуху док га је Никола једном руком држао прибијеног уза зид, а другом му стезао врат.

„То би ти била награда, али нећу ти је дати. Доакаћу ти ја! На крају ћеш сам пожељети да те нема, не будеш ли се оканио Неде. Јеси ли ме чуо?“, повика бијесно.

„Добро, Никола! Тако ми партије!“, грцао је Чворуга, „ ја се шалио са њом.“

„Шалићу се и ја кад испричам селу како завирујеш кроз туђе прозоре и гледаш туђе жене како се свлаче. А о двјема сестрама усидјелицама, да не говорим! Разапеће те село кад чује како дираш у поштен свијет. Кукавицо!“

Чворуга му хтједе одбрусити како и он дира у туђе жене, још грђе, па се сјети свог незавидног положаја и ујаде се за језик.

„Пусти ме Никола, партије ти", цвилио је, помодрио од стиска.

„Не узимај партију у уста! Ниси је достојан!", пјенио је Никола кроза зубе.

„Рећу ти… Душан…?!", испрекидано је изговарао Чворуга.

Николу као да отрезни неко каином хладне воде кад чу синовљево име, па нагло пусти Чворугу да склизне низа низ.

„Говори!", шутну га ногом у бутину.

„Пусти ме! Неду више нећу узимати у уста, а теби ћу рећи за Душана", увијао се по земљи.

Никола застаде, одступи мало полусвјестан својих реакција. Бијес га је овладао до те мјере да му је попио сав разум. Чворуга искористи тренутак, подиже се на ноге па направи пар корака држећи дистанцу између њих.

„У реду", пристаде Никола на нагодбу. Био је сигуран да Чворуга не би слагао у оваквом тренутку врло свјестан посљедица по себе, а са споменом Душанова имена, знао је у шта дира.

„Душан одлази често у сумрак у Дорјан, код Хурје. Пратио сам га. Увијек носи неке књиге од њега."

Никола оста затечен оним што му је рекао. Стисну песницу и подигну је увис према Чворуги. Онда се, без ријечи, окрену и пожури кући. Чворуга оста на истом мјесту. Одахну, опипавајући мјесто на врату које га је бољело од стиска.

„Носи сад своју муку", просикта кроза зубе, гледајући за Николом. Мислио је како и он има чиме изаћи пред партију да окаља Николу, само ако се овај усуди шта потегнути или проказати га.

Кад је Никола дојурио кући, прво се попео до Душанове собе и одшкинуо врата. Душан је мирно спавао у свом кревету, па одустаде од првобитне намјере да га извуче за ноге и намла-

ти ко вола зато што је прећуткивао, што се сумњиво смуцао но-
ћу и ко зна какве књиге читао.

„Сачекаћу јутро“, одлучи. Доста му је било за вечерас.

Кад је Душан чуо кораке како се удаљавају, сачека још ма-
ло док се не увјери да је све утихнуло. Онда скочи из кревета,
скину одјећу и гумаше са себе. Одахну, па се поврати у кревет.
Руку подвуче под јастук па дотакну корицу књиге. У њему се
смјешило хиљаду луцкастих патуљака и играло на хиљаде двор-
ских луда, насупрот којих се мрштио Новалис, а Гете озбиљно
рецитовао своју поезију.

*

*   *

Кад се Старац спустио из пећине до колибе, двије козе су
мирно брстиле лишће у близини. Заболи га у грудима сопстве-
на суровост којом их је наградио за то што су га вјерно прати-
ле. Застаде гледајући у њих. „Отјераћу их!“, одлучи се.

Не може више то подњети. За шта се вежу, за кога, без пи-
тања и захтјевања да објасни било шта?! Не може више подње-
ти онај самилосни поглед два пара козјих очију.

Убра шибу са најближег стабла па јурну ка њима. Ударао
их је и млатио шибом по ваздуху, растјерујући их ко суманут.

„Бјеж’те! На, идите!... Проклете!...“

Истјера их преко чистине, све до саме шуме, гдје се у трку
изгубише међу дрвећем. Он сачека да види не би ли се поврати-
ле па се врати у колибу без имало кајања у себи. Струјао је
адреналин гњева из његове утробе, и није давао мира убризга-
вајући му хиљаде кубика казне према самоме себи. „Моја нај-
већа казна сам ја сам себи. И најтежи начин заробљеништва је
бити заробљен у сопственој кожи“, мисли он.

Осврну се око себе као да тражи спас: куда ће, шта ће... До-
сјети се па дохвати карабин из колибе.

Гледа Маусеров карабин па га поче расклапати. Извади за-
тварач из пушке и испод дрвеног дјела скину шипку са пушке.

Дохвати оно мало уља за чишћење што му је преостало па науљи цијев, намота куделе око шипке и поче вући кроза њу прецизно напријед-назад, ко да би га то могло смирити. Сва пажња му се усмјери на чишћење, као уски ореол мисли изнад његове главе, непробојан за било какву другу долуталу мисао или радњу у том трену. Кад заврши, врати карабин на мјесто и изви се на прсте изнад сламарице, па дохвати кашикару увучену у рупу изнад његове главе.

Сједе на троножац и тупо се загледа у осигурач. Кроз главу му је у тим моментима пролазила само вода, бистра вода која је навирала и претварала се у мутну, бујичаву силу, претећу и ружну, која се обрушавала орљавом па смиривала прелазећи у прљаву воду потопљених села, носећи на површини по који лагани плутајући предмет.

И све му се врати наједанпут, чисто као да се управо дешава. Гледа слику по слику из своје главе, чудећи се откуд их има у толиком броју, како су све чисте и праве да би их готово могао исписати и исцртати вјерно као на длану.

Види и себе. Млађи је, готово да се није препознао, заборавио је да је некада то био он. Само, чуди се зашто га вода заобилази. Како год да стане, гдје год се помјери, вода дође до њега и онда нагло скрене. Закорачи према води и угази ногама, кад она пресуши испод његових ногу претварајући се у суву, испуцалу земљу. Он јурне ка другој страни, у већу воду, али како јој приђе-она се изви иза њега, испред њега, око њега, као да се игра с њиме па отиче, али никако да га окрзне. Руке почеше да му дрхте, јаче и јаче, све док га не освијести туп ударац кашикаре о тло, тачно поред његових ногу.

Старац у шоку погледа бомбу. „Ништа!", пролети му кроз главу. „Ништа се није десило."

Разочарење! Хтједе да је заврндаљи што дубље у шуму, али одустаде и врати је на мјесто. Ни сам није могао објаснити зашто. Излети из куће и крену кроз шуму ка Језеру. Морао је побјећи од своје слабости према козама које је отјерао, према

десници која кукавички не може сама себе уништити извлаче-
ћи осигурач, док је гледао како ребраста лоптица удара скоро о
његову ногу. Јурио је кроз шуму и, први пут, није ништа видио
ни чуо око себе. Природа је замрла мјесто њега, а њему је у гла-
ви тутњала мисао како ће овај пут заиста отјерати оног Мона-
ха и бацити му у лице све лончиће упорности што су га сваки
дан чекали поред камена. Шта он мисли ко је и ко му даје пра-
ва да брине о њему и да из оне светиње може сијати своју до-
броту на било кога?!

„Ништа он не зна!“, излети из Старца гласно, па мисао за-
рони у њега и настави се изнутра.

Не зна ко је први дошао у разрушени Манастир после зад-
њег рата, чистио балегу и брабоњке из разрушене цркве и ка-
пеле, од распуштене стоке која је лутала селима кад се народ дао
неповратно у бијег! Не зна ко је сам поправљао порту, рашчи-
шћавао камење и вадио из рушевина дјелове иконостаса, ни ко
је дизао срушене спомен плоче и спајао комаде разбијених ка-
мених записа! Монах зна само оно што је видио. Није увијек
истина-видјети својим очима, да би се увјерио да је то заиста
тако. Не мора бити! Може и другачије, а очи могу преварити.
Па шта што нисам дошао помоћи кад су после обнављали цр-
кву и конаке?!

„Е, нисам хтио из ината! Ни сад не би!“

„Нека упиру прстом у њега, као и ономад они што су се на
скалама високо попели на кров и скелу, називајући га безбо-
жником и изродом док су радили, а он сједио на свом камену
над Језером. Нисам хтио да гледам оне који су дошли да се ви-
де, да им име буде записано као добротвори док у рукама држе
прегршт пиљевине коју посипају по главама сиротих доброна-
мјерника и још пишају по њима с висока. Не трпим лицемјерје,
ни хуље од људскога рода, што на духовност светог мјеста ху-
ле из себичлука и каријере. Узимају, само узимају и ишту, па и
кад дају мјере колико ће за то добити. И да су ме у томе прогна-

ли или убили, не би им замјерио, али ме и даље вријеђа доброта које нисам достојан и немам јој чиме узвратити.“

Избио је на пут па оборио ка Језеру. Кришом, као да се стиди себе, бацио је поглед ка Манастиру, прије него је дошао до свог камена. Одахну кад видје да нема остављеног ручка ни Монаха у близини. Погледао је ка Језеру. Вода је мировала, чиста и прозирна. Негдје по средини се помаљао из воде врх звоника са потопљене цркве. Старац се намјери сјести на камен кад одједном осјети мрак испред себе, и како пада и пропада у тмину. Још у секунди осјети воду како му излази из уста, шикља из ножних прстију, слива се из ушију и косе, распрскава му грудни кош и плави га, плави и потапа.

*

*   *

Дара је журила од Симеонове куће ка својој. Мара је отишла к овцама и неће је бити до вечери, мада се њој никад није знало кад ће банути и почети са свађом, јер би јој из чиста мира нешто засметало.

Дара је била другачија: мирна, добре нарави. Пуштала би сестру да се истутњи, док би она ћутала и повлачила се. Данас је опет однијела Симеону мало крува и сира из мјешине. Сљепоћа га је потпуно преузела да је једва владао собом. Нашао се и он њима кад су им помрли родитељи, једно за другим, па остале њих двије саме. Помогао им, научио их обрадити оно мало земље што су имале, слао им храну по својој дјеци кад би година била сушна.

Није Дара ништа заборављала. Сада је враћала доброту доброме. Радила је то кришом-да избјегне свађу са Маром. Она је опет, својеглава и пуста, некад одобравала, а некад грдила Дару гдје им откида од уста да би неког старца из комшилука нахранила.

„Има свега довољно, Маро! Пуна је пушница и коноба.“

„Има сад, ал’ требаће касније.“

„Гријех је, Маро, не дати комад сира или старога крува. Радије би бацила?!“

„Ја за свој труд плаћам цијену и никоме га бесплатно не дам. Не дам ништа!“

И тако се завршавало: Мара би викала по дворишту док се не истутњи, Дара би и даље носила Симеону храну, пажљиво откидајући комаде да сестра не примјети или би му набрала смокава, грожђа, трешања, чега било. Сметало јој и што је Мара довлачила и складиштила храну гдје би стигла, од подрума до тавана и трапа у штали. Онда би двапут на годину чистила трулеж, избацивала све из кашета и сандука, пребирала, препакирала, бацала начето, купила растур, а на крају би све испочетка довлачила и пунила.

Дара се годинама борила с тим док није навикла, дигла руке и одустала.

„Ради шта хоћеш!“, рекла јој је, склањајући се неким послом.

У неко доба су се у кући почеле појављивати ниоткуда ствари, покоји дрвени суд, нови прибор, кутлача, коришћена метла и троножац, петролејка коју је Мара још користила дуго након што је дошла струја.

„Купила сам на пијаци, од продате вуне и коже“, говорила би једна од њих, а друга се није упуштала откад је једном раније питала:

„Откад на пијаци продају метле изломљене дршке и метлице од сјерка толико истрошене да се мети не може?“

Мара је толико побјеснила и наружила сестру погрдама да је ова одлучила да отад на све ћути. Тако су их по селу знали као добру Дару и погану Мару.

Једном су се Чворуга и Мара толико посвађали око оваца на појилу Локви, око тога ко ће први своје сатјерати на воду, да је Чворуга у бијесу рекао: „Поган си, Маро, да већа бити не можеш!“

Сви су по селу то дуго препричавали и временом претворили у шалу. Стана Јовина би шапнула Иванки и другим женама: „Зло увијек препозна род“, па би се сви смијали како поган другу поган опањкава.

*

*   *

Старац је на моменте долазио себи. Чуо је гласове око себе. Неко га је ухватио за ноге, неко други испод паздуха. Подижу га, носе некуд.

„Јебем ти…“, хтио је да опсује и растјера их од себе, али бол је била толико јака да му је пресјекла сваку ријеч која би нагрнула из уста. Сунце га је засљепило и колико год се упињао да отвори очи-није успио да види ништа осим тамних колутова који су варничили испред њега. При сваком неравномјерном кораку оних људи који су га носили увијао се од болова.

Ум му се разбистрио оног момента кад су га спустили на земљу и он позна манастирску порту кроз коју су га унели. Препозна и мантије двојице монаха који су се растрчали око њега. Један му донесе чашу воде, подиже му главу и придржа чашу све док Старац није испио половину у малим гутљајима. Други је трчао ка манастирским конацима док му је овај довикивао:

„Зови помоћ! Зови Анђелику!“

Однекуд се Старцу учини познато то име, али се није сјећао одакле. Није га могао сврстати у вријеме прије воде. Изненади се сам себи гдје је онемоћан прихватио нечију помоћ и није се побунио.

„Не треба то мени. Као да то нисам ја?!“, помисли па нагло повуче ноге и одупре се рукама да устане, оде и одбије помоћ. Поче псовати све редом, кад га пресјече јака бол у стомаку и он се из получучећег положаја стропошта поново на земљу. Од слабости и зујања у ушима више ништа није чуо, а од страшне мрене која му се натоварила на очи, ништа није видио. Лежао је на земљи полумртав кад му се приказа велики бјели простор, и он у њему угледа разигране коње како трче са Локве, са појила кроз прогон, и Марту и Душана као сасвим мале, како им наилазе у сусрет с друге стране прогона. Баш кад разуздани коњи у трку скоро бацише под копите обоје дјеце, нечија рука их зграби и приљуби у посљедњи час уза зид куће.

„Могли су вас прегазити, дјецо моја“, рече Иванка док јој је страх ледио крвоток и прекидао дисање. Коњи протутњаше кад наиђе стари Симеон и у руци носи потковице.

„Куда ћеш с тим?“, упита га Душан. „Па ти не видиш!“

„Нисам одувјек био слијеп. Идем поткивати коње. Ја сам ковач, зар не?!“, насмија се Симеон, намигну им па продужи. Како он оде, из правца Локве дојаха Никола на свом Гарежу. Љеп призор! Не знаш љепши ли је човјек што јаше ил’ црни коњ испод њега. Набацио кратак суканац мјесто седла, провуко му узде међу зубе, и јаше.

„Види! Диго главу ко Маршал!“, скупила се гомила жена па га у пожуди прате погледом, а проговара Мара, једна од двије сестре усидјелице. На то се Неда грохотом поче смијати да је све остале са презиром и завишћу погледаше.

„Кући, несреће једне!“, плану на њих мирни Јово па се оне све разиђоше како Никола пројаха и нестаде из видокруга.

„Јово, каква мука тебе натјера да дигнеш глас?“, изненади се Иванка.

„Е, моја Иванка! Ко ће сад да нам љечи дјецу? Горе књиге у пламену, гледао сам како узимају резбарену столицу и оно што свира, како га оно зову, је л’ грамофон?“

„Зар и Хурја?!“, запрепасти се Иванка.

„И Хурја!“, климну главом Јово и продужи.

Иванка склопи руке на грудима, затетура од невјерице. У сусрет њој је трчао неко и, кад га позна, пролети јој кроз главу: „Дабогда црко!“

„Људи, потопиће село! Потопиће село! Пустиће воду из Цете!“, викао је Чворуга на сав глас.

„Потопиће селлооооо…!“

„Дабогда црко!“, понављала је Иванка.

„Брзо! Унесите га у кола!“, чуо се женски глас.

„Идем и ја!“, рече Монах и сједе у кола поред Старца, придржавајући му главу.

Анђелика је стискала папучицу на возилу, дижући прашину преко утабаног бјелог пута између Језера са лијеве стране и планине Свилаје са десне.

„Само да се дочепам асфалта“, мислила је стискајући волан.

*

*   *

„Било је то од првог момента у клупи. Не, ипак од оног времена кад их је Иванка водала овдје и ондје, или је то било одувјек па моменат није ни битан“, мислио је Душан спуштајући се испод Старог моста на Драги. Увијек је долазио много прије договореног времена. Очистио би и поравнао камење на насипу, сјео и чекао. Први пут је осјећао грчење у стомаку и топле таласе најљепше емоције која је струјала кроз читаво тјело. Ноћу, кад би легао у постељу, та емоција би га толико овладала да би га све бољело изнутра. Толико би осјећао бол да се питао како је могуће да најљепше емоције у успону имају толику јачину да причине бол. Како толико страсна љубав може бити двострана, величанствена у усхићењу, још већа кад боли? Био је сретан, потпуно сретан, први пут. Марта би се само створила поред њега, нечујно се прикрала сваки пут баш из супротног правца од оног одакле ју је ишчекивао. Сад се већ била развила у дјевојку невјероватне љепоте, о којој се причало и по другим селима, па су људи из неутајене радозналости ишли на мјеста гдје се дала видјети или су пролазили с истом намјером поред бајема па кроз прогон између двију кућа, Стојанове и Николине, не би ли се појавила. Причало се да не личи другим сеоским дјевојкама, да не носи мараму на глави и не сплеће плетеницу око главе, нити суче сукње и вуштане, него је увијек у бјело обучена; бјела кошуља, до грла копчана, бјела сукња од грубога платна, каиш исплетен од чврсте коњске гриве, чешће боса него обувена, коса расплетених до пода.

Имала је прозирно бјелу пут наспрам радничких грубих црта лица потамњелих од сунца.

Сјела је поред Душана и лагано га окрзнула по десној руци. Тоне слапова плаве косе заталасале су се око њих и Душану се чинило да су ушушкани као два птића у гњезду од њезине косе, шћућурени једно уз друго минут прије него што се крилима вину за животом. Додиривао јој је косу, расуту по земљи и пропуштао као свилу међу прстима. Лагани дрхтаји среће су му потресали тјело од њезине близине и даха, при чему је од толике љепоте задржавао свој и дах и покрет. Бојао се да је не увреди, да не осакати вријеме које је проводио са њом. Плашила га је помисао да је не повреди грубим стиском или изговореном ријечи. Уздрхтао је од помисли да ће се сутра вратити под мост и још јаче је уздрхтао кад га је Марта ухватила за руку и припила се уз њега.

„Хладно ти је?“, упита она.

Он не одговори. Само је погледа и насмјеши се. Она му узврати осмијех, спусти главу на његово раме.

„Могао бих преврнути свијет и подићи планету на својим рукама“, рече Душан озбиљним тоном, упирући поглед ка води. Марта га погледа и прасну у смијех. Он је погледа зачуђено у први мах па се потом и он стаде смијати. Она нагло утихну и стави му прсте на уста. Опет завлада тишина кроз ноћ, праћена жубором воде која протиче мимо њих. Показа му прстом на мост изнад њих и стави кажипрст на своје усне показујући му да буде тих. Ништа се није дешавало једно вријеме. Потом се зачу котрљање каменчића под нечијим стопалима и неразумљив разговор, испрекидан повременим викањем и смјехом.

„Враћају се из гостионе“, помисли Душан.

Сачека да се све поново умири и, у неспретности да не поквари вече, стаде причати како му је слијепи Симеон приповједао да су Срби одавно населили ово подручје бјежећи од Турака из Босне, па саградили три манастира, како се љепа Јелена удала за младог краља Шубића, и како је то била велика љубав, али кратка, само од године дана, док он није умро.

Марта га лагано пољуби у образ и извуче се тихо да он обузет причом једва примјети како су нестајали бјели обриси уз обалу.

„Шеснаест јој је", паде му на памет. „Сутра јој је шеснаест."

Сачека још мало па крену својој кући, с друге стране бајема. Док је вода остајала за њим, село је мировало у касној ноћи и пси су заћутали без лавежа. Само се чуло кратко рзање коња у нечијој штали. Кроз ваздух се провлачио мирис сјена из појата, омамљујући миришљави пелцер од којег ће се стока оплодити и село нахранити. Наиђе неки намјерник из правца Доле па замаче брзо покрај њега уз „Добра вече".

Душану је срце поскакивало и душа пјевала од радости па му одговори истим ријечима, које одзвонише као орљава са Викторијиних слапова у глуво доба. Човјека то просто збуни, за час застаде па се предомисли и настави полутрчећим кораком. Душан је пролазио главним путем између кућа, када застаде на десетак метара од једне у којој је горјело свјетло изнутра и споља. Сакривен у мраку, гледао је човјека како сједи на посљедњем степенику испред куће и слаже каменчиће на једну хрпу, па кад хрпа почне да се урушава он преслаже те исте каменчиће на другу хрпу, и тако цијелу ноћ. Зором би однекуд довукао велики камен и по цијели дан би чекићем ударао по њему док га не уситни. Онда би изнова ређао каменчиће на хрпу, пребацивао на другу, и тако редом, из дана у ноћ.

Једном га је Чворуга пратио до Драге и видио како је у њу бацио уситњено камење, а са обале извадио један велики и однио кући. Душан се присјети како је Марта скоро питала: „Знаш ли да се вратио Илија Торбаров?" Нико га није препознао у селу. Причало се да је посиједио одједном, за ноћ, кад су га одвели. Само је ујутро осванио бјел, као да му се на коси бесповратно нахватала паучина. Вратио се као живи костур, лица и врата угљенисаних од сунца, са рањавим рукама завијеним у кудјељу. Ни са ким није причао пуно, а људи се сјатили да виде бјелу врану од главе до пете, а он ни гласа да пусти осим:

„Добро је! Било је добро! Добро сам!" И у круг … „Добро је!", „Било је добро!"…

Илија се вратио, али то више није био он. Стојан је био очајан. Кратко је објаснио својима у кући да је бившим заробљеницима било забрањено да причају гдје су били, шта су радили, како је било. Били су надзирани и под контролом сеоских удбаша.

„И кад би хтио причати, није њему више до приче", ухватила се за главу Иванка кад га је видјела преко оградице.

Душан се снебивао проћи поред његове куће. Знао је да га Илија неће погледати нити му одговорити на поздрав.

„Можда зато што сам Николин син, а можда то нема никакве везе са Илијиним отуђењем у свијету туцаног камена", мислио је.

Ипак се осјећао нелагодно као да је неки дио кривице, дуго притајен, одједном изронио из нечистих дубина туђе савјести па се милиметарским дјелићем пресликао у њега самога.

Кратко се мучио туђом муком. Онда зађе у прогон па околним путем, заобилезећи Илијину кућу, дође са горње стране бајема. Ту се врати одмах својим посвећеним мислима, усмјереним ка прозору Иванкине куће и соби у којој је спавала Марта. Остаде тако загледан неко вријеме иза бајема. Замириса му рошава, избраздана кора дрвета, и он пређе руком по њој осјећајући глатку површину свилене косе која га мами. Обујми рукама дебло, размишљајући како није више на међи, како Стојан не сјече ишикљале гране па баца на Николину страну, а Никола више не купи и не баца јалове плодове пред Стојанов праг. Учини му се то лако и једноставно као што се бразда претворила у свилу.

„Како то да други не виде?", питао се.

Тако је лако прећи у зону мира. Гласаће сви за добробит свих. И то колико кошта, сигурно је пуно мање од онога колико вриједи и колико би зла са друге стране могло нанијети. Опет, злу крв од памтивјека је тешко очистити. Само се слаже и гомила у слојевима генерација. Потире их, затре посве, а да они то и не виде. Игра се између двије ватре и управља гњевом који подстиче мржњу, која опет тјера на освету. На крају, појединачно не добијеш ништа осим сивог ништавила у који си упао па се праћакаш и бацаш на све стране свога и туђег неуспјеха. Мржња поткрепљује битку коју добијеш, сљедећу коју изгубиш и редом. Заврши се тако да више нема ко да војује и нема за шта да се бије.

„Једноставно је. Љубав увијек побједи", помисли Душан, и крену ка својој капији.

Дуго је остао на прозору своје собе, који је гледао преко мале баште и камених оградица ка висоравнима горе у планини. Била је мркла ноћ. Ништа се није видјело, мада је он знао како изгледа сваки центим тог погледа и кроз најдубљи мрак.

„Једноставно је! Гледам кроз мрак", мисли.

„Може и то!"

И на час му се врати слика Илије на кућноме прагу, послије година проведених у заробљеништву.

„Може чак и да се преживи", рачуна он.

Да је Старац у то вријеме био старац, сигурно би рекао: „Не зна зелена грана којој су вране из очију помутиле стварност да се једва и живи послије неких ствари које се тешко преживе. Лако је жмурити од туђе муке, мислећи како је добро да се неком другом дешава. А шта са посљедицама властите муке, која се изнова враћа и повраћа ти по лицу и тјелу, па још савјест тјера према теби кад ти је други намеће чинећи те кривцем гдје ни примирисо кривњу ниси?!

Лако је од свега само помислити да све може. Лако је имати мало година и мијењати свијет у својој глави."

II ДИО

ВРИЈЕМЕ ВОДЕ

Кад ти неман уђе у душу, зароби те изнутра и започиње управљати тобом. То онда ниси ти, већ из тебе проговара та неман. Временом ти исколачи очи и изобличи цијело лице, искриви прсте на ногама и рукама, повећа уши као код свиње, пришије грбу на леђа и запечати те за наредне вијеке. Тако је Иванка мислила о Чворуги.

Слично мишљење су сви у селу дјелили о њему. Почеше га мрзити и они који су га до тада сажаљевали. Помирили би се са његовим подказивањем људи у селу, окренули главу и гледали своја посла из страха да његов искривљени кажипрст не буде уперен у њих по редосљеду сљедећег страдалника. Заборавили би људи, кад и вријеме учини исто, свађу и лаж, надмудривање и превару, али никад нико неће опростити истом том Чворуги глас који је пронио селом, пред људским чељустима разјапљеним у страху од такве истине.

Потопиће им село, рекао је и не само њихово, већ сва села у Долини. Скренуће Цету на њих и направити акумулационо језеро на чијем дну ће остати њихове куће и оранице, ливаде и воћњаци, црква и Манастир. Изградиће се брана, направити хидроцентрала за производњу струје да би се побољшало снабдјевање околног града. Струја преко воде, а вода преко њих.

„И људе ће потопити ако се не иселе", глас му је одзвањао као да је на побједничком трону управо донио судбоносну одлуку за цијели свијет.

„Доста нам је тебе, ругобо! Е, сад је доста!", викнула је једна жена.

Сагну се, ухвати камен, па га из све снаге баци на Чворугу. Ускомеша се збуњени народ, не знајући шта да мисли од шока и страха. Чворуга схвати да ће овај пут изостати ликовање, кад се остале жене ухватише за камење и почеше га бацати на њега. Од бојазни да не буде каменован, он брже-боље скрену пречицом па убрза корак ка својој кући. Затрча се омања група људи за њим да подробније испитају баљезгарије грбавца и да му покажу „свога Бога“ што уноси пометњу у народ.

Чворуга је у великој предности испред њих збрисао и утврдио се у својој кући. Замандалио је врата и прозоре, навукао креденац на врата, па онда ударио у смијех. Поскакивао је и циктао, ваљао се по поду, хватајући се за стомак, и повремено бацао поглед увис, ка греди, гдје је сакрио иметак лак да се понесе. Људи су страховали од сазнања да Чворуга долази са извора информација, а гдје има дима, има и ватре. Милан Недин заустави групу која је кренула за њим и рече:

„Пустите дангубу! Ајмо до Јове, он ће нам знати рећи.“

У исто вријеме су одборници, смркнути, улазили у село. Чак је и Никола објесио главу и ушао у се. Цијело село се дигло на ноге, сви се покупили са њива, из штала, шума и винограда и сви зањемели гледајући како одборници, један за другим, њих петорица, поред Јове и Николе, иду скрушено, без ријечи се упутише ка школи.

„Шта се то дешава?“, вукли су их за рукав.

„Ништа добро!“, једва проговори неко од њих, док су остали одмахивали главом и слегали раменима.

„Нека нам је Бог у помоћи!“, прошапута Иванка.

„Не бојте се, другови! Партија је уз нас!“, узвикну гласно Владо.

Неколицина га попреко погледа, и он заћута. Испреплетеше се људи у ријечима и нагађањима. Прво крену невјерица, за њом паника, сви потуљени страхом од надолазеће воде. На крају би онако како Чворуга рече. Потврдише одборници, послије два сата разговора у просторијама школе, и сами уплашени од линча сеоске свјетине. Јову потурише напред мислећи како ће према њему бити блажи, штују га. Он се, избезумљен и опкољен масом која га је грабила рукама, једва борио за дах и једва проговарао ријечи које су се, од уста до уста, у таласима, преносиле ка спољашњим прстеновима које је формирала маса. Рече им да је стигла депеша од самог врха-да се гради брана, да ће потопити сва села у Долини између двије планине и како им је дато довољно времена за исељење.

„Куда ћемо с нашега, куку нама?“, чуло се са свих страна.

„Куд да се кренемо?“

„Има ли новаца за одштету?“

„Нема!“, виче неко. „Све ће национализовати!“

„Ето вам ваше партије!“, усуди се неко у бјесу рећи.

„Биће да ће нас Бог „спасити“ ?!“, заинатише се други, па наста општи метеж и збрка. Погураше се и удараше једни на друге и једни преко других као разларена маса.

Иванка је у маси тражила Марту, покривајући главу рукама од удараца који су пљуштали са свих страна. Стана је извлачила болеснога Јову, штитећи га својим тјелом. У општој паници пролази јој кроз главу:

„Е, моја лудо, куд се потураш?! Шта ће дјеца без тебе?“

Једина особа која, поред Чворуге, није учествовала у свему томе била је гостионичарка Неда. Прво је широм отворила врата гостионице, ширећи апетите за нараслом масом која би се могла дати у преговоре баш у њезиној гостиони, али је послије неког времена брзо затворила и ставила катанац на врата, од страха од полудјеле масе која би јој у хордама могла полупати столове и окористити се пићем забадава.

Душан је на вријеме извукао Марту из гужве и повео је ка шуми брзим ходом, вукући је за собом. Кад су се зауставили, већ су били зашли у манастирско гробље обоје несвјесни којим су се разлогом ту упутили. Душан погледа клонулу Марту како се наслонила на први споменик, и стегну му се срце.

„Како ће се ово завршити?“, промуца Марта.

Разли се поново она језива тишина и заглуши уши, ућута људски дах пред загробним животом који је једини дисао на том месту.

„Како год било, ја тебе не остављам, кунем ти се овим Манастиром“, рече Душан и привуче је к себи. Толико је било тишине на мјесту гдје су њих двоје стајали загрљени да су се обоје следили од продорна звука који је сљедећи час издијелио живот од надгробних плоча, опомињући живе на то. Звоњава с висока се толико чула да полетјеше птице и растресе се цијела шума. Звук одзвони све до равнице.

„Манастирска звона“, рече Душан.

Узе њежно Марту за руку и поведе је ка конацима. У братству је било свега неколико монаха, а у то доба се завршавало вечерње. Обавјестиће их. Рећи ће шта се дешава у селу.

А у селу је Јово, након што је Стану уплакану послао кући, окупио прибраније људе и умјешао се у сваће и физичке расправе народа.

„Издао си нас!“, Вељко му се уносио у лице, стежући песницу.

„Пусти човјека!“, викао је Лазо, „шта он може ко и ми?!“

Јово се претворио у стијену, Умиривао је људе, позивајући на разум, говорио да ће овако горе наудити сами себи.

„Изнаћи ће се рјешење за све“, глас му је био на оном тону који не иритира већ стишава полудјелу масу. Потрошио се у причи колико је молио, кумио, раздвајао и умиривао, док се у неко доба људи не уморише и разиђоше кућама. После једног сата, село је замрло у полумраку. Нико се није прошетао кроз село, као да никога живог није ни било. Чак је и лавеж паса замро.

„Људски лавеж је опаснији од псећег: кад те човјек уједе за срце, ишчупа ти га. Пас чува газдино, опомене те да знаш шта сљеди, а људи чувају себе. Свој его и своју слабост упере на те, тражећи да ти рјешаваш оно што сами не могу. А како тек знају ујести?!“, мислио је Јово сједећи у мраку на прагу своје куће.

„Од доброг човјека само узимаш. Зато ти и јесте добар-док се користиш њиме. Боље прођу недобри-од њих не очекујеш, јер знаш да нећеш ништа ни добити. Никола се први извукао и нестао. Нико га није тражио нити се ко усмјерио у маси на њега.“

„Ти, Јово ријеши све. Ти си добар човјек и поштен, тебе ће слушати“, рекли су остали одборници.

„Добар им је Јово да би они извукли своје гузице“, мисли.

„Јадан ли је овај народ, и ја са њим“, уздахну и схвати да је тако дочекао јутро.

И даље осјећа бол у глави ниско, ка вратним пршљеновима. Неко га је добрано закачио. Ћути, не спомиње Стани. Већ јој је довољно бриге. Цијелу ноћ је размишљао како има само њу и ту дјечицу, како је вријеме да се повуче. Није он за гласноговорника и вођу. Исисали су му сваку капљицу здраве крви док је мирио завађене у миру, а ко зна шта га још чека у овоме. Још мало да се та дјечица отхране, па нека иду својим путем. Даће им потпору у наобразби, остало није до њега. Он ће са својом Станом у старост, на миру. Доста је био жртвени јарац и поштена будала.

„Љути ме што понекад испадам будала, али ме више љути што ме будалом већа будала чини“, мисли. „Пун сам једа и жалости због тога.“

Наредних дана се састанчило и преговарало. Негодовање народа се проширило на остала села у Долини. Спремали су се на мирне просвједе у оближњи град, ка главној власти, кад изненада неколицину њих преко ноћи покупише из свакога села и одведоше. Одведоше међу њима и Стојана, Вељка Тошина и слијепог Симеона којег, због слијепила, вратише сутрадан. Послије тога је село замрло са причама. Свако је ћутећи радио оно што је морао и, некаквим чудом проистеклим из исте муке, почеше се јаче повезивати међусобно. Изгубише се начас разлике, занемари свако од њих своју припадност партији или цркви, па се они што се први побише изљубише сад честито. Повеза их хуктање воде из Цете и сви су се већ помало гушили у надолазећој бујици воде.

Иванка је сваки дан чекала Николу крај бајема, сва погрбљена од мршавости и бриге. Молила га је, падала му ничице пред ноге, преклињала за Стојана.

„Немам ја са тим ништа“, бранио се Никола, и што брже би се отресао Иванке да не слуша опет како је Марија пала у постељу и како ће Марту начинити сирочетом. Помало се у себи наслађивао што се Стојан наизглед сам заглибио у глиб па се он могао оправдати пред свијетом и самим собом како није крив. Добро му је дошло да скине одговорност са себе и ухвати се гласно пред селом за ону народну „Сваком по заслузи“, а у себи је мислио како је Стојан заслужио горе и „доако сам ти, магарче“.

„Никола, мене нећеш преварити“, говорила му је Иванка. „Знам ја ко овакве заслуге дјели“.

Петнаест дана није одустајала. Прогонила је Николу дању и ноћу док је снага није издала. Шеснаестог дана се ослонила на бајем, преклињући га посљедњи пут:

„Врати ми Стојана, Никола, тако ти овога бајема и дједовине. Спаси ми сина ко што сам ја твога!“

Мислила је да никад то неће изустити па се осјети још јадније и запече је ријеч која се као уцјена превалила преко усана у њезиној муци. Онда је посустала, осјетила како је снага издаје, излази из ње и отиче потоцима испод њезиних ногу. Само је склизнула низ бајем.

У Николи се пробуди нешто људскости па се поврати и пружи руку према њој, кад га заустави друга рука, ухвативши га за раме.

„Иди кући“, рече заповједнички Душан, и подиже Иванку. Ухвати је као дјете у наручје и однесе према капији, одакле је према њима трчала уплашена Марта. Положише је на кревет, умише хладном водом, и она се поврати. Душан се загледа у ситне јој руке на којима се свака жилица оцртавала кроз танку, старачку кожу. Уско лице јој се зарозало од старости и изгубило ону чврстину у изразу. Никад је није видио тако беживотну.

„Колико ли година има?", паде му на памет. Некад му се осмјехивала дјечјим осмјехом, некад би је доживљавао као жену у касним средњим годинама, а некад се дивио пуноћи снаге изграђеног карактера и неумитне воље пуне животног искуства.

Сада ју је видио као стогодишњака којем једино у погледу препознајеш знакове живота. Сјетио се да, у ствари, никад није причала о годинама. „Безвремена", тако ју је Марта знала задиркивати, а она би се бранила приповиједајући им како је било некад, кад се она родила: прво се чекало да се види да ли ће дијете преживјети, а тек онда би их, послије неког времена, обично кад се задеси прилика, уписивали у књигу рођених, у граду. Ријетко се до града ишло, а дјеца су напрасно умирала, па ко би их стално уписивао те исписивао, као да није било другога посла! Смијала се весело док им је то причала, и Душан није био сигуран да ли се она са њима шали или је стварно тако било па ни она сама не зна колико има година.

Причала је како ју је мати звала „јагње моје љетње", а отац опет „зимском пахуљом" док није прерасла у „зимског ђавола". Онда се опет смијала као да ју је и саму то забављало. Рекла је да не памти рођење, да вјероватно ни смрт неће упамтити па јој је доста да памти живот.

„Све је то само пролазност, драги моји, и не треба се освртати."

Тако би завршавала док би их благосиљала. И свега се тога сјећао Душан док је стајао поред и гледао у њу, која више није била иста. Марта је поред њега стајала још више забринута. Чинило јој се да је наједном остала сама на свијету. Оца јој одвели, мати пала у постељу, Иванка посустала. Још да Душана није било, мислила је, како би она само легла и заспала да се више никад не пробуди. Отрезни је стисак руке и узврати њежним погледом Душану. Иванка поче давати знакове живота па се мало-помало придиже на каучу. Душан се упути својој кући па, док је правио оно мало корака између двије куће, накупи се у њему срџбе да би самим погледом могао наудити властитоме оцу. Како је улетио у кућу, тако је истог трена схватио да унутра нема Николе.

Прошло је још петнаест дана прије него што се Стојан појавио у кући бос, у ритама, и упола мршавији. Само су му велике шаке на дугачким рукама остале исте. И од тога је прошао још један мјесец до коначне одлуке о исељењу из Долине, у којој стоји да се већина земље национализује у име државе, без права на надокнаду осим надокнаде за куће. За кућу си могао бирати грађевински материјал или новац, а стока се плаћала ако је ниси водио собом. Малобројнији, они чија земља никад није ушла у сељачке радне задруге, добили су веће право на одштету. Међу њима су били Симеон и Стојан, Милан гостионичар и још двадесетак породица из села.

Илијино имање није имало насљедника па је земља ушла у националну, а ствари су међу собом раздијелиле старешине у селу, осим Јове, који одби да учествује у томе. Рок за градњу бране се утврди тачно годину дана од тад.

Како вријеме изби у први план и отпоче се одбројавати, тако се становници села растрчаше међу собом и по околним селима и градовима не би ли изнашли рјешење. Настаде општа стрка, јави се превелика понуда у продаји стоке, ствари и жита, па се обори цијена будзашта.

У прво вријеме се сви стадоше савјетовати између себе, сједећи у Милановој гостиони, али како појединачно почеше рјешавати насталу ситуацију и куповати куће или земљу за градњу у вишим подручјима двију планина, повуче се свак себи и гостиона остаде временом празна. Људи се отуђише, не марећи за друге осим за се, гледајући како да изађу из кључалог лонца док се маса не сједини и згусне. Свак на свакога поче гледати с љубомором и преко сухозида поче мрзити свачији напредак ван своје ограде. Створи се некаква лоша конкуренција па се људи уђуташе у мишљењима и информацијама, да други не би боље. Још на почетку прочуло се за швапске куће, далеко на сјеверу земље, у равници, гдје су могли лако доћи до њих и до велике земље, па се више у тајности окуражише неки од њих да закорче ван Полена, у свијет, да би се распитали и видјели. Све што је некад било мирно у селу-убрза се и стаде пулсирати толиком брзином као што се вода приближавала селу.

Чворуга је у то вријеме био заузет више но други. Непрестано је трчао у планину, мјеркајући куће у селу Брезе. Одлучио је да није за непознат свијет и далека мјеста-овдје је свој, докле је стигао. Неће куповати земљу и правити кућу, него ће се уселити у готову, велелепну која му се свиди. Тачно се намерачио на једну од најљепших у селу.Требало је само да осмисли пасјалук како да је јефтино откупи и ријеши се станодаваца, ако затреба. Истовремено је све више избивао из Полена, бјежећи од људи. Ни мала дјеца га више нису поздрављала. У гостиони су му одавно рекли да није добродошао, жене су окретале главу при сусрету са њим, а мушкарци би се с презиром упиљили у његов поглед, искривљујући га ка земљи. Није он досад никад обарао поглед, али сад су га сатјерали у ћошак и прећутно избацили из заједнице.

„Нека!“, мислио је. „Свакако се распада.“

Би му мило при тој помисли као да их је он тиме казнио за њихово непоштовање. Имао је нарашчишћена посла са многима, а посебно га је мучио Никола. Шта ли све није чинио за њега! Дивио му се, да би га он сада оставио самог, окренуо му леђа.

„Свачија себичност мора бити кажњена“, мислио је.

На крају дана би се увлачио, са мраком, у своју стражару, замандалио и забравио улазе, а онда, уз слабу свјетлост петролејке, изводио свој ритуал са пењањем на столицу-да дохвати кесу завучену, са греде, па пребројавао новац изнова и изнова. На крају би задовољно новчаницама омрсио браду с једне, па са друге стране, и онда их врло пажљиво вратио на мјесто. Ситнине у металу је било мало. Од ње је живио, а кад би накупио довољно-мјењао би је за папирнати и дизао на греду.

Душана је та година означила јаким гарежом на наусницама и једном сиједом која је рано заблистала из куштраве косе.

Цијело биће у њему се кошмарно превртало сваке ноћи. Напола је остао приземан, а другом половином се раздјелио кроз људе у селу, заблесан свакојаким причама и судбинама. Ускомешао се, осјећајући у дубини како се љуља кроз вријеме, како га негдје носи нарасла бујица, а он плута као поломљена грана са дрвета. Чуди се у себи што га не угуши толика вода и што се не побуни. Не покушава ниједним замахом руке да се усправи, да замахне и заплива ка обали. Не, пустио се, па му је чак на моменте добро. Размишља како није лоше да се одсели већина, они који су безлични и они које не воли. Тада би се ишчистило племе и заједница би била здравија. Он би био тај који би одлучио ко иде, ко остаје и коме припада какво право. Некима би чак одузео свако право, па и на живот. Ускратио би им све оно што су они ускратили Симеоновим очима и Илији Торбарову.

Замишљао је како сједи на високој каменој столици испод бајема, а око његових ногу разбацане књиге њемачких пјесника и филозофа, помјешне са књигама из области медицине, све оно што је доносио од Хурје и потајно читао ноћу. Нека их је Никола побацао кроз прозор и спалио на дворишту, није их убио! Биле су живље него онда када је прстима бојажљиво опипавао тврд повез на корицама. Е, тако би све изгледало, а људи би долазили један по један, клечали повијене главе на земљи, а он би редом говорио:

„Узимам ти душу! И теби, и теби, и теби… Зато што си данас јео, а други су гладни. Ти си данас заклао овцу, црве бездушни! Зар земаљског створа живог?! Ти си спавао са својом женом кад те одбила, ти си пакосно заоро туђу бразду, ти љубоморно гледао у туђе дворише… Ти си пио, ти се молио, ти славио партију. ПА ШТА ЈЕ ТО СВЕ ОД ВАС?!“

И тако се сви изређаше и свакоме узе душу. Не поштеди ни дјецу, да се не би зрно на другоме мјесту примило па проклијало. Не остаде скоро нико. Ипак осјети да неко недостаје. Зато је сједио и чекао, упорно и тврдоглаво, док се на крају не појави уздигнута бјело-прозирна фигура дуге плаве косе, расуте до земље. Он скочи са своје столице, паде јој пред ноге, пољуби јој боса стопала и прсте на ногама. Као привиђење је пред њим стајала Марта и божанским гласом му рече:

„Нема још Чворуге и Николе. Иванка је пошла да их тражи.“

У том се свјетлост, као муња, распрши и нестаде лика, кад он, сав зајапурен, скочи на ноге и од срџбе стисну шаке толико јако да се нокти зарише у месо. Крв поче цурити у млазовима из његових руку. Сав застрашен, отвори шаку не би ли крв стала, али она је текла даље, непресушно, и задржавала се на површини земље, свуда око његових ногу. Он подиже ноге, гаца по крви, запљускује и прска црвеним капљицама на све стране. Одједном престаде цурити из руку. Биле су потпуно суве, без ожиљака, кад се она црвена боја претвори у воду и поче расти, подизати се, од чланака до кољена, преко кукова и струка, до главе, све док га не увуче у се, па наједном избаци на површину, гдје он настави плутати кроз бујицу као оно дрво од малопре, расквашено и наупадљиво. Како дође свијести, тако се сав стресе.

*

* *

Све је још изгледало нејасно. Разбистрило се оног дана кад су са љепшим временом први напуштали село Полен гостионичар Милан и жена му Неда, са дјецом. Стигла су кола и коњска запрега, дрвена, раздрндана, коју су вукла два кљусета. Товарило се до врха завежљајима, све што је било за поњети. Неда је распродала већину ствари из гостионе и продавнице, све разбоје и вуну која је преостала. Стрпали су петоро мусаве дјеце међу ствари, само су им радознале очи извиривале.

Као на позив, почеше прилазити људи из села, истински растужени, први пута свјесни надолазеће воде. Жене су плакале опраштајући се, грлиле Неду и дјецу, а мушки се окупише у поворку да би их пратили, километрима пјешачећи до пруге и најближе станице, гдје се заустављао теретни воз. Помагали су им да убаце ствари. Велика метална врата се затворише на вагону без прозора и на уском отвору, гдје врата нису до краја прионула, помоли се једна глава, па нечија рука, онда још једна рука. Нису престали да машу док је воз замицао.

Душану се урезала у памћење слика закључаних врата на гостиони, гдје је неприродно стајао окомотан дебео ланац са великим катанцем. Катанац је висио стар и зарђао, зидови су ћутали и потирало се све што је читав простор иза тих зидина до скора чинило живим.

„Као да ће катанци зауставити воду“, мислио је.

Било му је чудно што се Милан, иначе неинација и миран човјек, поздравио са свима, сем са Николом. Добро је видио кад је стао испред њега и загледао му се у очи па окренуо леђа баш кад је Никола пружио руку. И други су ухватили тај поглед који је више личио на поглед дивљег вепра, спремног на напад, а истовремено суздржан поглед немоћи препун мржње ка бићу, који се одаје само у једном трену за живота.

Тако је Чворуга знао гледати стално. Да, њега није било! Једино он није испратио прво камење које се скотрљало и одвојило од планине. Засигурно је био ту негдје, у туђој наслади малобројних, прикривеној људским облицима жалости и саосјећања. Већина из села, понукана овим догађајем и онима који ће усљедити, опет се зближила у тихој поворци растајања.

„Оде Неда у равницу“, говоре међу собом.

„Не бринем ја за њу, та ће се снаћи. Тешко Милану!“, добацује неко.

„Сам је биро“, опет ће други у раштрканој поворци која се путем осула на повратку у село.

А Полен је свјетлио у Долини, тонући лагано у мрак.

Ујутро, сви су журно спремали и рашчишћавали. Постало је нормално коначно прихватити да се село мора испразнити. Једни су се, на посљетку, радовали одласку у нешто ново, можда берићетније, други су у потаји псовали, пљујући на поли-

тику и идеале, загледајући скептично у нејасне циљеве на осно-
ву изнјетих разлога, са сумњом шта још стоји иза тога.

„Мислиш да је чистка и политичка ствар, Јово?“, пита га
неко.

„Ништа ја не мислим“, одговара Јово и уздржава се у јав-
ности од сваке помисли што му пролети кроз главу. „Ех, наро-
де, нарикачо извикана!“ мисли за се. „Само си гласан па се још
више надглашавати идеш док ти не попуцају гласне жице. А мо-
жеш викати колико хоћеш. Џаба ти! Мислиш да ће неко чути?!
Е, вала, неће! Добио си посао, обукао црнину на сахрани па кад
ражалостиш повређене и насмијеш формалисте добро извјеж-
баним ријечима испред огледала, онда пођи кући. Успут по-
бацај дио по дио црнине, и изброј новац што си зарадио па им
јеби матер на цицијаштву, хуљама једним, у оваквој недаћи!“

„Нема ту краја нарикачама!“, закључи. „Иза народа увјек
наставља народ!“

„Спремај се, Стано, идемо и ми!“, само је саопштио Јово, а
она видећи израз на његовом лицу, ништа више није питала.
Добио је сигурно мјесто од партије у оближњем граду, па је Ста-
на мислила да је ствар рјешена. Сад је схватила да их чека дру-
ги пут који је Јово изабрао.

Та горопадна жена од чијег смијеха су се темељи тресли,
сад се измјенила. Само би јој се понекад усне лагано закривиле
у слаб покушај кежења, и на томе би остало.

„Отићи ћемо ноћу“, рекао јој је.

Није му противурјечила гдје их води у ноћ и гдје ће се кри-
шом опростити само од најближих, ни гдје дјецу води из нека-
кве сигурности у неизвјесност, ни гдје је диго руке од партије и
одбио новац за кућу. Пратиће га, неће да га сикира, болестан је.
Воли га и послије толико година, штује разбориту главу и поште-
ну сјекиру. Али, боји се! Овај пут се боји! Нешто не ваља, нека
зебња јој је оробила срце па се не да.

Иванка их је наредне ноћи испратила у сузама. Рекли су да
иду код неке родбине, далеко у Срем, на сјеверу, и тако су оти-

шли. Остала је Иванка забринута гдје се од свих људи једино Стојан није изјашњавао нити се одлучивао куда ће.

„Добро је што је тврда глава узела ону надокнаду што му понудише“, мислила је.

Стојан није журио. Чекао је да се Иванка предомисли. Већ би он давно рјешио нешто да она хоће поћи са њима. Разбјеснио се када му је рекла:

„Само тражиш изговоре. Уосталом, неко мора и остати.“

„Ти?“, питао је и подругивао се љутито. „Ти ћеш остати?“

Онда је викао на њу кад је осјетио да не може да је поколеба. Она је изабрала пут. Сад их је напуштала мислећи како им више није потребна, могу без ње. Марта се одавно задјевојчила, Стојан је тврд бајем, чинило јој се да се средио, да мање пије, а Марија ко Марија. Вријеме је да морају сами. Остаће она да чува бајем. Мора неко пазити гробове.

„Луда мати! Све ће то вода потопити!“, узвраћао је на то Стојан.

„Неће све, Стојане! Манастир и гробље сигурно неће“, разувјеравала га је она.

„Како неће?! Па зар ти прва не помажеш селити Манастир горе на висораван?! Шта је са тобом?“, уплаши се да није скренула памећу.

„Гробове неће потопити.“

„Не лудуј, мати!“, молио је.

И заиста, Манастир су почели исељавати откад је прича са водом постала стварност. Временом су га измјестили на висораван изнад Долине.

Започета је градња нове цркве, а уз њену сјеверну страну пренесена је касније и капела свете Петке. Посмртни остаци монаха са манастирског гробља су премјештени у заједничку гробницу сјевероисточно од нове цркве. Малобројном монашком братству помагали су домаћи из села, и они са стране, вјерујући.

Симеон би често молио Душана да га поведе до сеоског Манастира док су га исељавали, да још мало посједи прије воде. Уз помоћ штапа, ослањајући се на Душанове очи, пролазио би селом па запиткивао о свакој кући: је ли се испразнила, има ли катанаца, па кроз шуму тешко газио до манастирског посједа. Сједио би уз порту и ослушкивао гласове кроз тишину духовне повучености. Прејако су одзвањали и најтиши људски гласови, мјешајући се са свјежином која је долазила из шуме, са страхопоштовањем које је лебдјело изнад манастирског гробља, и зебњом која се са свих страна забадала из ваздуха вршковима иглица. Људи су се врзмали посвуда, износећи, уносећи. Познавао их је по мирису и проницао у мисли оних непознатих, кроз боју и тежину гласова која би се наметнула у пролазу. Однекуд се пробијао познати глас и он га издвоји међу осталима, па се позабави њиме док не одгонетну одакле је.

Био је то глас из његова дјетињства, који је сличио и мјешао се са Душановим гласом. Пробудио се у самом Симеону па га ослушкује у себи како му прича о избјеглом народу из Босне, који бјежи пред Турцима, и у 14. вијеку гради малу цркву и ћелије. Кроз вјекове се проширивао и надограђивао. Турци би га рушили, па се опет обнављао, па се опет пустошио и напуштао. Кретало се у сеобе почетком 16. вијека од велике глади усљед неродних година.

Звали су га „Манастир најхудије среће“. Послије се појавише Млечани па кроз Млетачко-турски рат опет пострада.

„Како се за све то знало?“, замисли се Симеон.

„Народ причо кољенима. Зар ти је непознато да послије народа долази народ?“, јавља се онај глас у њему.

„Али народ свашта и прича“, мисли Симеон.

„Муку ти не слаже“, помирљиво ће глас.

Симеон осјети како Душан прође поред њега. Помоли се да бар у њему остане штогођ од прича које му је преносио. Сам је био несретан, утолико више што властиту дјецу није виђао. За ранијега, док су га очи донекле служиле, ишао је кришом у велики град да их обиђе. Запретили му били због штовања цркве па се, ради мира и спаса рођене дјеце, повукао у осаму. Послије, кад су му узели имање, дјеца су била још непожељнија у селу, и опасност по њих је била већа. Зато је ћутао и правдао свој останак: „Ко би, сем мене, отворио врата цркве док монаси нису ту?!“

Унуци му били све женскадија, како је сам казивао, и једино се жалио како ће њима оставити причу.

„Лудо женско!“, мисли. „Прича и превише, све ћакуле и баљезгарије. Није мушка!“

У том га неко зовну и он се трже. Одмахну им руком да га оставе на миру и поврати се својим мислима. Онај глас га није напуштао, и он се стаде бавити њиме. На моменте је звучао препредено и лукаво, уобличен у лик Симеоновог дједе, онда млако и резигнирано, кроз глас његова оца, а иза њега се порећаше прадједе и чукундједе па се направи читава збрка од гласова да више ни он сам не чу ништа осим те машинерије дрвених клипова воденичних кола на ријеци Цети, из којих неразумно врцају ти гласови. Жубор воде надјача остале гласове и поведе га својим током, па нагло скрену ка лијевој притоци Цете, званој Драга, гдје се заустави код првобитног старог Манастира.

Симеон препозна крајње једноставну, малу једнобродну цркву, грађену од ломљеног вапненца, на којој су само неки углови сјеверозападно и југозападно били украшени крупним тесаницима. Одмах схвати да замишља, по предању, изглед најстаријег Манастира чије је темеље и зидове влага Драге толико поткопала да су га морали измјестити и саградити нови и то управо овај на чијој је порти сједио. Присјети се остатака камених зидина уз Стари мост, доље у селу.

„Боже, колико пута ли се селио!“, помисли.

На ум му паде гдје је од свега првобитног остала камена плоча, жртвеник из римског доба и дио надгробног споменика извјесног Римљанина Панеса, око којег су се као дјеца играли. Прободе га некакав јад под плећима и готово изгуби дах од налета ударца. Накупило му се сувише тога па само дубоко уздахну.

„Нећу дочекати онај горе на висоравни", помисли.

Са истим страхом, је недуго затим, напустио село Полен, кад су му дјеца из великог града дошла по њега, не марећи за прећутну забрану. Нико у селу поводом тога није рекао ниједну ријеч. За слијепим Симеоном су отишле двије сестре усидјелице. Сви се изненадише баченим залихама прикупљене зимнице коју је највјероватније Мара хистерично побацала по дворишту и путу испред куће, извлачећи из брлога све што није могла да понесе. На одласку је закатанчила сва врата и даскама прибила прозоре. Причало се после да је једног јутра, прије воде, кућа освануло широм отворених врата и прозора, а никога живог нису видјели.

Душан је испратио сваки кар који је прошао кроза село. Преузео је на своја плећа кривицу због које се осјећао непријатно у властитом издању себе и свега оног супротно Николину здању, од којег је и сам, с мушке стране, генетски саткан. Одлагао је разговор са оцем о селидби, исто као што се и селидба из Долине продужила са једне године на двије. С једне стране, помагао је паковати и селити људе, а у себи је потирао моменат када ће он кренути за њима. Кидао се од саме помисли да би он и Марта кренули на супротне стране. Размишљао је да побјегну заједно или да се он прво среди, да оде на медицину, па кад буде вријеме-дође по њу како заслужује, или да оде он са њима и препусти се. И тако га Иванка својата као род рођени, од малих ногу. Одмахне главом, јер му све то звучи половично, а кад боље сагледа ствари-не зна куда ће и шта ће.

Размишљао је чак о томе како неће напустити кућу. Дочекаће воду, леђи ће пред њу, па нека ради с њиме шта јој воља.

„Слабост је бацати се добровољно звијери у чељуст", мисли, па одустаје, а онда све из почетка пребире по глави.

Никола је за то вријеме ковао своје планове и сањао велике ствари које су га чекале у главном граду. Поднио је захтјев

Комитету за премјештај у главни град и већ је видио себе како лаганим касом на свом Гарежу улази у град, уз свечану поворку за дочек и овације са свих страна. Замишљао је у потаји како би му то доликовало и припала му с правом таква част.

„Тамо је разум и рационалност, а не жгадија и незахвални жбири“, мислио је.

Мучио га је Душан гдје никако људски да се састану и попричају о свему, него само у пролазу окрзну један другога. Отргао се од њега, осјећао је одавно.

Душан је, као и свако вече, журно изашао из куће, запутивши се ка Старом мосту. У глави му се борила мисао о томе како му је отац кратко саопштио одлуку о селидби у главни град. Размишљао је како га није ништа питао, како није марио за његове жеље, није био ту ни прије ни сада, није га видио ни кад је био мали ни сад, кад је готово човјек, и како га није била брига за њега.

То вече је стигао задњи. Зауставио се испод моста, сјео и грчевито привукао себи рамена дјевојке која му је била окренута леђима и гледала у Драгу. Сам призор му отјера тешке мисли и сву концентрацију му узе вода која је, лагано жуборећи, текла испод њих. Тишина је с висока мерачила простор, уносећи чудан мир у срце, умјесто оне пређашње зебње. Вукле су га страст и емоције које су га носиле кроз хоризонте беспросторне и безвремене.

Душан се зачуди гдје одједном све нестаде, све чега се сјећао: људи, стоке, куће, нестаде све у жубору голих капљица које су се стискале својом голотињом и потхрањивале ток у цјеловитост слива. Зажмури. Из утробе га је кочила страховита бол, помјешана са насладом људског уживања док је љубио очи, косу, сваки дио њеног лица, и спуштао се до врата, груди, пупка, све до неистражених дјелова тјела које је пламтјело под сваким додиром његових усана. Ту ноћ је јахао крилатога лава и сам убио на хиљаде гладних аждаја, опробао је моћ и љубав, примио у се покору и сласт под ведрим небом, ушушкан, под

тоном свилених слапова косе, не слутећи да робовање може би-
ти застрашујуће чак и у толикој љепоти.

Марта се истом јачином подавала, осјећајући устрепталост
сваког нерва на свом тјелу које је изазивало наилазећу бол и чу-
десно откриће дотад непознатог сазнања, уз још чуднији вилин-
ски смијех који је на моменте излазио из Драге. Подала му се
цијела те ноћи. Дуго су остали будни и припијени испод Ста-
рог моста, до неке уре кад се звијезде почеше гасити на небу.
Временом се тјела охладише, уз непријатан осјећај влажности
и хладноће која је запухивала од ријеке.

Село је дисало на ивици свитања кад се они покренуше
кроз празне куће, већ учмале и запуштене.

Марта је још једном пољубила Душана испод бајема прије
него је ушла у кућу. Зашкрипаше лагано врата кад притисну те-
шку кваку па се, не палећи свјетло, на прстима ушуња у кухи-
њу. Зањеми и следи се кад се свјетло упали, а она затече оца како
сједи за столом у бјелој кошуљи.

Сва румен прве среће повуче се дубоко унутар ње и остаде
само бљедило на којем је Стојан оставио први отисак прстију
кад се мирно устао и стао пред њу, а онда почео да је удара јаче
по лицу, глави, по лицу, глави, тјелу наизмјенично. Рукама је
заклањала мјеста гдје је удара̂о док није пала на кољена. Онда је
стало. Стојан се ухватио за главу кад му се свијест почела вра-
ћати, док су му врели таласи бијеса и даље хуктали из ноздрва.
Окренуо се и отишао до врата спаваће собе, а да све вријеме ни-
је изустио ниједну једину ријеч.

Откључа врата и пусти изнутра двије жене које су плакале
и преклињале. Иванка и Марија притрчаше Марти која је и да-
ље полусвјесно клечала на поду.

„Дабогда те ђавли изјели! Шта ураде, несрећниче?!“, кука-
ла је Иванка на сав глас.

Марија је, скамењена, стала са стране, гледајући у кћер и
како јој Иванка брише травежом крв са усана, из носа, како је
диже и спушта на кауч, намаче крпу па ставља облоге на отече-

но лице. Све је то видјела укочена као да сања ружан филм у својој глави. Осјети треперење у бутинама и како јој ноге клецају, а изнутра се пробуди надљудски напор неиспољеног материнског инстинкта па се, онако ситна и мирна, баци на Стојана, ударајући га у груди и гребући му лице до крви. Он се дуго није бранио, све док се она није уморила, а онда ју је узео за руке и посјео на кревет кад је навала суза кренула да јој потреса тјело.

„Проклет био!“, рече му и окрену главу од њега.

Ни кад је потпуно свануло није се зауставила зла крв. Иванка је одлучно рекла сину:

„Послје овога ни мртва нећу с тобом.“

Стојан је љутито зором покупио косу са још пар неких ствари из куће, и није га било до поднева. У подне се непознати кар зауставио испред куће. Двојица из другога села уђоше унутра са Стојаном. Он им је додавао ситан алат и посуђе које су они товарили у кола. Послје се вратише по вериге и биљац, двије сламарице и ковчег са робом.

Иванка је рано отишла до Манастира, Марта није излазила из своје собе, а Марију се више није тицало шта се дешава и ко су ови људи. Негдје у њој се покидала спрега која ју је спутавала цијелога живота и ослободила нит која ју је освјестила и учинила рањивом. Само је гледала бојажљиво на кћер, не умијући да успостави ону блискост коју је толико жељела откад ју је донијела на свијет. Из сопственога страха није развила добар, мајчински однос, али синоћ је толико бола поново осјетила да су сав гњев и мржња, све оно што је носила одавно закопано у себи ћутњом, избили на површину.

Ушла је у дјевојачку собу, загрлила Марту и плакала без престанка. Марту је збунио загрљај који је толико прижељкивала као дјете да више није имао никакав значај. Није се потрудила да угоди мајци, јер ништа није осјећала и било јој је свеједно. Једино што је осјећала била је потреба за Душаном, његовим додиром и дахом. Све остало је било празно и није је дотицало. Није осјећала ни ударце, ни отечено лице, ни глад, није стала пред огледало, нити устала из постеље. Све је било потпуно празно и бесмислено, сем осјећаја у њезиним грудима, који је бодрио и давао јој снагу.

У три сата послије подне Стојан је рекао Иванки да јој је пребацио мало ствари у колибу, за прво вријеме док се не одлучи. Покосио је траву и платио људима да поправе кров и исјеку стазу кроз шуму. Послије тога се поново изгубио на пар сати.

Већ се вече приклањало кад је на повратку кући налетио на Николу код бајема. Један је долазио, други одлазио из свог дворишта, и сусрет се није могао избјећи. Стојан поцрвени од муке у лицу. Прошао би без ријечи и дјела да није био изазван. Прешао би преко подругљивог погледа и узносита брка, јер му је било доста свега. Присилио би се да заборави сваће, побацао изазивачке варнице и не би се дохватио са охолом главом да га сам ђаво није зачачкао и шапнуо му на ухо:

„Кукавицо!“

„Па и јесте тако!“, мисли. Повлачи се и бјежи цијели живот ради овог и оног…

„Ћути, само ћути! Не дирај! Не изазивај!...“, говорила је Иванка. „Зарад села.“

А шта је урадио за себе? Ћутао је и пио, није дирао ни у кога и шта је имао од тога? Увјек само биједу на врату. Није му хтио признати заслугу ни кад се послије мјесец дана вратио кући. Да је хтио да му учини, да га избави, учинио би то одмах. Али не! Поиграо се њиме као лоптицом гледајући с насладом из прикрајка, како се добацују њоме. Измучили га, напатили! Оставио га је намјерно да му покаже ко је ко по овоме поретку.

И Никола би прошао поред њега да се овај други не поврати па стаде испред њега и удари га песницом изненада тако јако да се овај затетура и наслони на бајем.

„Ово ти је за Илију“, рече му, стискајући песницу.

Николи јурну крв у главу и крену на разјареног горопада кад га овај обори другим ударцем прије него је устао. „А ово за ме!“, рече, и настави га ударати.

Иванка излети и закука на сав глас. Дотрчаше људи, савладаше Стојана и одведоше га кући.

„Нећеш освануту, ја ти кажем!“, викао је Никола за њим.

„Проклети мишу! Џаба ти је дјед промјенио презиме у Мишину, миш је увијек миш!“

„Ал’ нема те рупе у коју ћеш се сакрити!“, није престајао Никола.

Покаја се жестоко у себи што је прстом мрднуо да га врати кући. Прво је наредио да га одведу, а онда се сажалио на Иванку. Нека иде и она дођавола, одужио је он свој дуг одавно. Послије овога га неће спасити ни Маршал лично да дође, мисли док се журним кораком удаљава.

„Проклети Тршљан!“, говорио је на глас Стојан.

„Убоде и остави отров на свакоме. Од погледа му можеш умрети, а камоли од уједа.“

„Пио си!“, Марија му је изула гумаше на прагу, мрштећи се при сваком удисају мириса алкохола који је испаравао из његових уста и одјеће.

„Спремај се, Марија!“, рече јој он.

„Ноћас селимо!“, понавља два-три пута, мртав озбиљан.

С руке су Марија и Иванка трпале завежљаје на кола, ту ноћ, кад су Мишине, осим Иванке, напустиле Полен. Ту ноћ је Душан чекао Марту испод Старог моста док су коњи, вукући кар уз слабо свјетло петролејке, прелазили преко самога моста.

Марта је одбијала да крене све док је Стојан није дочепао и, вукући је за косу, смјестио на кар. Косу јој је, за сваки случај, везао за предњи наслон. Док су прелазили преко моста, јецала је, не пустивши ниједан једини звук из себе.

Иванка је остала сама. Дуго је сједила у мраку отворених очију. У неко доба устаде, узе сјекиру и оде до бајема па удари жестоко по њему, засјецајући га. Ударала је махнито у дебело дрво које се испречило пред њом као да пркоси. Ударала је неједнаким замасима гдје год је стигла, кажњавајући стабло за све што их је снашло. У њему је видјела земљу која се цијепа и прави се међа која раздваја дједовину и насљеднике. Видјела је ал-кохол и свађу, љубав и мржњу, пријатељство и раскол, да би све то завршавало у безличној воденој стихији која ће их ускоро поплавити.

„Проклети бајем!", немоћно је спустила сјекиру и запала у јецај. Тако ју је Душан затекао, склупчану и уплакану испод ба-јема.

„Отишли су", прошапутала је кад га је препознала.

Као да се стотину хиљада колаца забило у његово срце кад је поглед усмјерио на Иванкину кућу у мраку. Јурио је као луд селом, преко моста, преко поља, дозивајући Марту. Нашли су га послије два дана, исцрпљеног и зањемелог, на истом оном из-вору у пољу гдје је Марта кришом гледала виле.

∗
∗   ∗

Комисија је у село Полен залазила више пута након што се село потпуно испразнило. Започета је градња бране и сва села у Долини су чекала своју судбину. Чак су и чланови Комитета из великог града службено обишли села уз свечано отварање почетка градње бране. Изненадише се, безмало, кад у једној ку-ћи у селу Полен наиђоше на човјека који је висио о конопцу са греде. Није се могло оцијенити колико је леш тако висио. Био је висећа рита, модро, покварено месо које су муве напљувале по отвореним ранама на кожи. Смрад се ширио жестоко, штипа-јући за очи.

„Легло заразе!", згади се Главни. „Ријешите то брзо!"

Скинули су га и на брзину покопали у раку, дубоко у зе-мљи испред саме куће.

„Греота је!", вели неко. „Нит' покопан на гробљу, нит' кр-ста са именом!"

„Свеједно ће вода покрити, или испред куће или на гро-бљу", добацује неко уз смијех.

„А породица?"

„Нема никога! Провјерено, друже Главни! Сам самцијат!“

„Значи, вук самотњак?!“

„Није вук него Чворуга. Тако су га звали“, препознаше га неки.

„Добро онда, другови! Поравнајте све чворуге, пуштамо воду!“

Тако и би.

„Наједном наиђе вода да је страх било гледати. Вода је живот, без воде нема ваздуха ни милости. Без воде би сунце одбило да изађе, брана се не би уздигла, ни хидроцентрале не би било. Многолики водени свјетови би изумрли у тами бога Хада.

Таквој промисли од стране многих издигла се вода из Цете узвишено, па кренула у Долину, центим по центим, преко травњака и камених путева све до прагова. Развалила је сваки катанац на вратима и подло се увукла унутар кућа. Дочекала је умртвљена војска што се подаде побједнику без отпора иједног јуришника. И гране се посавијаше у води, и зидови погнуше кичму, стаде их вода ждерати, једно по једно, без обзира и опроста. Побјегоше птице и друге животиње уз планину, газећи једна по другој у трци избезумљеног очаја за опстанком. Нико се не осврну и нико не смије погледати уназад у том бјегу-да се не би претворили у камен.“

„Не осврћи се“, струји кроз ваздух.

„Сјетих се Ное и спасења људског и животињског сјемена од силине воде, па ме нешто изнова ражали жестоко. Чинило се да ће све добро остати горе, нетакнуто, а сво зло потопити вода, али се уз зло принесе као жртва плодоносно поље и шума, куће и амбари, душе мртвих, и сам Манастир, па ме застраши и сада помисао од тога. Још више ми се наметну питање откуд данас опет толико зла. Зар га није потопила вода?!

Сјеме из царства подземља проклијаће на самој површини воде, ако устреба. Залијепиће се уз чичак што ће га вјетар одувати у неко село које није потопљено, а одатле ће, као расадник, љигаво измилити душмани и злотвори на све стране. Из тога ме неумитно гони мисао да је све на истој страни и уједно. Заклацка се клацкалица, а на једној страни сједи вода и заговара за се, на другој сједи добро и лоше, по пола и уједно, па натеже свако на своју страну. Између се на металним краковима, поређали људи. Гурају се за парче свог просторног мјеста па је смијешна и трагична слика гдје се скотрљају низ једну страну крака, па како се она друга дигне, нагурају се и сударају једно с другим, па се опет скотрљају на супротну страну кад се она прва дигне у зрак. Лупају се са свих страна како се клацкалица заклацка горе-доље, са свим добром и свим злом. А најсмјешније и најтрагичније је што се међу њима увијек неко нађе да у нереду прави ред и још је можда горе што се мали дио таквих смјестио у центар, на саму осовину и сам потпорањ који држи краке клацкалице, па се осигурао и обезбједио себи мјесто без већих потреса и клизања у страну. Клацка се клацкалица, клац-клац, не стаје, нити ко за стално остаје горе па побјеђује. Само вода начас буде горе па се спусти, онда добро и лоше уздигну своју страну па се спусте, и тако непрестано. Не каже народ забадава: „У сваком злу има нешто добро“. А онда се мислим да мора и супротном логиком: „У свакоме добру мора бити мрва зла“. Зато су они уједно и на истој страни клацкалице.

Исто му дође са водом. Свака вода учиниће чудо кад поплави: једно чудо ће нестати, друго чудо ће се изградити, а остаће и бране и риболов, и купалиште и ронилиште. „У сваком чуду-чуда триста“. Душе се немирне сакупити не могу, окамењени сватови остадоше без права на душу, а истина вјечито вапије за правдољубљем.

Клац по клац, поклопи у се и прогута вода највише врхове кућа, и Манастир и звоник нестадоше у њој.“

Тако је, много година касније, Старац записао о води и о људима.

III ДИО

ВРИЈЕМЕ ПОСЉЕ ВОДЕ

Старац се будио из несвјести. Како је слабовидо отварао очи, поче да разазнаје ствари око себе. Бјела просторија, два болничка кревета празна, посложена у реду до његовог. По њима набацане деке на голим душецима и јастуци без навлака, све пожутјело и крпљено. У дну ногу, насупрот зида, стоји помоћни лежај који оставља таман толико простора да се може прићи до наткасни крај кревета. Са плафона зјапе гола грла сијалица. На појединим мјестима се креч подклобучио и малтер отпао. Велики прозори, без завјеса, налегли на ољуштене дрвене штоковима, а на једном недостаје повећи комад стакла преко којег је широким селотејпом био наљепљен слој дебелог најлона. Старац је зурио у плафон размишљајући да ли је то соба у оном горњем свијету, реинкарнирана његовом претходном подсвјешћу да очишћење душе мора ићи постепено, из једног преображаја у други, како њега самога као некадашњег постојника, тако и материјалних ствари које су му на одређени начин биле познате из сад већ претходног живота. Бјело је боја чистилишта, али је празна и неукусна. Скромно јесте, прескромно, али фали читав сијасет духовности које би хтио да осјети и можда да додирне како би добио потврду замишљеног и одобрење за сва чињења и мисли које ће га водити на том путу избављења којем ће се препустити.

„Хоће ли ме то коначно спасити и олакшати ми гоњење самога себе?“

Затвори очи како би се увјерио да се ништа што види и мисли неће промјенити том димензијом мрака, под чином склапања вјеђа. Изненади се кад осјети да се мисли не мијењају, али цијело окружење се промјени у ништа и све бјело постаде црно. Ништа се више није видјело. Изненади га трзај у десном рамену и бол који осјети помјерањем руке.

„Зар бол не престаје изумирањем бића?“, пита се, очајан и љут на саму помисао да се бол може везати за душу, утопити се и са њом путовати на путу вјечитог тумарања или избављења, шта год да му је намјењено по заслузи оноземаљског живота.

Отвори очи, заклапа их, истискују једно друго свјетло и мрак. У једном моменту се надвија женска душа над њим отјелотворена у земаљски облик и обучена у бјело. У неком другом времену надвија се над њим мушки лик изразито живог облика, обучен у црно.

Мисли: „Анђели и нечасти!“

Смјењују се над њим узимајући из њега онај припадајући дио доброг и лошег. Можда су у савезу, можда су привиђење или искушење за његову душу која ће их као магнет привући себи у изворном облику, без утицаја контролисаних мисли и намјера. Зна он, сви би да буду добри у дјелу који превагњује. Мисле, у ствари, да јесу добри, али не може тако. Постоји судија и суд да одмјери погачу. Старцу је свеједно, чак ће се пре добровољно јавити за оно супротно осталима, супротно и доброме ако се којим случајем нарав укључи у избор. Одједном, све се мисли сакупише у ројеве па се растресито каналишу, згрушавају се и тање, претварају у равну линију без откуцаја, без слика, без пута избављења.

Сестра је намјештала нову боцу инфузије када је сљедећи пут у свјесном стању отворио очи. Сви кревети су били попуњени, чак је и на оном помоћном, окомитом лежао неко. Учини му се да од толике гужве у просторији понестаје кисеоника, па га ухвати аритмија и мука од неприпадања том простору. Стргну лијевом руком иглу и цијевчицу из вене, устаде, али се одмах затетура па клизну на под. Сестра је дотрчала са још неколико чланова особља. Одмах га подигоше и смјестише на кревет. Поново му сестра намјести брунелу на десној руци и укључи инфузију.

Чудно, био је свјестан сваког покрета кад је опет дошао себи. Почеше га хватати жмарци од немоћи, одоздо, од ножних прстију, и зачас би се бацио у те мисли да му поглед не привуче онај помоћни кревет испод његових ногу. Човјек на њему је лежао мирно, са допола отвореним устима. Било је то измождено стање људскога тјела у старој болничкој пиџами на пруге. Учкур од доњег дјела пиџаме се извукао па је скроз открио нешто коже и длакавог дјела испод стомака.

„Чудан неки положај", мисли Старац, и враћа поглед на полуотворена уста око којих је мува надлетала па слетјела на горњу усну. Човек се не помјери ни кад је дошла до доње усне па улетјела у уста. Да је Старац имао чиме, треснуо би га посред уста само зарад оне муве-да је докрајчи. У то, опет наиђе исто болничко особље, њих четворо, један мушкарац и три жене. Догураше носила на точкове у неком обичном и лаком разговору. Поставише носила паралелно са помоћним лежајем, узеше оног човјека за руке и ноге па га пребацише на носила у бјелу пластичну врећу коју Старац тек сад примјети како је већ намјештена на носилима. Изравнаше је са страна кад је леш стављен у њу и неко од њих повуче затварач. Једна од сестара подигну неколико мањих најлонских кеса, вероватно приватне ствари покојника, набаци то на врећу одозго, па у нормалном ћаскању опет изгураше носила из собе. Једна од њих се врати, скину чаршав са јастучницом и оде.

„Мува!", повика Старац за њом. „Мува!", повиче још јаче.

Сестра се врати и оштро избуљи у њега: „Нема муве. Само се ти одмори."

Провјери инфузију, насмијеши се и нестаде кроз ходник. Тек тад је обратио пажњу на пругасту болничку пиџаму на себи, исту онакву какву је видио на оном несретнику што су га управо одвезли. Умјесто учкура, доњи дио је држао ластиш и начас му би нелагодна помисао кад схвати да нема веша. Није га имао ни раније сем дугачких сукнених гаћа, али то је било друго, мисли. Неко га је морао преобући нагог у пругасто одјело. Учини му се да би то могла бити припрема за свјетковину. Још кад донесу храну од које се годинама одвикао! Иде баш то свечано пругасто одјело за пријем у одлазиште отворених уста од посљедњег залогаја и удаха уз који је још приде добровољно ишла и мува.

„Бем ти свјетковање на путу шарених пруга", мисли. „Могу бити и го. Брига ме!"

Осјети се заробљен покретом, главом и мислима, осуђен на сужени простор који се повремено пуни још брже празни болесним, изнемоглим и старим.

„ГЕРИЈАТРИЈА" писало је великим словима на одјелу, а сјети се да му је сестра већ то објаснила док је попуњавала пријемну листу са још других сто листова на којима је папиролошки папирно на папиру све писало, чак и његово име – Стојан Мишина.

„Тако је, зовем се Стојан Мишина", поновио је још једном гласније да би правилно написала Мишина, а онда се сјетио огромних шака.

„Миш је тако малешан и тако плашљив", рече за се.

„Не секирајте се, господине. Не треба да се плашите, бићете ви у реду", рече му она.

Он се на то насмијеши, изнова се присјећајући Стојана и проклете муве у полуотвореним устима оног човјека. Затворио је очи, стискао капком очну јабучицу, затежући сваки мишић на лицу. Онда је отварао очи, гледао око себе па опет жмурио и стискао зубе и нагло отварао очи не би ли се шта промјенило. Не би ли се кревети удвостручили, или утростручили, и оне сестре подвојиле на два дјела, а лежећи кревети лебдјели у ваздуху. Играо се, не би ли истина некако заварала стварност као саму себе и он се пробудио у својој колиби.

Није ишло! Сваки пут кад би отворио очи била би иста слика у соби са два пацијента поред њега, уз неки број шетајућих сестара и доктора који су визитирали. Затворио је очи и одбио да буде присутан као саучесник на геријатријском одјелу.

Није их отворио ни кад му је неко лампицом уперио свјетло у око, подижући му насилно капак, ни кад су му дали ињекцију у раме, ни кад је неко обилазио око његова кревета провјеравајући брунелу на руци и мјењајући флашу са инфузијом. Он није био ту! Он је сједио на камену и гледао у воду. Ниво воде се спустио па га то зачуди за ово доба године. Зато се звоник из воде видио више него иначе-једноставан, без украса, са лучним отвором из којег се помаљало звоно. Чуо је звук звона из јалове воде тако да је могао да га преприча и дотакне прстима, само да га та десна рука није кочила завезана некаквим цјевчицама. Одбијао је да види све осим онога што је желио да гледа.

Тако су прошла пуна два дана и двије ноћи док га нечији глас није подигао из стања привидно мртвих. Срце му је повратило импулсе које је мозак примио као једину наду кроз глас који је долазио из његове близине.

„Анђелија?!“, прошапута отварајући очи.

Забљеснула га је свјетлост и на трен га обузе сљепило. Трзну му десно раме, а онда се све прели и уобличи у њезин лик, косу, у провидне очи које су га продорно гледале. Стајала је, озбиљна и забринута, размишљајући шта да каже, хоће ли је опсовати и отјерати.

Старац се сав стресе, грабећи плахту испод себе како би прикрио дрхтање руку. У њему се појави мрвица топлине као кад би га Јара и Гара дочекале пред колибом. Први је прекинуо ћутање.

„Хоћеш ли ме… Хоћеш ли ме одвести на Језеро?“, зацвилио је, преклињући, надљудским гласом који је једва излазио из њега. Анђелика се насмијеши и климну главом.

„Мораш прво да прикупиш мало снаге“, рече и навуче му плахту од ногу до струка, видећи како се тресе од хладноће. Старац погледа у ноге па се опет пред њом посрами својих одрвењелих пета и задебљаних табана, спљоштених и раширених као голубија крила. Она приђе и сједе на руб кревета до његових ногу. Загледа се и дуго задржа поглед на истањеним ножним прстима и дугачким ноктима, испод којих се наталожило црно. Он покуша помјерити ноге, да их сакрије, као да јој направи још мјеста, али га она задржа покретом руке и он одустаде.

„Знаш, мораће да ти ураде неке анализе прије него што те вратим на Језеро.“

„Поставила ми је услов“, грчио се у себи.

Ма, сад би он скоком појурио и не би га никаква сила зауставила. Све би их послао у материну, попљувао ходнике и особље, све који би му се нашли на путу. Не треба он од њих ништа. Пјешице би из града до своје колибе, својим ногама.

„У се и своје кљусе“, мисли. „И шта ова хоће више од њега?! Тврда глава, недоказана.“

Из дубине га протресе несносна бол и Анђелика осјети како му се на трен цијело тјело згрчи.

„Само ме врати“, потврдио је тихо и заклопио очи.

Сједила је на кревету још неко вријеме, гледајући у уморно кошчато лице старца сиједе косе и бјеле браде, обрасле ко коров по лицу. Уз ободе образа цаклиле су му се ситне капље зноја. Знала је да више неће изустити ниједну ријеч па је извадила кесу из торбе и ставила је на наткасну. Прије него ће изаћи, положи своју руку на Старчеву. Он је, не помјерајући ниједан други мишић на тјелу нити отварајући очи, извукао своју руку испод њене.

Сљедећих дана прво су му скинули инфузију и дали му да једе. Ниједном није проговорио нити се обратио докторима ни сестрама које су често прилазиле, боле га у раме, доносиле храну и смјешкале се. Највећи напор који је учинио било је климање главом. Сметао му је сваки пријатан приступ и загледао би са одвратношћу у свачија уста намјештена у полусрдачан положај. Боло га је то и забадало му се као танке игле под кожу.

„Ко да пркосе. Наслађују се!“, мислио је.

„Зар неко може бити природан на оваквом мјесту? Ово је понор без излаза, а ови што раде су на служењу казне са правом на повремени излазак на површину“, размишљао је.

Тих дана је почео полако да се придиже и излази из собе, самоиницијативно, у вријеме кад га не би возили колицима и одводили на снимања, боцкања, гурања цијеви у каналне спроводнике и на остатак иригографија, плућомјера, колоноскопија и умороскопија, крварења и уринирања у пипете.

Соба му је била у дну дугачког ходника, преко пута сестринске. Са обе стране ходника поређале се друге отворене собе са нагураним и попуњеним креветима. Једне пацијенте износе, друге довозе да би их опет брзо изњели у бјелим пластичним кесама. Од свег јечања из собе осјећао се мемласти задах смрти. По средини ходника налазило се мало, полукружно проширење са једним округлим столом и три столице, насупрот њима телевизор окачен на зид, те широки прозори кроз које је свјетлост као намјерно продирала споља и у валовима ширила чудну топлоту. Столице су биле празне: мало ко сједне, мало ко устане. Никоме није до инвалидних вијести из спољашњег свијета кад је приступ оном другом ближи и извјеснији па то споља губи сваки смисао чак и као надражај.

На почетку ходника је докторска соба и степенице низбрдо и десно, а са лијеве стране излаз на терасу која се пружала са спољашње стране зграде цијелом дужином ходника.

Старац се зауставио на тераси, загледан у понеко ријетко дрво у дворишту, док му поглед није зауставила друга зграда болничког комплекса. На тераси-живи доказ пропадања живота кроз бачене старе кревете на точкове, зарђале столове и столице, поцјепане носиље и искидана колица. Хрпа отуђених, мртвих ствари смјештена наочиглед живом погледу. Врати се унутра и сједе на једну од оне три празне столице. Из собе преко пута извозе пластичну кесу у којој наслућујеш људски леш, до прије неколико минута постојећи облик, појаву, глас и покрет. Сад је од свега остала пластична бјела кеса са бројем.

„Сигурно их десетак одвезоше током данашњега дана“, мисли Старац.

Гледа у празну собу на чијим вратима пише „апартман“. Унутра има по два кревета, телевизор и купатило. Разликује се од осталих обичних соба. Видио је још једну такву. Насмија се иронично у себи колико људи споља поклањају пажњу условима умирања, отуђени од самог процеса истог, само да би растеретили своју савјест кад довезу старе и болесне од најближега рода.

„Немају времена“, обично чујеш оне остављене који их правдају, не престајући брбљати о успјешној дјеци и дивним унуцима, о великим професијама и материјалном статусу, тајанствено, са руком преко уста чак и о великим шушкама, али… „Немају времена!“

Зато остављени умиру сами. Нико ни за кога нема времена. Па шта је то са тим временом кад се не да ухватити?! Ко зна да ли оно постоји?! Можда ми само нашу пролазност називамо тим именом док се питамо какав је то страшни проток минута и сати у дефициту? Како ли сами себе успјевамо испратити у пролазном дјелићу тог времена?! Важни смо само себи, биће да је то. Важни смо до те мјере да мислимо да смо важни и неком назови времену. Ко зна како нам се оно за то свети? Можда ће и они што остављају бити остављени на исти начин, једнога дана, у неком времену.

Старац се замисли па му се то учини ипак као неправда нанесена онима у апартману.

„Шта ја бринем? Зашто би се ико бавио неким другим кад свако има право на свој живот и своје тзв. вријеме?“, закључи гледајући у апартман, па у собу до њега, па у сљедећу.

„Исто је“ рече наглас и устаде.

Већ се био заморио од свега па се врати у собу. Прије него ће затворити очи, поглед му привукоше голубови на прозору. Два сива, ријечна голуба стајала су на симсу, а два би упорно одлетјела па поново сљетала, одлазила па се враћала. Пратио их је погледом неко вријеме, па затвори очи.

„Можда и нису то два иста“, помисли.

Наредних дана је често шетао по ходнику тражећи голубове. Спазио је да преко терасе и отвора на прозорима улазе унутар зграде и одомаћено, без страха, тапкају тропрстенчићима по ходнику. Старац је носио у џепу мрвице крува за сваки случај, чудећи се како их нико није тјерао. Они су, са своје стране, пристојно, по правилу кућног реда, долазили појединачно и ненаметљиво, стварајући радост Старцу. Чуо је једном како су неки људи у посјети наглас ружно причали о прљавим птицама, заразама које носе и како треба тужити све који дозвољавају такво кретање птичурина на једном оваквом мјесту. Старац се побунио. Сад би напао оног гласноговорника и рекао му да је голубије перо вредније од њега читавог, али осјети потребу да најприје заштити голубове, па једног по једног лагано намами мрвицама из ходника на терасу, а руком лагано растјера два припијена на симсу.

„Дођите ви, мили моји, кад ови оду", говорио им је тихо бацајући мрвице кроз прозор.

Птице су се послушно склањале као да су боље разумјеле чудни људски род од самих његових припадника. Тако је Старац живнуо и почео прихватати ствари на које је жмурио, пратећи једину радост у болесничкој постељи-голубове. Сад је лакше трпио онај продорни женски врисак који би га јутром будио и у по ноћи му стварао језу кад би опет почињао. Дивљи звуци жене у трансу лудила дрмали су цијели спрат и сви су се питали није ли она прије за психијатрију него за геријатрију. Нико никада није сазнао шта је разлог томе. Звуци су долазили из другог дјела ходника који се послије степеницама настављао у облику слова Л, али Старац није тамо залазио. Можда се бранио од онога што би га још могло дочекати. Навикао се и на оног лудог старца који је непрестано звао: „Сестро! Сестро! Чујеш ли ме, сестро? Ооо, сестро!" Толико га је потресло кад је први пут чуо то дозивање и запомагање да је био спреман да улети у сестринску собу и за врат је довуче до несретника. Баш кад је устао да се умјеша, појавила се млада сестра, скоро као дјете, невина и кажњена. Како је дошла до врата, тако је пацијент почео да је гађа свим што је могао дохватити. На крају је скинуо прљаву пелену и бацио на њу.

„Смирите се, чика Нико, молим Вас!“, завапила је сестра на ивици суза, не знајући шта даље. Окренула се да позове докторку, и у том тренутку спазила Старца. Слегнула је раменима као да се правда:

„Тако он стално.“

Како је изгубио сестру из вида, тако је Нико почео да је дозива: „Сестро! Сестрооо! Мајку ли ти јебем, чујеш ли ме?“

Она се вратила са докторком и, чим је Нико видио како докторка оштро прича са њим, аргументовано му објашњавајући да је добио своју терапију, да ће му одмах замијенити пелену и да ће, ако не престане да малтретира сестре, бити принуђени на јачу мјеру заштите, он се повукао и зашутао. Знао је он да је све то тако, али да му нису везали лијеву ногу и руку, он би им опет побјегао го голцијат, све у трку бацајући са себе, па би им се сакрио негдје у по ноћи и у по дана. Како су сестра и докторка отишле, он сачека који минут, онда настави дозивати сестру називајући је погрдним именима, псујући и претећи.

Старац је све то посматрао са истог мјеста. Онда се покренуо ка својој соби размишљајући о голубовима. За њим је Нико дозивао сестру без престанка.

Чинило му се да голубови нису ту случајно. Давали су му снагу и крила кад зажмури-да полети до свог камена на Језеру. Бринуо се највише зато што је Језеро остало без чувара. Долазила би му у сну колиба, враћале се Јара и Гара па је у тим моментима био сретан. Хранио је у сну вјеверицу орасима накупљеним испод села. Попела би се на задње ногице, издигла до његове руке, узела један орах па побјегла у густиш, тражећи мјесто гдје да га закопа. Потом би се вратила по други, па и њега закопала на одређеној удаљености од првог, и тако док се не умори или нестане ораха.

„Боже", мисли Старац, „љепог ли осјећаја само гледати малешна шумска створења, префињена и крхка."

Једино га је бунило што му утваре више нису свраћале. Као да никад нису ни постојале, тако су се расплинуле у честице ваздуха откако је у болници. Недостајале су му, право говорећи, као кад се човјек навикне на ватру па му прија топлина, али ако се сувише приближи може да га опржи или спали. Тако су и утваре чувале његов прошли живот од заборава, вукући се уз њега као сјенка по зиду што је падала од ватре са огњишта. На крају закључи да је све исувише мутно и да су му оне таблете којим га кљукају помутиле сав мозак и изјеле му мождане вијуге, сатирући их у густу, смоласту масу без права на сјећање и разум. Одавно је схватио да му пјешчани сат полако цури и да је свако даље задржавање у болници само губљење времена. Не може он овако, на овај начин и овдје, да се смири у пластичној врећи. Нема он ништа против врећа и пластике, али поштедиће и друге ако оде у своју природу, међ' своје, крај Језера, уз звук манастирског звона који израња из воде.

„Води ме одавде", рекао је Анђелики кад је сљедећи пут дошла. „Молим те!", завапио је.

„Мораш хитно на операцију", рекла му је полушапатом, стојећи крај кревета. Брзо је изашла у ходник да он не види колико јој тешко пада. Најтеже јој је било кад је рекао „молим те".

„Зар он да моли? То је онда крај", мислила је.

Грчила се због непознанице која је на њу из непознатих разлога толико јако утицала. Тешко се одупирала мислима које су водиле до границе гдје посао прелази у нешто друго, гдје хуманиста не остаје на оном мјесту које је предвиђено према правилима уздржавања емоција ка унесрећенима да се не би поистовјетили са њима и заборавили зашто су ту. Сви концепти, године учења, фразе, тренинг, курсеви, све пада у воду. Везала се за тог старца и није могла сад одустати. Канцер је зачепио дебело цријево, претила је опасност да пукне. Сутра га пребацују на хирургију, тамо су пристојнији услови, а после, кад прође операција, видјеће шта ће. Осјетила је, кроз оно мало што би проговорио са њом из нужде, да се препустио. Дао јој је сва овлашћења на његов живот, само да га врати у његово станиште. Он није припадао овдје, овом свијету и бољитку који је човјек осмислио за себе. Гушио се у томе. Знала је да мора убрзати процедуре и људе, чак и операцију, или неће успјети. Обећала му је и мора га вратити. Насмјеши се кад се сјети како му је упорно доносила храну, а он пркосно одбациво или давао другима по собама, а да није ни погледао садржај унутар кесе, и како је често жмурио правећи се да спава кад би она наишла. А долазила је сваког дана и, што је више била присутна, теже је одлазила. Забављале су је његове игре пркоса у којима је личио на мало дјете које се инати из неког непостојећег разлога. Све то заједно тешко је себи могла објаснити. Ишла је дотле да је мучила себе мишљу како на тај начин искупљује себе за погрешне односе и везе у свом животу.

„Шта ја то радим?“, често је постављала себи то питање.

Трже се кад на улазу у болницу наиђе на Монаха.

„Добар дан“, рече.

„Бог ти помого, Анђелика“, одврати он.

„Да сте ми јавили да ћете доћи, дошла би по Вас у Манастир. Далеко је, нема превоза.“

„Увијек се уздам у Божју помоћ. Кренуо сам пјешице па су ме у неко доба повезли радници који су наишли.“

„Сачекаћу ја онда, бар да Вас вратим назад.“

„Иди својим путем, Анђелика! Не желим да будем на терету, а имам и неких обавеза у граду.“

„Сачекаћу и то да обавите“, рече одлучно, па он одустаде од опирања. Скромно и захвално климну главом.

Кад се Монах попео до Старчеве собе, затекао га је како спава. Видио је то по равномјерном дисању и положају тјела. Свраћао је два пута откад је Старац у болници. Хтио је да му каже за Јару и Гару, за Језеро, како га чека његов камен и здјела са ручком. Ниједном није са њим проговорио ни ријеч. У Старцу је све вријеме кувьало изнутра, али кад би хтио да то изаће на површину-нешто би га прикочило и у њему је хуктало: „Нисам слаб", „Не требам сажаљење", „Не требаш ми ни ти".

Жмурио је тада, осјећајући црну мантију у близини и чекао да Монах оде. У једном моменту је рекао у себи:

„И сам разговор подсјећа на живот да би сад нешто мијењао."

Овога пута Монах је спустио малу икону на наткасну, а Старац је отворио очи управо кад је он излазио из собе. Гледао је за њим и уморним гласом прошапутао:

„Чују ли се звона?"

Нико га није чуо, а Старац је окренуо главу према зиду, тешко дишући. Постао је свјестан колико губи снагу, како се жив распада и кида у душевној и тјелесној немоћи. По први пут му се јавио страх и раздрмао га читавог. „Шта ако...?", упита се па стеже грло из којег се спремала орљава крикова из најзатуренијих и отупјелих дјелова душе. Вриштао је у себи, псовао у бијесу, плакао као мало дјете, сам, да нико не чује. Само би кратки трзаји тјела испруженог на кревету то потврдили кроз ледени поглед забијен у зид.

Монах је већ прилазио Анђелики гледајући равно у њене необичне очи.

„Исто?", упита.

„Исто!", потврди он, а онда кренуше.

Старац је дуго остао загледан у зид. Одбио је тог дана да једе, одгурнуо сестри руку и избио јој ињекцију коју је спремала убризгати му у раме. Послије су дошле двије заједно и, кад је схватио да их се неће ријешити, дозволио је да га боду. Свеједно се, готово, претворио у пањ и ништа није осјећао. Примјетио је малу икону на наткасни и истог трена одлучи да заборави на њу. То га подсјети на оне лончиће и чиније које је Монах остављао сваки дан, а он сваки дан једнако игнорисао. Одбаци мисли које су се спремале да га одведу у правцу којим тог трена није желио поћи. Препознао је нешто што га је запањило – страх!

„Људски осјећај слабости због жудње за животом, зар у мени опет?!“, мислио је.

Зар послије свега опет нагињем живом цвилењу и пужењу у земаљском паклу? Проклети страх који ме гура у недоумицу! Зар избор није стати, престати, немати и не постојати? Шта страх хоће за себе, да ме слуди и науди ми? Хоће да ми заголица подсвијест греховима живота да би се нахранио мојом немоћи. Знам да сам само човјек, али желим да оде, да нестане. Утицао је вољно на ону смоласту мождану кашу и зачепио сваки доток бола из сопственог живота. Знао је да је већ сутра на хирургији, и на операцији, па ће о свему мислити кад изађе из проклете болнице. А то што је њему битно чини једини смисао и садржај његова живота, и ако сад почне мислити о томе-готов је. Мале су шансе да се пробуди на столу. Зато мора оставити недовршени посао, мислио је, да би се имао чему вратити.

Придигао је главу на јастуку и погледао према прозору. Сем струјања свјежег ваздуха извана, који је помјерао горе-доље пласичну закрпу на прозору, ничег интересантног није било. Ни голубови нису слетали.

„Можда је то добар знак“, помисли. „Нису се дошли опростити“.

Обрати пажњу на ону двојицу што су данима чинили сапутнике на путу ка излечењу или ослобађању, како је он то доживљавао. Није се интересовао за ћаскање и дружење са њима, иако је било покушаја са оба кревета у његову правцу, не би ли се бар прекратило вријеме. Старац је одмах показао отпор и оградио се ћутањем па су обадвојица убрзо одустала.

Сада је имао другачију потребу да живи садашњи момент, тог часа, у тој просторији са људима, с којима је дјелио собу. Навукао је на себе садашњост како би било извесније изборити се за будућност у мјери која му је била довољна. Једино што није могао биле су ријечи-није могао ни силом изустити ниједну.

Пожелио је питати оног до себе, тешког срчаног болесника, како се осјећа, па да му овај одговори, али онда схвати да и он мора бити питан, да ће морати нешто рећи о себи па је одмах одустао. О себи је све и превише знао, а ове није морао ни питати-све му се само рекло. Том пристојном човјеку, гојазном и тешко покретном, већ неколико пута је позлило откад је у болници.

„Срце, будаласти орган који се заглавио у маси лоја па се бори за ваздух“, мисли Старац. А овај, свако мало зове и телефонира мобилним телефоном жени и подсјећа је да попије лекове, савјетује да се више одмара, да не ради превише… А она? Ниједном да дође у посјету. Од све његове болести изгледа да му је жена била највећа.

„Јадна будало“, закључи Старац и схвати да је довољно времена потрошио на овог, па се окрену оном другом, удаљенијем.

Мршав човјек, некакав љути жбир. Подсјети га ликом, не зна ни сам зашто, на вјеверицу, с разликом што је мирољубива вјеверица била драгоцјена природи и човјеку, а овај људски изданак није служио ничему. Куповао је у малој продавници на улазу у болницу сваки дан кекс, доносио га сакривеног испод пиџаме па стављао под јастук. Прије него би узео да га једе, бацио би поглед лијево-десно па опет кришом вадио комад по комад и трпао у уста.

„Е, моја вјеверице“, помисли Старац, „колико глад може бити већа од човјека, кад би знала?!“

И ту закључи да је неважним стварима придао значај чим се заокупио њима. Одустаде и од идеје да размишља о насмјешеним сестрама. Би му их у неки мах жао.

Уплаши се од људске емоције у себи па се брзо оправда: „Брига ме за њих!“

„Брига ме за дементне, за упишане и усране везане за кревет, оног Никога што бјежи, ону лудачу што вришти,… за све ме баш брига! Брига ме! Брига ме!“…, урлао је у себи.

Кад се примирио, окренуо се поново зиду и празно упиљио поглед у њега.

Сутрадан ујутро, рано, одвезли су га болничким колима до дјела хирургије који се налазио у другој згради болничког комплекса, двестотињак метара од геријатрије. Ставили су поред њега кесу са личним стварима које му је Анђелика доносила: два велика пешкира и два мала, резервну пиџаму, папуче, мало веша, неколико пари чарапа, убрусе и влажне марамице, прибор за бријање и личну хигијену и чисту одјећу у којој су га довели. Све то је стало у једну бјелу кесу која је личила врећи за смеће. На кесу су набацали штос папира са дијагнозама које су прецизно изанализирале сваку кошчицу у његовом тјелу и сваки мишић на њему. На њих је било причвршћено неколико снимака, увијених у ролну. Кад су пристигли, преузео га је млад доктор којег је већ видио на геријатрији кад је дошао у обилазак неких пацијената, између осталих и њега. Смјести га на одјел па нареди сестрама да започну са припремама за операцију.

Доктор је био отмјен, млад човјек, висок, стасит, са цртама лица које су се протезале преко тридесете и држањем које је задирало у ране четрдесете. Ниси му могао прецизно одредити старосну границу, а промашило би се и да се погађа професија. Више је личио на елегантно одмјереног поло играча у бјелом него на некога у чијим је рукама одређиван живот, мјерен и ваган, подржан или одбачен као кварљива роба. Старац је гледао у то дјечачко лице и, да је било другачије, занемарио би га из свог нехата и своје природе. Није могао рећи да му се свиђа, али му је био захвалан што се не смјеши и не казује много. Само ради свој посао, друго не нуди ништа. Можда због тога осјети како му се предаје. Била је недјеља кад је пристигао и припреме за чишћење су га толико исцрпиле и изнуриле изнутра да је једва дочекао уторак ујутро да се све то оконча. Затворио се у се од свега док су га гурали у операциону салу. Миран, го, ко од мајке рођен, лежао је на столу, гледајући у бјела свјетла изнад себе. Није чуо звуке инструмената, ни људске гласове, и није осјетио анестезиолога када му је пришао. Ничег није било осим оног свјетла горе које наједном пређе у мркли мрак. Нестаде и страха.

Анђелика је тај дан пресједила у болници, на ходнику испред самог операционог блока. Три пута су је отјерали одатле, а она би сишла испред зграде, запалила цигарету и поново се вратила на други спрат. Дуго је већ у себи била сигурна у све што је осјећала и радила. Чинило јој се да је њено присуство баш овдје, у овај час, неопходно, чак и кад би кренуло нешто по злу. Скврчила се на степеништу и мисли како су прогнозе пола-пола: биће добро и неће бити. Са прогнозама се никад не зна. Зато онај ко их даје, једнако као онај што их прима, ништа за сигурно не зна. И у љето може пасти снијег, здрав човјек умре за час, а мртав болестан оздрави. Прогнозе су удробљене пројекције могућег исхода цијеле ситуације помјешане са нашим жељама, на основу мало искуства одраније, уз додатак среће или несреће. Никако им се не може вјеровати, може се само жељети и надати. То је својствено човјеку кад се тјеши, јер не жели прихватити стварност-да је оно што је добро дјелом и лоше, да је живот дјелом смрт, као што је смрт дјелом живот, па шта превагне у одређени час. А наш ум је институција саздана од кодекса уграђених вредности и поимања свијета, мали глобус земаљскога који се некад прејако заврти и падне у несвијест. Ето, то смо, наусаглашени и неумјерени у окретању све док не паднемо у кому из које ће нас једног дана скинути са апаратуре.

Врзма се Анђелики свашта по глави, час јој добро дође да се тако одбрани од стварне ситуације, час јој прекрати наизвесност, а час је умори бавити се таквим мислима. Како би само вирнула иза оних врата да се увјери да све тече добро! Као да би то помогло? Тешко је и са стране чекати док размишљаш да ли је оном на операционом столу пала карта живота или смрти. Излази испред, пуши цигарету, забацује плаву косу преко рамена и дрхти изнутра. Не може себи помоћи. Поново се пење горе, на други спрат.

Прошли су сати, један за другим, тачно шест, кад почеше излазити из операционе сале. Анђелика их прати погледом кроз стакло, али не обраћа превелику пажњу на страшан умор на лицима која пролазе ходником унутар блока. Напокон наилази и он, млад човјек уздигнута чела, са којег брише зној. Види је. Отвори врата и приђе. Прозбори кратко да је операција била врло тешка и како се са сигурношћу не може ништа рећи док не стигну резултати биопсије. Тумор је извађен, дебело цријево преспојено, састругана трбушни зид и одстрањен дио надбубрежне жлезде. Онда се окрену и без поздрава запути у докторску собу.

„Боже, опет ништа не знам“, унервозила се Анђелика.

„Бар је операција добро прошла“, мисли уз сву неизвесност. „Шта ћу сад?“

„Можете позвати овај број да се распитате о пацијенту. То је број интензивне. Неће на одјел бити пребачен наредних 48 сати“, гурну јој медицинска сестра папирић у руку.

Узе папир и, кад јој се завртјеше пред очима бројеви, сјети се да је заборавила на Монаха. Извуче мобилни из торбе и окрену његов број. Монах је од јутрења кроз молитву био уз Старца. Борио се у себи да сачува душевни мир од трзавица сумње које су му улетале повремено и забадале се тим отровним овоземаљским вршчићима у мозак. Од јутрења и још прије тога, док је палио кандила у цркви и цјеливао иконе, служио је, дјелимично предан мислима о човјеку. Сјети се начас своје пане коју је носио преко мантије која га и даље опомиње на ништавност људскога живота, па помисли у себи:

„Божја воља!“ и прекрсти се.

Дочепа се оне сумње па је одагна уз молитве из молитвеника и читање Светог писма. За ручком је јео веома мало, два парчета сувог круха чије је залогаје, који су му правили застој у грлу, залијевао водом. На послушање је кренуо чилије. Очистио је малу црквену продавницу и надомјестио продате свијеће. Одатле је отишао нахранити двије мршаве буше у стаји, и по-

ред њих још двије козе. Најдуже се задржао у иконописачкој ра-
дионици, гдје је учио калиграфију преписујући богослужбену
књигу следећи естетске обрасце српских средњовековних руко-
писа. Кад се рука уморила од писања, мастило је замјенила мо-
литва „на бројанице“.

Прошло је неко вријеме, можда до сат, кад се хтједе повући у своју келију, ишчекујући вечерње. У томе је зазвонио те-
лефон и он убрза корак од радионице према службеним
просторијама конака. Анђелика је причала брзо па је Монах
кроз њене ужурбане ријечи које су проваљивале као живот ко-
ји се пробудио, кроз телефонску мрежу каблова, осјетио олак-
шање. Ријечи су летјеле, лаке и умирујуће, кроз оне прозборене
које су њему толико рекле. Олакшање, умор којег је замјенио
краткотрајан адреналински шок, долазио је Анђеликиним гла-
сом и у један мах се Монах изненади кад она на крају рече: „Бо-
гу хвала!“

Није је до сад чуо да тако прича, није је питао које је вјеро-
исповести, нације. Познавао је скоро годину, али никад нису
причали много. У цркву није улазила. Радила је за УНХЦР и,
сем службених обилазака и сусрета, приватно није одавала ни-
шта. Чуо је два пута како љутито прича преко мобилног теле-
фона обраћајући се неком на њемачком језику, и то је било све.

„Зар је то на крају битно? Сви смо ми Божја дјеца, ма ко-
јим се именима звали“, заврши мисао.

Монах спусти слушалицу и крену у цркву на молитву за-
хвалности. Лице му се озари величанственом свјетлошћу која
му уједначено оцрта сваку пору на младалачком лицу испод ду-
гачке браде. Свјетлост је изашла равно из његове душе, чиста и
препородна.

$$*$$
$$* \qquad *$$

Старац је трећи дан са интензивне пребачен на одјељење.
На кревету, тачно наспрам врата, у шесторокреветној соби, ле-

жало је његово напола живо тјело. Свјетлост је на моменте магловито наилазила како је отварао очи. Све остало се дешавало у тишини и мраку. Осјетио је покрете сестре кад је прошла покрај кревета, и вишечлану докторску визиту кад би прегледали рану, и нијеми телевизор са зида од којег се одбијају па у налетима враћају стењања оперисаних људи са осталих кревета. И Старцу је свеједно. Обузео га онај познати осјећај свеједности кад си засићен и наједен животом па га не разликујеш од смрти, нити те брига.

У једном трену схвата да се пробудио. Постепено му се враћа свијест.

„Није ништа ново, знао сам“, потврђује себи.

Кроз сву равнодушност, док осјећа јаку физичку бол при сваком удаху, због анестезије која га тјера на кашаљ, ипак препознаје трунчицу радости. „Драго ми је да сам жив“, помислио би у себи кад би разгалио ону горду забрађену пећину у свом тјелу и ослободио душу. Брзо одагна радост. Чак и под условом да постоји, он је не признаје, јер не види разлог разлагања среће кад му она не треба. Све ово је само следећи чин у протоколу његовог живота, који се мора обавити зарад вишег циља. Лежао је до пола прекривен бјелом болничком плахтом. Усудио се да погледа велики бјели завој објепљен фластерима, који се протезао од грудног коша ниско до испод стомака. Два дрена су му пробила кожу и сукрвица се још цијeдила из ране. С десне стране му је цијевчицом била прикачена кеса за измокравање, а из десне руке су цјевчице водиле до флаше са инфузијом.

„Како радост да надвиси све цјевчице на искасапљеном тјелу?“, питао се.

„Биће да то ипак није радост.“

Можда она постоји као импулс у тренутку кад схватиш да си се пробудио на операционом столу у полусвјесном стању, али онда одмах прелази у жељу за животом и напиње све своје обрамбене човјечје снаге да побиједи у сулудој трци да још који дан продужи свакодневно животарење и потпуни бесмисао, све док се коначно не склопе очи. Ни ти се не разликујеш од других, као да говори она течност из висећих боца док му улази у крвоток и напаја тјело.

Опет сестра мијења флаше, ставља нове, без смијешка и срдачности. Њему је непријатно док раздрљен лежи на кревету и док му вире испод плахте оне квргаве ноге. Гледа, чуди се жутој прозирној боји коже на утањеним ногама, уредним ноктима и кожи која без трунке меса још одвратније виси са руку скоро до рамена.

„Да ли сам то ја или оно што је остало од мене?“, пита се.

У углу ока зацакли се суза, а кроз њу се стушти немоћ, и немоћ, са додатком немоћи од десетина миља исте.

„Како смо данас?“, чује докторов глас.

Сад се смијеши, обавио је добар посао.

„Рана добро зараста“, говори. „Све је како треба.“

Старац га гледа избуљеним очима, упалим у очне дупље, и прави се као да му вјерује, и оном што ради и оном што прича. „Све је како треба“, понавља у себи.

У соби је претопло и превише мирно. Сваки попуњен кревет, чак и празан, заокупљен је властитим ишчекивањем. Понекад се неко отвори па исприча како је прошао. Други слушају, ћуте и чекају да виде како ће они проћи. Начас им сване, други час смркне кад се неко не врати са интензивне или неком позли у пола ноћи и само га одвезу. Сви себично гледају на свој спас и све би остале у соби продали за се не трепнувши, а сви подједнако, са дугачким шавом уздужно преко стомака. Вријеме тавори изнутра. И ако се покрене, направи мали корак, сљедећи још мањи. Кроз прозор сунце удара о стакло, док се свјетлост поиграва са умом свих лежећих подједнако. Кроз исто стакло са спољашње стране живот ужурбано тече и сви клизе својим путељцима и странпутицама у исти бездан. Али љепо је док се клизи уз сву енергију, емоцију, срећу и несрећу, уз све што је својствено људима све док свако себе не почне много да преиспитује и не успори у соби са шест кревета иза стакла. Пти-

це се не чују. Не слећу на прозор, али Старац као да их наслу-
ћује.

„Можда су оне исте?“, мисли.

Наредних дана се придигао на узглавље па је могао боље
осмотрити око себе. Дизали су га насилно, да направи пар ко-
рака, али би се брзо хватао за шипку од кревета. Поскидали му
цјевчице, дали му прво чај па ријетку супу са двопеком…

Гутао је обојену водицу од камилице осјећајући благ укуса
на језику, и непцима који му је пријао, па врло брзо поче тра-
жити још једну шољу чаја уз ону доњету. Принео би чај лицу и
удисао слаб мирис, замишљајући широка поља са бјелим цвје-
товима камилице. Зачуди се гдје се из њега искрала жеља. Под-
легао је искушењу ситних прохтјева да би себи угодио, а из
прикрајка шоље га је запљускивала у лице успомена из дјетињ-
ства до те мјере да се није бунио него је тражио још.

„Кад дођеш до краја, мораш се вратити на почетак“, ми-
слио је.

После је опет мрзио што тражи, чак захтјева, на промукао
и груб начин, који ће прије увриједити него изазвати самилост.
Зато се није бранио када је једна млађа сестра посрнула и запе-
ла о точак кревета, доносећи му другу шољу чаја. Просула се
сладуњава топла водица по њеној униформи и бјелом чаршаву
на кревету са којег је искапала на под, правећи бару.

Дјевојка се нарогуши, подиже јој се коса из тјемена па по-
че сиктати као гуја из оних намазаних црвених усница које је
час прије тога освјежила ружом и довела у ред.

„Нисам ја овдје слушкиња, ни конобарица, ни спремачи-
ца!“, бљувала је према Старцу, све лупајући десном ногом о под.

„Није ни ово хотел! А види ми униформу!“, настављала је.

Остали пацијенти се намах пробудише из дремежа и сви
погледи се усмјерише ка њој. Она устукну, погледа једног по јед-
ног, па ћутећи узе брисати под. Чак донесе и чисту плахту. Ста-
рац није реаговао и да је имао неку емоцију поводом тога, рекао
би да му је жао дјевојке, али није било емоције ни жаљења.

„Хоћу чај“, рече он на све то оним промуклим, старачким гласом.

Сестра се окренула према њему са лицем надуваним као балон који би радо пукао и залијепио Старчева уста заувијек. Окренула се и изашла.

Било је то некако у вријеме када су почињале посјете и баш се хтјело да Анђелика стигне прва. Старац је угледао како стоји на вратима кад је сестра пројурила поред ње, али није знао да ли је нешто чула или видјела од циркуса са балонима у болничкој соби, на одјелу хирургије, пластично хладном и безумно стерилном.

Сјела је на дну кревета и загледала се равно у њега. Он спусти поглед и навуче плахту вишље ка раменима. Да је знао шта да каже, рекао би. Најрадије би побјегао да се сакрије док она не оде, само да је могао. Онда се досјети, отвори ладицу на ормарићу, узе нешто у руку и пружи јој. Анђелика узе предмет из његове руке и насмијеши се.

„Монах?“, упита загледајући мали, неравни камен у руци.

Старац климну главом. Осјети како би можда требало да јој каже да је овај пут заиста спавао кад је он долазио у посјету. Можда му је требало бити жао, али не зна и не умије ишчепркати груменчић злата у свом том муљу унутар њега. Она лаганим покретом врати камен у ладицу.

„Не смијеш само лежати. Мораш мало и ходати“, рече му.

Он послуша и придиже се, а она га ухвати испод руке и намакну му папуче. Нису проговорили ни ријеч, преко тридесет корака које је избројао низ ходник, и тридесет назад до кревета.

„Још мало па идеш кући“, рече му на одласку.

„Кући?“, помисли Старац као да се, по први пут, усудио помислити на то. Затресе му се брада од силине прокључале крви и он је умири гледајући у своју колибу.

Анђелика крену ка вратима, кад он једва разговјетно рече за њом: „Хвала.“

Она се насмијеши, већ окренута му леђима, па изађе док је он гледао у своје прсте на ногама са уредно исјеченим ноктима. Нико није знао за шта се он захваљивао, можда за све. Није више погледао ни у једно лице које је улазило и излазило у собу.

Анђелика се у ходнику зауставила испред сестринске собе, и кад је без куцања ушла унутра, она иста млада сестра је поправљала кармин на уснама. Прикладним тоном, без буке, понеко умије разложним ријечима постидјети свачији карактер. Шта је рекла унутра нико други није чуо, а она је убрзо изашла, наизглед мирна, док је изнутра тукло и ударало у њој, пекло на људски начин, којим сагоријевајући друге изгориш сам.

Пролазила је журно ходником кроз стерилно окружење у којем се гушила.

„Савршен ред увијек има бар једну мањкавост“, мислила је размишљајући о хотичној слици ходника, на геријатрији, гдје је осмјех неких сестара испратио посљедњи удах многих пацијената, и помиловао голубове у слободној шетњи болничком неимаштином.

А у савршеном реду нема потпуног склада. Боље се хаос сналази у томе, чак и ако је све остало доведено до перфекције, слика ће се у потпуности промјенити, ако се најмањи шраф до краја не заврне. Можда га треба заврнути споља, ако не иде изнутра или га једноставно замијенити другим.

*

*   *

Велики теренац је оштро сјекао кривине по брдима Височје. Био је то стари пут, проширен по ивицама, уз падину, преко којег је стављен нови слој асфалта. Пењао се узбрдо у осмицама, остављајући иза себе село Штикло, па се онда сличним, вијугавим наставком цесте поче спуштати низ брдо. Ту се угњездио омањи градић истог имена као и брда око њега. Дјелом се успињао брдовито, већински се опустио у долини.

Мјештани су радознало, колико и уздржано, бацали погледе ка аутомобилу, загледајући регистрацију. И послије толико година, остало је притајене мржње из задњег локалног рата. Анђелики махну и поздрави је неколико људи уз пут. Она је имала добру прођу као неутрални хуманитарац, са таблицама УНХЦР-а. Изашла је из мјеста скренувши на првој раскрсници десно, све више залазећи у пусте камене предјеле обронака планине Свилаје, прекривене макијом у најнижим дјеловима.

Онај ко није познавао пут изгубио би се, јер није било ниједне ознаке за правац којим је цеста водила, уз неколико већих рачвања.

Успут би искрсла понека порушена кућа из рата или урушена због напуштања. Људи се нису помаљали, ако је некога уопште било. Након поновног скретања, овог пута налијево, ништа се од пејзажа није промјенило. Километри таквог пута би исцрпили намјернике и да их нешто јаче није вукло напред, одустали би. Наиђе неколико већином оправљених кућа, одајући слику да је ту некоћ био повећи засеок, мада се и даље не појави ниједна жива душа. Са стране, у јарку је била бачена поломљена табла са натписом „Брезе". Цеста пређе у бјели пут, гдје труцкање постаде јаче. Старац стисну усну, а Анђелика осјети па успори вожњу. Бјели пут зави у велику кривину, заралу у разређену борову шуму са стране иза које Старцу застаде дах кад угледа Језеро здесна. Несвјесним покретом ухвати Анђелику за руку и поче испрекидано дисати хватајући ваздух дубоко, на махове као да ће се угушити. Аутомобил се заустави док је Старац отворених уста и даље зурио у Језеро, тражећи погледом звоник са цркве. Са те раздаљине, кроз шикару га није могао видјети па се мало узнемири и поче се издизати са сједишта. Појас га повуче уназад на сједиште и он у паници поче мислити да нешто није у реду, да се нешто промјенило од његова одласка. Паника га потпуно овлада па поче нагло вући појас преко себе као да ће га покидати, с намјером да изјури из кола и потрчи напред ка Манастиру. Међутим, ноге му се не помјерише ни макац, а онај каиш га јаче стегну преко ране и он у очају изнова спозна своју немоћ. Анђелика га ухвати за руку и рече му: „Полако, сад ће.“

Бјели пут их је посље двјеста метара довео тачно испред капије Манастира. На самој капији је стајао Монах, поред њега двије козе, Јара и Гара. Старцу се стегну срце од милине. Једва примјетно климну главом Монаху. Анђелика му је помогла да изађе. Пребацила је преко њега нови мушки капут и повела га под руку на мјесто са којег упорно није скидао поглед. Приближили су се таман толико да је могао видјети свој камен на којем је сједио, издигнути звоник, чак и звоно које вири из воде. Ниво воде му се учини виши откад га је оставио.

„Биће због киша“, мислио је.

Кољена му почеше клецати и полако се вратише ка Манастиру. Монах их је чекао са раширеним носилима, на која Старац одби да легне. Крену сам ка шуми и убрзо застаде. У ушима поче брујање, испред очију почеше треперити црне тачке и, да га неко не ухвати под руку, сигурно би пао. Ставише га на носила, Анђелика са једне стране, Монах са друге, па лако подигоше мршаво тјело. Старац дође себи док су га носили добро знаним путељком кроз шуму и учини му се како Јара и Гара блеје идући за њима. Јасно се зеленила борова шума, само је некако била тиша па ништа није чуо сем крцкања гранчица суховине под туђим ногама. Заборавио је да је скоро зима и да није припремио огријев. Сјети се да нема хране, ни воде у вучијама.

„Ево нас“, освјести га нечији глас.

Помисли:"Нисам сам.“

Помисли још како ће ноћас сви његови навратити и насмијеши се у себи.

Анђелика му помогну да прекорачи праг колибе и остави га самог унутра. Осјетила је да је одвећ непотребна у том тренутку. Придружи се Монаху испред, па се насмјеши показујући у правцу колибе гдје је ватра са огњишта прва изненадила

Старца пријатном топлином. Дочекаше га пуне вучије и насло-
жене цјепанице, храна на мјеру и у конзервама, на полицама,
чиста постељина и још нове одјеће. Све то је Старац посматрао
у кушњи тишине за коју не знаш да ли ће сваког часа праснути
у ураган или ће одмировати до самога краја без ријечи.

„Мислиш ли да ће успјети?“, упита тихо Анђелика.

„Хоће“, одговори Монах.

После неког времена стајања на истом мјесту, постаде су-
вишно настављати задржавање, поготово што је недостатак ко-
муникације између њих бунио и њих саме. Полако се покупише
и кренуше назад. Некако су се прећутно споразумјели да ће не-
ки други момент њиховог присуства бити прикладнији.

„Добри човјече!“, стајао је Старац на вратима, наслањајући
се на довратак.

Анђелика и Монах се, зачуђени, у исти мах осврнуше.

„Добри човјече“, понови он, „донеси ми четрдесет свијећа
и оловку.“

Монах мирно климну главом, док је Анђелика још била у
чуду и кад се спустише на пут.

„Шта ће му свијеће?“, упита она.

„Да би успио“, одговори Монах, и поздрави се.

Анђелика на повратку заустави кола недалеко од Манасти-
ра, тачно тамо гдје се иза кривине први пут помолило Језеро.
Гледала је дуго у правцу Језера, онда извади из џепа папир па га
поново поче читати:

„... цревни фрагмент дужине 600 мм. На 100 мм од једног
ресекционог руба налази се карфиоласто туморско ткиво које
у дужини од 80 мм инфилтрише зид дебелог црева. Тумор ра-
сте полипозно... тумор испуњава лумен црева... туморско тки-
во захвата половину циркунфенције цријева...“ Макроскопски
налаз са пато-хистолошком дијагнозом...

„Није добро“, помисли по ко зна који пут. Није се усудила
да каже ни Монаху. Двоуми се у жељи да заштити Старца. По-
некад јој се то двоумљење учини као њена сопствена слабост,

гдје она себично одлучује у туђе име. Мисли како нема права на то, јер свако има права да зна. Греота је прећутати, још већа ако кажеш па направиш веће зло. Свако је саздан од другачијег психолошког слијепила, због којег свако реагује другачије. И никако није иста реакција кад говориш о другоме или говориш о себи док читаш пато-хистолошки налаз. Ко зна шта ће чији мозак рећи и учинити.

„Ја му нећу рећи", превагну мисао у њој.

Цијелу ноћ је провела размишљајући како да му покаже налаз, али да не објашњава превише. Пустиће времену и терапијама, рећи ће како су прогнозе добре, чак и кад су лоше, јер се никад не зна са њима, и саме су чудне и непоуздане. И то јој се учини кукавички, као да хоће да уради нешто непоштено, а да остане чиста, по страни.

„Није у реду измицати се кад сам се оволико приближила", мисли и љути се у себи. „Ко сам ја да мислим и говорим у његово име шта је исправно, а шта није?!"

Мучила се дуго, превргући се по кревету. Превари је кратак сан, а кад се пробуди-разбистри јој се ко у по бјела дана и она схвати да он зна.

Старац је дуго остао на истом мјесту откако је ушао у колибу. Погледом је прелазио преко сваке ствари, задржавајући се помало на свакој као да их поздравља и разговара с њима. Из очију му сипи чежња док гледа: све је на свом мјесту, све поспремљено и чисто. Није му засметао ред у његовом навикнутом усамљеничком хаосу, или би се ипак наљутио да није знао чија је рука мела и слагала.

„Смекшао сам", помисли по стоти пут.

Баци цјепаницу у ватру и поскида са себе фине, нове ствари, па навуче старе сукнене панталоне и бјелу кошуљу од грубог платна, а на ноге обу вунене чарапе. Осјети како се изгубио мирис болнице и како се он вратио себи. Завуче се под биљац и заспа опуштен, миран. На прозоре се жестоко намакао мрак, а ватра је још горјела кад се пробудио. На крај огњишта угледа шерпицу остављену на топломе, и сноп воштаних свијећа на троношцу. Старац се, по први пут, прихвати јела.

„Требаће ми снаге“, мисли и тјера у се још један залогај.

Хтједе опрати шерпу, али одустаде. Претражи погледом по колиби па се озари кад наиђе на свој штап. Није му се надао у животу. Није се ни сјећао гдје га је посљедњи пут оставио. Узе га и ослони се. Тешко се кретао. Сваки корак је био напор, свако устајање бол из утробе која је тукла кроз шавове и завоје. Руком је придржавао рану при сваком помјерању. Трпио је и није се бунио. Ниједном га није обузела жеља да због слабости све пошаље у материну. Није ни помислио пожалити се на судбину све то вријеме. Није размишљао шта га је снашло него се чудновато радовао изнутра откако се вратио и гледао у оне свијеће. Брзо се уморио па се поново врати у кревет. Заклопи очи неко вријеме као да га је сан свладао, а онда их отвори и рече гласно у ноћ: “Дођите! Вратио сам се!”

Док је чекао, ниједна сјена се не помјери.

„Шта ако су одустале од мене?“, уплаши се. „Видјеле да ме нема из ноћи у ноћ па ме напустиле?“

Стресе се од хладноће и бриге баш сад кад их је чекао и био спреман за њих. Ватра се угасила, а како мрак потпуно испуни колибу зачу се и шушањ у ћошку. Нешто се мрдало, и он окрену главу на ту страну. Шушкање престаде, али се из другог, супротног ћошка, зачу пакостан смијех који је на моменте прелазио у јецај, па у смијех, па у јецај.

Старац окрену главу у том правцу, кад оно утихну. Утихну све и завлада мук. Одједном неко поче рукама ударати о врата као да ће их развалити и истовремено се утваре почеше приказивати на прозору. Збијале су се и потискивале једна другу. Почеше се увлачити кроз пукотине у зиду, па Старац повика: „У ред!“

Најдном престају и почињу се повлачити све, сем нејасна обличја што се намјести на троношцу, насупрот Старчева кревета.

„Познао сам те“, рече Старац послье неког времена.

„Гдје и не би“, одговори глас.

„Знаш ли по чему сам те позно?“

„Не знам. По охолости?“

„Не! По коњу. Како си ушао, за тобом су рзали коњи и чуо се топот.“

„По томе ме памтиш?“

„Волио би. Ипак те памтим по охолости.“

„Знао сам! Увјек си говорио да сам охол.“

„Па зар ниси био?“

„Нисам“, глас ће.

„Ето, тешко је признати.“

„То што ми ти натураш, ја да признам?!“

„Увјек је овако било. Могли би унедоглед.“

„Можемо!“

„Е, нећемо! Доста је! Волио би да ми одговориш на нека питања. Хоћеш ли?“

„Хоћу, ако знадем.“

„Прво карабин. Одакле?“

„Из Беча.“

„Истину! Немамо времена за друго“, бијесно ће Старац.

„Мој отац га купио од некаква пробисвјета што је укро од швапског газде у Славонији. Какав је то ловачки карабин био, таквога овдје нико није видио, а камоли имо. Старог су сви по томе знали и завидили му.“

„Значи, ништа од оног да је спасио у рату аустријског заробљеника па му овај поклонио у знак сјећања?!“

„Јок! Није он ни видио рата. Крио се да га не одведу.“

Старац се промешкољи и покуша лећи на страну. Рана га заболи толико жестоко па се врати у првобитан положај, лежећи на леђима са мало надигнутим узглављем.

„Причај ми о бајему“, настави.

„Шта да ти кажем? Бајем ко бајем. Међа је прошла преко Тршљанове земље, а бајам засадио стари Мишина, па га свако

са својим правом својато. Онда је Иванка остала млада удови-
ца, а мој отац се понадо, и кад га је одбила, бајем се наставио.
Јела, моја мати, никад није волила Иванку, знала је. Због тога
сам се ја хтио нашалити и вратити све то оној главурини од Сто-
јана кад је Анка одлазила к њима, па га оптужим да ми у жену
гледа. Наставило би се и даље да се Душан није помјешао са њи-
ховом кућом и спетљо са ћерком им Мартом. Али, није крив ба-
јем, криви су људи. Данас више нема бајема, ни међе, све је вода
поплавила доље у Језеру. Нема ни људи.“

„Можда је Анка због те оптужбе брзо скончала. Волила је
Иванку, осјећала се кривом“, Старац ће више за се.

„И због тога, и због оне несретне дјеце што поумираше
онолика.“

„Зашто је ниси заштитио? Одговори!“

„Такви као Анка су преосјетљиви. Замјерила ми, окренула
се од мене.“

„Па си је казнио до краја тиме што си се настављао са Сто-
јаном?!“, сад је Старац повисио тон, а глас заћутао. Старац по-
че убрзано да дише, а онда удахну дубоко и смири се.

„Кајеш ли се?“, упита.

„Кајем се што нисам спречио Стојана да оде, и што нисам
поломио Чворуги обе оне криве ноге.“

„Питам те за Анку?“

„Тако је морало бити.“

„Е, мој Никола!“, Старац ће разочарано.

„Ти мене ослови именом, а ја твога не знам“, глас ће.

Старац прећу питање.

„А Душан?“

„Исти Анка! Од све жилаве дјеце, најмекши ми осто. Коња
није јахао, нит је знао радити, ни заповиједати. Од партије је бје-
жо ко и од куће. Занимале га Хурјине књиге и Симеонове при-
че. Због њега сам са селом завадио и на свој положај пљунуо
милион пута.“

„Љут си на њега?“

„Љут сам! Шта могу, моје је крви“, глас ће.

„Зар га ниси могао прихватити таквог?“

„Зар он није могао бити другачији?“, као да и глас у љутњи повиси тон.

„Вјероватно није“, Старац ће тихо и опет одћута неко вријеме. Потом настави:

„Шта је са Чворугом?“

„Пас!“

„Причај!“

„Храни пса да ти одгризе руку, ето то ти је! Извучеш сиротињу из бједе, а она ти на врат зајаши па би с тобом командовала. Није се најео док га ја нисам нахранио, нити га је ко погледо док га у партију нисам довео. Алава глава и кратак мозак-најгрђа ствар.“

Из камена у мраку засвијетли ситни свитац као да се још неко јавио својим присуством. Од врата се зачу пакостан смијех па Старац руком дохвати штап и баци га у правцу звука.

„Шта сам ти реко?!“, јави се наново глас. „Ни на своме ниси сам. Само шпијају, памте, и онда то упере против тебе. Зато идем!“

„Ниси ми све реко!“, панично ће Старац.

„Навратићу поново, не пали свијећу“, рече глас и наста мукла тишина.

Старац осјети како је остао сам у просторији. Са троношца је нестало оно обличје безоблично које је посјело, запричало се и у по приче нестало.

Упали петролејку и слабо свјетло освјетли простор. Устаде и прегледа ћошкове, завири и по рупама у зиду. Ништа се не помаче. На прозору мркли мрак. Отвори врата, нигдје никога, само хладан зрак улети споља. Док је корачао назад према кревету, прожеже га нешто у грудима и засмета му самоћа. Узе једну свијећу од оних четрдесет што му је Монах оставио, и упали је на пламену петролејке. Накриви свијећу, накапа топли восак на троножац и у то залијепи свијећу да боље стоји. Угаси петролејку и загледа се у пламен свијеће све док не изгори до краја.

Ујутро га је пробудила ватра која је пуцкетала са огњишта. У чуду је гледао у Анђелику која је сједила поред огњишта и пијуцкала кафу из мале термосице.

„Анђелија?“, упитно ће Старац.

„Добро јутро! Ја мало поранила“, дочека га са смјешком. Била је задовољна собом како је успјела заложити ватру. Никад то раније није радила. Топло је било у колиби, све прињето и ушушкано.

„Дошла сам завоје и љекове“, рече му.

Принесе кревету кесу пуну медикамената. Старац опази другу кесу, пуну хране, која је стајала мало подаље. Нешто га је погодило од момента како је отворио очи и угледао сав тај призор са Анђеликом. Успаничио се, није знао у ком правцу да пусти или задржи емоцију.

Томе услиједи наставак онако како је морало, по њему. Крв му се узбуркала и почела да кључа. Придигну се из кревета, и кад она приђе да му помогне, он је грубо одгурну. Узе кесу и гурну је према њој.

„На! Носи то!“, рече заповједнички.

„Носи све, ништа ми не треба.“

Анђелика се укочи на мјесту.

„Води свој живот и остави ме на миру“, додаде на њемачком тихо.

Она од збуњености оста стајати који минут, одрвењела, на истом мјесту. Потом се полако окрену и изађе из колибе. Готово се уплашила видећи како се у трену претворио у рањену звијер која је спремна растргнути било кога. Знала је да не смије толико на његову територију, а зашла је. Све је из неког разлога постало лично и који год би јој од разлога падао на памет, није био довољно добар: ни недостатак оца или дједе као мушке фигуре у току њезиног дјетињства, ни превелика доброта и хуманост, саосјећање у нечијој боли и напуштености од свијета.

„Све је глупо и неприхватљиво“, мислила је трчећи кроз шуму. „Бранио се“, у то је била сигурна.

Тек кад се тог дана потпуно смирила, паде јој на памет да отрчи начас горе, да му каже да је све у реду и да разумије. Попусти пред разумом тај бљесак слабости који се пробудио у њој. Одлучила је да га пусти.

Тог поподнева Монах је нашао Старца склупчаног на земљи недалеко од колибе.

„Пошао сам доље“, рекао му је и показао према Језеру.

„Слаб си. Мораш се опоравити“, одговори Монах док му је помагао да устане.

„Ко зна колико је дуго лежао“, помисли у себи гледајући земљу коју је ископао око себе у покушајима да устане. Био је немоћан старац у мршавом, неухрањеном тјелу, без жилавости и снаге. У томе он рече:

„Отјерао сам је! Отишла је!“

Монах схвати о коме Старац прича па се зачуди да уопште проговара са њим. Први пут му се обратио и разговара са њим. Знао је да сваки човјек кад-тад има потребу да се исповједи у име онога због чега се каје.

„Разумјеће она“, каже му, и он се привидно умири.

Остатак времена које су провели заједно, више нису размијенили ни ријеч. Старац се вратио у кревет. Јео је рибу из чиније коју је Монах донио док је овај ложио ватру. Смирени покрети Монаха и цијело његово благонаклоно присуство, неупадљиво и скромно, улише Старцу некакав спокој и мир. Цијело вријеме је размишљао о Анђелики и на моменте осјећао олакшање послије њеног одласка. Био је сигуран да је добро поступио. Није постојао другачији начин осим грубог и крутог става из којег је произашао исти такав глас. Љепим ријечима он не умије, а она би се враћала из сажаљења или без разлога. Овако учини лудост кад није сигуран у то што ради, па направи одступницу својом грубошћу да се не предомисли и да оном другом више не смије од стида прићи.

И управо то је радио, климао се и клатио у ономе што са сигурношћу није умио, па се послужио слабошћу да ријеши ствар. Био је свјестан да слабост није врлина која ће дати рјешење, већ лажа тјералица која ће искључити осјећај кривице да би ти је касније натрљала на нос у свом привиду лакомисленог рјешења којим те заварала.

Његов свијет је припадао прошлости, гдје није било мјеста за садашњост. Недостајало му је снаге и смјелости за такво шта, а и времена му је мањкало, па је лакше постало доступније и јефтиније, а боље непознаница и недокучива. Не би ни Монаху признао, док је био у болници у бунилу, колико се стидио руке која му је брисала ноге и сјекла прљаве нокте на ножним прстима. Срамио се свега онога што је тражио у њезиној необичној боји очију. Све је то било превише за њега. Није могао оживјети и није имао куд.

Ваљда га је топлина преварила па је заспао, онако слаб и болећив.

Кад је отворио очи, Монаха није било. Ту ноћ, у глуво доба, на прозору се појавише оне исте утваре. Уђе и сједе на троножац једна од њих што се прва проби, а остале се повукоше.

Старац је дуго посматрао у мраку, и учини му се како повремено засвијетли обличје са двије главе.

„Двије сте?", упита.

„Јесмо", одвратише у један глас.

„Једна лоша и једна добра?", он ће.

„Те смо, допола!", рекоше му.

„Како допола? Зар није свака за се?"

Почеше се смијати раздрагано као кад се дјеца голицају и ћушкају након што направе неку безазлену папазјанију. Препозна смијех који је раније већ чуо из ћошкова колибе.

„Видиш! Ми смо ти ко једно тјело са двије главе?", рекоше му. „И како би нас такве подјелио у двије, засебне?"

„Чему се смијете?", одговори Старац питањем.

„Лако ли је преварити свијет."

„Нећу са вама да се играм. Или реците или одлазите!", ухвати се Старац за свијеће.

„Чекај! Стани! Рећи ћемо ти!“, повикаше обе.

„Једна по једна“, одврати им он.

„Ја сам добра Дара, познајеш ме“, рече прва глава, и Старац се сјети мирне жене коју су у селу сви више вољели од друге сестре.

„Ја сам та добра“, настави она, „и ја говорим прва, јер сам одувјек била прва од нас двије, и код родитеља и касније у селу, иако сам се родила друга. Старом Симеону сам носила храну и помагала у селу за седмине и славља. Умјела сам бити повучена и несвадљива. Заправо, тако су ме гледали људи. Шта ћеш, виде само оно што им покажеш. Али тај несретни свијет зна бити суд и пресуда некоме за цијели живот. У годинама кад сам се требала удати, наружише ме како ми нешто фали чим ме хоће удавати преко сестре. Њу нису хтјели, а ја нисам хтјела остати усидјелица. Пошто је постојао некакав ред и ако би се ишло преко реда-одмах је навлачило сумњу на се. Пустише отровне језике људи по селу, и сви моји просци одустадоше. Само је Неда, гостионичарка, знала причу и познавала ме. Кад ти та погледа у човјека, прочита му најскривеније тајне. Онда би она говорила тајне мени, а ја преносила у село јер су мене озбиљније схваћали од те брбљивице. И тако сам ја враћала свијету за њихов немар према мени. Знаш оне нове ствари у мојој кући? Ја сам их узела од Симеона. Свакако му онако слијепом, нису служиле. Једном сам намјерно оптужила Мару да краде, кад је купила половну метлу, нека и она сноси кривицу недужна. Била сам ћутљива, а људи који ћуте и повлаче се-нешто и крију. Мара је по природи изгледала грубо и мушкобањасто, била је осорљива, а то људи не воле ни онда кад си поштен. Зато је она заправо морала бити лоша. Мање се обраћала људима, не зато што их није вољела, већ их се више бојала. Била је несигурна од малена. Вољела је животиње, а ја сам је тјерала да иде к овцама и да ради. Видјела сам како је од мене крила и она носила Симеону храну.“

„Зашто ти причаш у њезино име?“, упита Старац, потпуно збуњен.

„Она ти ништа неће рећи, ни о себи, ни о другима.“

„Ти си јој све бранила. И оно трпање воћа у трап је била твоја идеја. Ти си је на то убиједила да би се по селу жалила. Како ли човјеку само промичу такве ствари и не види јасно цијелу слику? Зар си ти она добра, а у ствари лоша Дара?“, Старац ће.

„Ха, ха, ха! Облик је облик, а садржина је друго“, она ће.

„Кајеш ли се?“, упита Старац.

„Да! Кајем се што се нисам удала. Живот би ми био другачији, била би и ја боља.“

„Не питам те за то.“

Она друга глава поче да се смије, па рече грубим гласом.

„Кад се сјеме заметне, проклијаће кад-тад, ко пркос.“

„Старац схвати шта му рече па јој се обрати:

„Причај, слободно! Зашто си се свађала са Чворугом на Локви? Због воде?“

„Нисам! Украо ми јање.“

„Желиш ли још шта рећи?“

„Симеон је био добар. Његова дјеца су нам помагала кад смо отишле.“

„Да ли је он знао ко је ко од вас двије?“

„Слутио је. Не, ипак је знао!“

„Како знаш?“, упита је.

Рекао ми је једног дана: „Иди, Маро, у Полен прије него вода дође! Откључај оне катанце на кући! Како ће другачије и тајна изаћи из ње?!“

Старац се присјети замандаљене и забрављене куће која је једног дана осванула широм отворених врата и прозора.

„Значи, то си била ти?!“ „Али, зашто сте једног обличја са двије главе?“, настави он.

„Да би биле допола добре, одпола лоше, а двије“, оне ће.

„То си ти смислила Даро?“, Старац ће.

„А ја сам прихватила“, Мара ће, и обе поново праснуше у смијех.

Старац напипа свијеће, издвоји двије и прије него ће их упалити, сјети се:

„Значи, ти си, Даро, оно јутро дошла по дивку и испишала се испод Иванкине куће?!“

„Још ти није јасно?“, она ће кроз смијех.

Он упали свијеће истовремено размишљајући да се, кад неко живи тако цијели живот са другом особом, може десити да стварно постану једна, допола.

„Идите с миром!...“, рече тихо.

*
*   *

Сљедећег дана, кад је Монах назвао Анђелику, рекли су му да је узела слободно и отпутовала за Њемачку. Зачуди га гдје се није јавила, али размишља зашто би.

„Вратит’ ће се“, умири га помисао, па крену да обиђе Старца. Тај пут га је нашао у шуми како спорим покретима пузи четвероношке, путићем ка Језеру. Био је сав од блата, изгребаног лица и изубијаних кољена.

„Ко зна колико му је требало да дође довде“, помисли Монах, подиже га и узе под руку.

Окрену се према колиби, али Старац се оте и окрену ка Језеру.

„Пашћеш и нагрдити се. Слаб си. Сутра, ево сутра, ја ћу те одвести до Језера“, рече гласно Монах. Старац застаде као да се премишља, па се поврати и дозволи му да га врати у колибу. Ослони се свом тежином на њега, не осјећајући ноге, па тако, корак по корак приђоше колиби. Монах му помогну да скине оно блато са себе и смјести га у кревет, натјеравши га да поједе сав садржај ручка који му је донио у шерпици.

„Сутра?“, понављао је Старац.

„Сутра!“, одговарао би Монах.

И ту ноћ, као и претходне ноћи, поновио се исти сценарио са утварама. Забринуо га је све мањи број истих на прозору, па се дуго загледа у свијеће. Ту исту ноћ, сједе спрам њега нешто што му се под слабом мјесечином у свјетлосним обрисима приказа као испупчени лоптасти облик без главе.

„Умрећеш“, рече му утвара.

„Не бој се, препознао сам те“, одврати Старац.

„По чему?“, утвара ће.

„По свему, највише по језику.“

„Бојао сам се да нећеш, због главе.“

„Гдје ти је глава, грбо једна?“, Старац ће.

„На конопцу“, одговори грба.

„Знам да си тако скончао. Чуо сам, али није се дуго причало.“

„Хоћеш да се осјетим увређено?“, грба ће.

„Нећу. Само хоћу да кажем да су рекли да ниси битан и да си добио шта си заслужио.“

„Па нису ми они судили. Сам сам себи пресудио.“

„То је још горе“, опет ће Старац.

„Ма, пусти њих! Ја сам дошао због тебе.“

„Реци, Чворуга.“

„Морам ти испричати како сам средио Николу. Ти никад нећеш разумјети како је то кад се ругоба пореди са љепотом, кад се подређени равна са вишима од себе, кад немаш моћ, а хтио би, кад те ниједна жена неће, а ти би. Да наставим: кад се сви брину о некоме, само о теби нема ко, кад сви пјевају, а ти сам. Могао би до сутра да ти набрајам колико све то гњева наталожи у човјеку.“

„Од свег гњева, похлепа ти најбоље стоји“, поспрдно ће Старац.

„Похлепа је дошла посље, кад сам осјетио власт.“

„Никола те из сажаљења од сиротог начинио поштованим“, рече Старац.

„Јесте, али сам мого више. Он ме увијек држао за прљаву работу, као своју продужену руку.

„Осјетио је да си циљао на више. Морао те држати под контролом јер, да си се отео, све би без милости погазио и живо и мртво.“

„Толико сам био незајажљив?“, упита Чворуга.

„Још горе од тога“, одврати му.

„Тешко је било стати, са мојим изгледом, са мојом ћуди.“

„Знам, видјело се.“

„Покушавао сам!“

„Лажеш! Ниси!“

„Не даш се преварити?“

„Знам те. Не могу се сажалити“, грубо ће Старац.

„Добро! Онда да ти кажем за Николу. Ослободио Стојана, а сам је правио списак кога да одведе. Попустио је пред Иванком. Једном сам му реко: 'Исти смо ти и ја, само ја наглас вичем, а ти подмукло збориш'. Сањао је о централном граду, почастима и мјесту у партији које ће му обезбједити удобан живот, а ја сам се потрудио да ЦК партије схвати колики је његов „велики“ допринос био у селу Полен и околини, и колики је утицај уживао међу људима да би било греота и велики губитак за цијели овај крај, поготово послије доласка воде, када се све љуљало од неповјерења и срџбе, изгубити тако утицајног одборника. Размишљали су дуго, а одлука је стигла мало прије воде. Одбијен је одлазак, морао је остати. Пошто су све боље куће већ биле заузете, додијелили му омању стражару у селу Брезе, по партијској дужности. А тако је био сигуран да ће отићи“, рече Чворуга.

„И сад си злурад“, Старац ће. „А хтио си бити он.“

„Вратио сам му мило за драго.“

„Па си му и Гарежа убио. Није ти било доста?“, Старац ће.

„И ти си желио да Никола цркне.“

„Јесам, у бијесу, али му никад не би наудио.“

„Не би ни ја да нисам морао“, смијао се Чворуга.

„Злотворе!“, повика Старац.

„Мислиш да у теби нема злотвора?“, опет ће у смијех.

Старац се исправи и дохвати штап, па поче бјесно млати-ти њиме кроз мрак док се не умори. Потраја тишина неко ври-јеме, а онда се опет јави Чворуга.

„Хоћеш ли да те развеселим?"

„Ти да неког развеселиш?!", рече му Старац.

„Рећи ћу ти зашто сам се убио."

„Како то може бити весела вијест?"

„Само ћу теби казати, за друге ће остати тајна."

„Слушам", Старац ће.

„Све сам љепо испланирао: преселићу се у нову велику ку-ћу, промакнуће ме у партији, имао сам и новаца. И онда…" глас му задрхти, „ и онда, кад сам требао кренути у бољи живот, по-дигнем се до греде да узмем свежњеве новчаница, све сложене и љепо поређане, кад оно… Тог сам часа и црк'о."

„Шта је било тог часа?", упита га.

„Миши! Све новчанице изјели миши. Дошли гредом са та-вана и појели мој живот."

„И ти си јео туђи, на свој начин. Вратило ти се", Старац ће хладно.

„Нисам тако заслужио! Био сам опет нико и ништа. Све што сам стекао, нестало је. Сваку ноћ ја сам то бројао, миловао и био срећан. Од муке, одлучио сам. Узео сам канап и објесио се о ту исту греду."

„Морам ти нешто рећи", Старац ће. „Сви су знали зашто си се убио."

„Лажеш!", ражести се Чворуга.

„Не лажем. Нашли су те заједно са остацима новчаница разбацаним по поду. Није било тешко закључити."

Чворуга се притаји и зацвили.

„Нека им! Није ми право, ипак се не кајем", рече Чворуга напосљетку.

„Због чега?", упита Старац.

„Ни због чега! Можда само што нисам побио све мишеве", поче се грохотом смијати.

Старца обузе нека језа од гласа и смијеха безглаве утваре коју назва Чворугом, па не рече више ништа него запали свијећу. Како је свијећа горила, тако је свјетлост обасјала собу и троножац на којем нико није сједио. Ни трага не би од утваре ни од приче. Сједио је Старац тако док није свануло. Чудио се у себи колико је отупио на све што га је некад кињило и јело.

„Чудновато како све у животу у једном тренутку постаје равна црта. Ликови и ријечи, емоције, све, све се спаја у ту црту без и најмање амплитуде. Само треба препознати моменат кад дигнемо руке од себе и све у вези са собом претворимо у равно.“

„Да ли тад престајем да дишем?“, питао се.

Није долазио до одговора ни кад би ствари посматрао из овог и оног угла, из различитог времена и у другачијим условима, од дешавања у дјетињству све до старости.

„Да ли одговор постоји?“, питао се. „Шта ће он објаснити и ако постоји?“

Ријеч, људе, вријеме?… Шта тачно и колико прецизно дјелимично да од свих дјелова и дјелића буде сажета цјелина читавог живота. Била би то ситничава и недоречена минијатурна разгледница нечијег живота са висећим привјесцима на тоне, који се спуштају и цуре са те разгледнице, од свега онога што није могло стати и бити обухваћено. А кад се све не обухвати, нема потпуне цјелине, а оно што се изостави могло је баш имати непроцјењиву одредницу некога и нечијег живота, а да нисмо ни били свјесни тога.

„Онда би и сваки одговор остао дјелимичан“, закључи Старац.

Умори га све то размишљање којим је убијао вријеме чекајући да сване. У ствари, чекао је нешто друго и некога другог. Знао је да ће Монах доћи и да ће данас опет гледати у Језеро. Зато није марио за сан ни за било шта друго, само је чекао. Узврпољио се, унервозио гледајући кроз прозор. Монах је дошао око поднева и, док Старац није појео све из шерпице коју му је донио, не хтједе кренути. Сва гордост се повукла из Старца па је више личио на оно мало дјете које послушно извршава свој задатак ради обећане награде. Да је било другачије, одавно би он отјерао Монаха и цјели свијет који би се усудио крочити к њему. Монах га ухвати под руку да га поведе, а он му одгурну руку и крену испред њега. Стигао је до шуме кад су ноге почеле да га издају. Окренуо се према Монаху оног часа када је цијела шума почела да се врти око њега.Он га ухвати и Старац се свом својом мршавошћу ослони на њега. Морао се зауставити и предахнути да би наставио даље. Овај пут се ослонио на Монахову руку, без ријечи. Дуго су прелазили пут којим би се доскора Старац у скоковима зачас нашао на Језеру. Одмарао се и застајкивао често, запињао о камен и шикару као да је први пут крочио туда. Онда је дошао до мјеста гдје је видио воду, па ближе, до свог камена, и прије него ће сјести, рече Монаху:

„Остави ме самог!“

Он му помогну да сједне и непримјетно се изгуби. Старац никада не би ријечима умио објаснити како се тад осјећао. Ниједан опис није довољно добар да погоди у центар полудјело тјело које је поскакивало од среће. Дешава се то у понекој ситуацији кад наново приспојите отуђени дио, одвојен од другог дјела уз који је било срасло. Тако би свијет описао Старца на камену, на узвишењу над Језером, само да је могао да га види.

Потпуно стопљен са околином, укочена погледа и држања као сталактит у подземљу око којег је на све стране вода. Дуго је гледао у оно исто мјесто на Језеру гдје израња звоник, па је погледом кружио по Језеру не би ли видио кога. Као да одахну кад се увјери да је сам. Додуше, знао је да зими, по хладноћи, људи бјеже у куће и, кад потјера бура са Свилаје, носи све живо пред собом. Њему није сметала хладноћа, иако више није осјећао прсте на ногама. Чинило му се да је тек био сјео кад се по други пут појавио Монах и пребацио ћебе преко његових леђа.

„Мислиш ли да се звона из воде сигурно чују?“, упита Старац и показа му руком да сједне до њега.

„Мислим“, одговори он.

„Зашто ли се чују? Да ли их покреће струјање воде кад бура подивља и југовина нанесе кишу, или је нешто друго?“

„Шта би ти волио да је?“, упита га Монах.

„Волио би да вјерујем да су жива сјећања и да није заборав. Зато што испод ове воде лежи моје село Полен. Ту сам се родио и одрастао. И ово што је сад вода некад је била Долина. Неко је одлучио да треба потопити тринаест села да би се саградила брана. Као, боље ће се снабдјети струјом велики град. Али ником то није донијело срећу, нити се много рјешило. Само се народ напатио, оставио куће и гробове, расуо се, неук и нејак, јер чим му откинеш изданак из земље, учиниш га слабим. Ко зна да ли ће опет проклијати и у најбољим условима.“

„Тако је морало бити“, Монах ће.

„Можда је морало, али није требало.“

„Божја воља.“

„Нема правде на овоме свијету“, Старац ће на то. „Сами је дијелимо и сами скрнавимо.“

„Правда је у Божјим рукама“, Монах ће.

„И суд и опрост може бити и у човјековим“, говори Старац.

Зађуташе обојица, гледајући у воду. Посље неког времена Монах ће:

„Шта је са заборавом?“

„Чувам га.“

„Од кога?“

„Од самога себе. Ако заборавим, ко да и не живим, ако не заборавим умрети не могу.“

„Па, шта ћеш?“

„Ништа! Између заборава и заборава нема ништа. И ја сам дио тога ништа.“

„Опрости, Старче, олакшај душу“, рече му на то Монах.

„Ех, добар си човјек у тој мантији“, Старац ће, „чист и милостив.“

Замисли се, па у себи настави своју мисао: „И ја сам дио тог ништа, као летимичан прострел у ваздуху и времену, без зрака у плућима и без времена које откуцава ТИК-ТАК…“

Паде му на памет цитат који је давно прочитао у Новалисовој књижици: „Требало би се поносити болом. Сваки бол нас подсјећа на наш високи положај“.

„Чудно! Откуд сад то?“, мисли Старац.

Монах у неко доба устаде видећи како су Старцу помодриле усне од хладноће.

„Морам ти још нешто испричати“, поче га овај заговарати.

Направи малу станку па неочекивано упита:

„Ти мислиш да сам ја безбожна луда?“

„Свако биће је Божји изданак“, одговори Монах.

„Мислиш, сигурно?!“, Старац климну главом и загледа се Монаху равно у очи.

„Мора и у теби бити дјелић оног човјечјег, макар нека погрешна мисао“, рече му.

„Желим да се увјерим да доброте нема“, наставио је, уносећи му се гордо у лице.

„Вјерујеш ли заиста у то?“, упита га Монах.

„У шта да вјерујем? Шта је вјера у нешто? Казна!“

„Вјерујеш у она звона из воде, сигуран сам.“

„То не дирај! То је друго! Једном сам обећао да ћу чувати све оно што сам волио и нисам успио. Све што је мени вредило сад је под водом, и то нисам успио промјенити. Једино што ми је преостало је звоник са цркве, који је изнад воде. Ни њега нећу још дуго чувати ни сачувати.“

„Велики је терет на твојим леђима, Старче“, Монах ће на то.

„Никад нисам ушао у твој Манастир откад се обновио, јер сам се бојао. Још су ми чисто у глави камени зидови, плоче најстаријег Манастира доље у Полену, код Старог моста, гдје смо се као дјеца играли. Симеон нам је причао о братији, о Турцима, о томе колико је пута рушен па обнављан, и како је монаштво бјежало са живљем да би се увијек враћало. Знаш ли да постоје пећине ту, у Свилаји, гдје су се крили и сакривали списе и иконостасе? Ја познајем те пећине. Колико сам само пута преспавао у њима. Сигурно и ти знаш писаније о томе боље од мене, али ја сам видио. Ја сам гледао и рушевине Манастира што га је вода поткопала, и гледао у тај исти, измјештен на другом мјесту, у селу, крај шуме, даље од воде. У тај сам кришом у оно вријеме одлазио и слушао звона. Ова иста звона што сад вире из воде. И сваки гроб сам напамет знао: ко се како звао, колико је живио, ко је ко био и од којих у селу. И знаш ли шта је онда било? Вода! Дошла је проклета вода и све потопила. Ни ти ми не би вјеровао да не гледаш својим очима у то што ти причам.“

Застаде на час па настави:

„У међувремену је настао твој Манастир. У ствари, то је онај први, само три пута сељен и премјештан. И то сам гледао својим очима док га нису разорили кад је почео рат. И у разорен сам први ушо да би чистио гареж и брабоњке. Онда годинама никога није било сем мене. Једино мени је остало да чувам и онај у води и овај твој. После су дошли људи, ударили плочице са својим именима и постали познати доброчинитељи чија се имена читају при молитви. И како су они дошли, обновило се братство манастира који је оживио са вас два-три монаха ту, а ја сам обећао себи да у порту крочити нећу. Чувао сам и нисам успио. Не знам да ли је било све до мене, али сад је ред на тебе.“

Старац се закашља и поче се борити за ваздух. Монах га подиже са камена и полако како дође себи, успије да га наговори да крену ка колиби. С почетка је једва покретао укочене ноге, касније је лакше ишло, као да се разрадио и удахнуо снагу са Језера.

„Привид“, мисли Старац, „Знам га. Неће ме преварити.“

И Монах се изненади гдје Старац корача ојачалим покретима ногу, али се ни он не даде преварити. Схватио је колико је то све било претешко за Старчево стање, и да су моменти воље за животом можда краткорочно јачи од најјаче силе, свјесни да смо у старту од ње поражени.

„Ко зна какво лудило је у нама и на шта је све спремно“, мисли истовремено Старац.

Кад су стигли пред колибу, почео је да се саплиће и пада, па Монах примјети како се тресе у грозници. Помогну му да сједне на кревет, умота га у биљац и пребаци преко гуњац и капут. У колиби је било хладно, па он наложи ватру. Да није било пуцкетања ватре са огњишта, ни живи дах се не би чуо у колиби ни кад је мрак пао.

Монах потражи по полицама конзерве са готовим јелима. Узе једну, загрија је мало на огњишту и даде Старцу да поједе. Старац је пратио сваки покрет Монахових руку које је опет пратила танка чоја дугачког рукава на мантији. Ти рукави су се на крајевима ширили и, како су лебдјели кроз ваздух при уједначеним покретима руку, Старцу се учини да црна боја тканине није црна него голубије сива, чак и свјетлија, и учини му се да су то крила оних његових голубова, раширена у замаху. Посматрао је покрете који смирују и размишљао јесу ли то ипак она иста два голуба. Осјети како је престао да се тресе па побаца отежали гуњац и капут са себе.

У колиби није било никога, остао је сам. Голубови се изгубише и он западе у процјеп између оног што је мислио и чинио, и онога што је било стварно. Осјети да мрзи Монаха у том трену и да би га само да је у одори обичног човјека, без грижe савјести могао гурнути са оне литице у Језеро. Да је био утвара, људски би са њим причао, тражио да се покаје и намјенио му свијећу. У тој мржњи му је и завидио. Признао је поштено себи да му је завидио на миру и спокоју који је носио у себи и ширио око себе, па се и сам дао преварити надом.

„Додуше, ту сам сам себи крив“, мисли.

Сметало му је његово ненаметљиво присуство, његова понизност и једноставност. Није то њему било земаљски, иако му је било пред очима. Не би никад признао да му је годио судар таквог једног свијета са његовим хаотичним лудилом живота скројеног од прошлости и нетрпљења садашњости. Све више је постајао гадљив према самоме себи због ствари о којим је све више размишљао. Гадила му се његова себичност којом је затворио врата пред Анђеликом таман кад је закорачила праг, да уђе у његов мизерни живот.

„Спасена је“, мисли, и то га тјеши.

Зашто ли је уопште пустио да му се приближи? Признаје себи да је дозвао зато што му је требала као дах којим је оживио. Само накратко морао је да удахне и поживи. Због тога је морао стати у једном тренутку, стати и поставити границе себи и ономе што је људска себичност захтјевала за себе. Да није стао, можда би искористио да исиса сваку честицу снаге из њезина живота, остављајући иза себе живи женски леш. Искористио би је свјесно да би себе спасио, а она би свјесно дозволила да буде жртвована. Зна он, свјестан је свега, али је јаче и од њега самога, јер је људски проклето и не да одолити.

„Мрзим све што је људско кад препознам ту поган у себи“, мисли Старац.

У томе га чуди како Монах није отишао до сад. Тјерао га је одувјек собом и оним што је био. Замисли се колико већ има да Манастир није пуст. Поодавно. Чини му се, има више од цијеле године, можда пуне двије. Сјети се како је иза стабала бора пратио сваки нови камен и циглу која би се стављала. И тај дан је био на истом мјесту гледајући како улазе људи у матијама, звоне звона са новог Манастира, одјекују планином и Језером. Срце му је оживјело од среће, а онда одмах обамрло од страха. Побјегао је са тог мјеста и наставио да гледа издалека, са свог камена, правећи се хладан, без осјећаја и стида. Сузбијао је осјећања, упињући се да их обузда и угуши све што дише у њему. Такав је остао и кад га је Монах срео на путу, неколико дана посље. На његово: „Помоз' Бог", није отпоздравио. Само је застао ко да се смео и брзином дивљачи шмугну у шикару. Сутрадан га је исти тај Монах нашао на камену, неком пуком срећом или божјим прстом. Чудно да му се није обратио, само га је посматрао из близине све док није отишао. Сљедећи дан му је први пут донио храну у металној посуди коју Старац није удостојио погледом. Монах је наставио од тог дана па свих наредних, до данашњег. Никад није изостала мала чинија са скромним садржајем. Старац се инатио, пркосио и чекао да се Монах умори.

„Како се десило да сам се ја уморио?", запитао се Старац на крају.

Наједном се трже и отвори очи. „Зар сам заспао?", помисли и огледа се око себе.

Спавао је дуго и, кад погледа кроз прозор, није био сигуран да ли мјесечина толико јако свјетли извана или је јутро пред свитањем. Устаде да отвори врата. Хладноћа јурну споља, при чему сав задрхта. Остаде на прагу, не вјерујући сопственим очима каква је мјесечина ипак била-да се све видјело ко да се раздањило. Био је сигуран да овакву у животу није доживио. Цијели простор је видио испред колибе, чисто све до шуме и остатака других колиба. Видио је одраз камена као на стаклу, и учинише му се колибе већима. Стајао је тако на прагу све док му се не учини да се чистином неко запутио ка њему.

Уђе унутра и затвори врата. Како је окренуо леђа вратима, тако се зачуло лагано куцање.

„Уђи!", рече Старац наглас. „Чекао сам те."

Осјети слабост у кољенима па једва настави ка кревету. Трајало је његово споро намјештање као да је хтио одложити нешто прије него је подигао поглед. Пред њим је стајала женска фигура, толико јасна да јој је могао видјети сваку црту лица.

„Био сам данас на Језеру", започе први Старац.

„Знам", одговори она.

„Дозвао сам те из воде?", упита он.

Она не одговори на то него рече: „Позвала сам некога у госте.“

„Душана или Марту? Обоје?“, он ће.

„Није. Они ће ти доћи насамо. Погледај!“

У то се она помјери у страну, и на њено мјесто стаде неко или нешто. Старац није видио лик, ни тјело, осим што позна ивице дугачког бјелог мантила.

„Хурја?!“, запрепашћено ће Старац.

„Хурја“, потврди дубоки мушки глас. „То ми је мјесто имена. Више би волио да ме ословљаваш мојим правим именом. Зовем се Фридрих.“

Старац је зањемио од изненађења.

„Фридрих?! Па ти си Њемац“, рече. „Нисам знао.“

„Нико ти није имао рећи, јер нико није ни знао.“

„Како? Ниси ни личио на правог Немца, говор ти је био савршен.“

„Полако, полако, све ћу ти објаснити. Други свијетски рат је и ја сам у то вријеме послат на Балкан, по распореду у војни стационар на сјеверу земље. Сав мој нацизам је био у томе што сам био једино и потпуно посвећен медицини. У ствари, волио сам медицину и дао сам заклетву. Од рата сам само видио рањете дјелове тјела, осакаћена трупла, без очију и удова, крв по плафону и подовима, умирање и страх. Ако узмемо да сам потекао из угледне њемачке породице и да су ме породично гледали као особењака посвећеног раду и професији, онда ћеш можда боље разумјети зашто сам остао. Кад смо се почели повлачити пред Црвенима, са војском се повлачио и дио њемачког народа који је ту живио још од доба Терезије. Неки су и остали. Скупили их у сабирни центар тј. једну кућу у центру села, коју су звали Домом, одакле су их пуштали да иду одмах за Њемачку са оно мало ствари у рукама. Остале су ријетке породице на својим имањима, оне што нису биле у њемачкој заједници, па их нико није дирао или су се изјашњавали као симпатизери партизана. Остале су празне куће и имања, богат празник бесплатне туђе муке за гладне очи и похлепне прсте. У томе је још било одмјеравања снага кроз пушкарања из освете или кукавичлука. И ја сам судбински заостао иза свих, па још више одоцнио, пружајући помоћ човјеку из села у кога су пуцали. На његову срећу, прострелна рана, а на моју-не толико тежак захват. Уњели смо га у кућу и, док сам му пружао помоћ, већ су дошли по мене да ме воде у логор. Сачекали су да завршим, па ми одузели докторску торбу и онда су ме одвели. Тај дио непосредно послије тога ти прескачем јер нема ничег занимљивог ни љепог у заробљеништву: само си заробљен, ништаван, роб и изгнан.

После мјесец дана одводи ме његовој кући исти онај човјек којег сам спасио, чиме постајем заробљеник и слуга у његовој кући. Добио сам сељачку одору и први стан у амбару са кукурузима, и први пут се најео после дужег времена. Газда Микуш је био мали, набијени човјек, пун предрасуда. Зашао у шездесете, са истом грубошћу се односио према својој жени и према другима. Са мном је мало причао, чинило се да ме избјегава.

Мој животни простор је био у дну дворишта. Касније су ми уредили једну шупу за становање. Главном дјелу куће нисам се приближавао, осим онолико колико су захтјевали кућни послови. Радио сам све на земљи и имању, није било другога-пољопривредни крај. Руке су ми биле попуцале, у жуљевима. Огрубио и мршав, личио сам себи на врану.

Стара газдарица није била лоша, али се бојала мужа. Учила би ме језику, јер је стари тражио да причам са њим искључиво на српском, и никад ме притом није гледао у очи. Кињио би ме ако нисам знао нешто исправно рећи, па је изостала вечера, посао би се дуплирао… Стара није вољела то што је радио па би ме још више подучавала ријечима. Касније сам схватио да ми је чинио услугу. После годину служења, усред ноћи ме је дигао и одвео у другу кућу, недалеко од своје.

„Спаси је", наредио ми је промуклим гласом.

На кревету је лежала млада жена, већ измрцварена, у трудовима. Сеоска бабица се повукла са стране, немоћно гледајући у ситуацију која је измакла контроли, док је стара газдарица тихо плакала крај кревета. Руке су ми дрхтале. Нисам пришао пацијенту више од године, а био сам свјестан да спасавам и свој живот. Беба је кренула наопачке, било је очигледно, а услови за царски рез непостојећи. Док сам се презнојавао, од муке, сјетих се, како сам као дјете гледао ветаринара који је теле руком гурнуо натраг у материцу и окренуо га. Урадио сам шта сам могао, ни сам не вјерујући у добар исход. Кад ми је газдарица донијела обилан ручак и колаче послије неколико дана, рекла ми је 'Задужио си нас по други пут. Спасио си нам јединицу', а ја сам знао да сам спасио свој живот. После су ме тражиле друге куће. У неке сам редовно, додуше у тајности, одлазио док се газда Микуш није уплашио. Сигурно је постало опасно.

Једно јутро у зору донио ми је потпуно нову докторску торбу, нешто спреме и хране, дао ми смотак папира у руку.

'Од сад се зовеш Хурја. Иди на југ, према мору, у село Дорјан. Јави се одборнику Мирку. Кажи да те шаљу са сјевера и покажи му ову књижицу. Реци да си доктор и ни ријеч о овоме, о нама или било чему другоме.'

Ја сам после краткотрајног изненађења, почео сталожено размишљати и схватим да ме шаље или у смрт или ми даје шансу.

'Иди, ја сам своје одужио', рекао ми је и затворио капију за мном.

Остало знаш."

„Могао си да одеш било гдје", рече Старац.

„Нисам! Схватио сам, газећи преко непрегледне равнице у промрзло јутро, пуно сумаглице, да сам се изгубио у том простору и тој ширини, и да више немам ни дом, ни поријекло, ни војску, ни газду. Ништа нисам имао сем црне докторске ташне. Она ми је била једина могућност да се вратим себи. Једном кад постанеш нико у свијету, онда ти буде свеједно што ништа немаш и никога немаш. Имао сам само оно мало што сам могао пружити кроз звање, и тиме сам добио више од онога што сам заслужио. Све сам то по сто пута извртио и сагледао у глави, газећи преко њива у рану зору.“

„У Дорјану нису питали?“, Старац ће.

„Требао им је доктор“, одговори Хурја.

„Осјећам се кривим“, рече Старац.

„За шта?“

„За сва питања која сам ти постављао. У неке ствари не треба дирати.“

„Трајало је свакако дуже него сам очекивао“, рече Хурја, мислећи на свој живот.

„Нико за то не може бити крив“, додаде прије него ће зашутати обојица на неко вријеме.

Старцу се почеше приказивати слике везане за Хурју из времена из којег га памти. Сваким трептајем искочила би нова слика, и он их је листао без реда и хронологије.

Ко зна колико би остао у том стању да Хурји није досадило, па се прво стао накашљавати, а онда упита:

„Љутио си се што сам отишао?“

„Ниси отишао, одвели су те. Гледао сам!“

„Да ме нису одвели, отишао бих сам.“

„Не би! Само тако кажеш“, Старац ће.

„Можда си у праву. Него, шта је било са стварима?“

„Књиге су спалили, ствари раздијелили коме је шта требало и не требало. Столицу је Никола изломио и бацио у ватру, а грамофон је нестао у прво вријеме, а послије се појавио код Неде у гостиони.“

„Знаш ли шта је интересантно?“, на то ће Хурја, без иједне реакције, као да је све тако требало бити.

„Шта ту може бити интересантно?“, упита Старац.

„Столица! Стигла је једног дана са сјевера, адресирана на моје име, без адресе пошиљаоца. Само број поште. Газда Микуш! Знао сам да је он. Зашто, због чега-дуго нисам знао.“

„Можда се човјек никада довољно не одужи за добро, ко ни за зло. Можда је желио одати пошту оним стопама по узораним браздама властелинских њива, или је просто био спреман погледати те у очи“, замисли се и Старац.

„Дуго сам размишљао о томе, али ме ниједан одговор није задовољио. Наједанпут сам престао да размишљам и почео сам да наручујем књиге преко исте те поште на Сјеверу. Све је уредно стизало. И грамофон је тако стигао.“

„Ко је, на крају, то слао?“

„Одборник Мирко ми је одао послије неког времена да је газда Микушева ћерка, она иста коју сам спасио на породу, радила у малој сеоској пошти на Сјеверу, и да је посљедња жеља њезина оца била да баш ја добијем ту столицу.“

„Зашто баш ти?“

„Зато што је то била једина ствар коју је он узео из богате швапске куће кад су ове протјерали. Замисли, богати газда који није одолио столици на љуљање, резбареној ручно, од најквалитетније ораховине.“

„И остало је слала?“

„И остало. Набавила би преко богатих породица једног Јеврејина и оних њемачких фамилија које су остале.“

„Мислиш ли да је савјест јача од гријеха?“, на то ће Старац.

„Подједнако су јаке. Вуку једна другу док се прожимају. Да гријеха није, не би ни савјести било. Кад си савјестан, зашто онда да гријешиш? Видиш, и савјест је дјелом у гријеху, и гријех је дјелом у савјести. Све то под условом да савјест у човјеку постоји као у некој разумно прихватљивој људској јединки. Он је узео столицу, неприпадајући је присвојио, због савјести да би се очистио од гријеха, враћа је другом Њемцу, тј. мени. Ја је свјесно узимам себи, ја сам ту грешан, јер је подједнако желим неприпадајући, да би себично себи удовољио, оправдавајући сам поступак грешења од самог почетка, али моја жеља и похлепа су у том моменту веће. И колико год се љутио на Николу, он је у свом незнању можда најмање грешио, у вези столице, од свих нас.“

„Он је све уништио, и ствари и људе“, Старац ће.

„Чворуга је потказао, пратио је Душана. Онда су нашли књиге на њемачком, и Никола је био љут зато што је мислио да тиме трујем дјечака. То је био његов начин да заштити сина.“

„Није заштитио ни њега, ни народ. Више нису имали доктора Хурју“, рече Старац.

„Знао је да ће се све живо иселити због бране.“

„Ти ко да га браниш?“

„Лако је гријешити. Теже је заћи у разлог због којег се гријеши. Готово никад не крећемо од узрока.“

У то се из чиста мира нагло отворише врата и Старац се прену.

„Вријеме је“, рече мирно Хурја.

„Не! Не иди!“, повика Старац, и откри биљац са себе канећи да устане.

„Вријеме је“, понови Хурја и помјери бјели обод мантила са хоклице.

„Ниси ми рекао како си умро“, Старац схвати да га не може више задржати.

„У камену, од дијареје. Жао ми је што нисам могао никоме помоћи ни себи, ни другима на отоку глади, усред мора гдје, сем камена и сунца, ништа нема. На том мјесту и слана вода и сунце су гријех.“

Старац је жмурио кад су се врата сама затворила и троножац се испразнио. Најед
ном се сјети да је у колиби био још неко, али кад је отворио очи ниједан обрис при мјесечини није се помјерио и ниједно обличје се није церило на прозору.

Месечина се потом изгуби, настаде мрак око њега и он утону у њ.

Ако је заспао, потрајало је кратко. Неко га је вукао за рукав говорећи:

„Ајде, пали те свијеће. Немамо пуно времена.“

Кад је отворио очи, свијећа је догорјевала. Није се сјећао да ли ју је баш он упалио.

„Одмах пали и другу, ова само што се није угасила“, рече неко.

„Не могу“, побуни се он. „Нисам још све видио ни све чуо.“

„Пали!“, глас ће. „Нема времена! Ја ћу ти све рећи.“

„Послушаћу“, Старац ће, „али ја питам.“

„Почни!“, помирљиво ће глас који је долазио из пламена свијеће.

Био је то исти женски глас који је довео Хурју, само се лик изгубио.

„Марта је плакала над оним безименим гробом на ободу гробља?“

„Тамо се покапају некрштени.“

„Мислиш на комунисте?“

„Не! Мислим на мртворођене.“

„Зашто није плакала над гробом своје браће?“

„И ово јој је био брат, близанац. Осјећала је да јој увијек недостаје један дио ње.“

„Чудно! То нисам знао.“

„Не можеш све знати. За нешто се и не пита, а нешто се таји.“

„Тајило се?!“

„Није. Хтјело се заборавити па се прећуткивало.“

„Јово?“, Старац ће. „Шта је било са Јовом?“

„Умро је на путу још ону ноћ кад су он и Стана кренули са дјецом у Срем, код родбине.“

„Није био стар“, Старац се замисли.

„Био је болестан. Докрајчило га је што је морао отићи.“

„Како то да нико није чуо за њих откако су отишли?“

„Стана није дала. Кривила је село за Јовину смрт и никад се никоме није јадала. Јову су покопали на туђој земљи, у Срему. Да је бар несретник крочио на њу, него су га само положили“, застаде глас и некако се утањи у жалости. Настави потом:

„Знам да ћеш ме питати за Стану. Претворила се у убогу сиротињу без новаца и Јове. Родбина их се брзо заситила па отарасила. Дали им празну швапску кућу и јутро земље. Заједно са дјецом је ишла у надницу да би се прехранили. Крали су из шуме дрва да се огрију уз шпорет. Све вријеме је Стана псовала и клела Јову. Ко да јој се то враћало и љепило на стомак и руке. Није дуго издржала. Побољевали су и, ко да их је куга смлатила, поумирали једни за другима. Остао најстарији син и најмлађе женско дете. Њега примио неки столар за ученика, сажалио се, па је брат послије бринуо о сестри.“

„Е, Јово, Јово!“, Старац ће тужно.

„Да, тужно је кад добар даш себе па ти од себе и доброга остану кости које ни оглођати не можеш. Од поштења поштен страда и уништи потомство. Па ко је онда ту луд, а ко добар?“

„Не дам на Јову“, љутито га поче бранити Старац.

„Сад је касно. Љепа ријеч је пуста и закасни да нахрани гладна уста. Потомци забораве дјело из доброга и једног ће га дана назвати будалом.“

„Немој тако“, Старац ће.

„То ти је чела истина. И сам знаш колико сам ја волила Јову и Стану, али сад више нема никога да прича како је велики одборник био поштен добар човјек у народу и за народ. Нема вајде! Ни смисла!“

Старац дубоко уздахну и припали неколико свијећа да горе истовремено.

„Ко да говориш о себи?!“, рече Старац кад су свијеће до пола сагорјеле, сљепљење једна уз другу. Пламен је неправилно бацао свјетло по колиби и докле би му допирали краци могло се видјети. Поново је јасно видио старицу на троношцу, гледајући кроз центар самог пламена.

У најзабаченијем ћошку у колиби, на трен, се приказа још једна фигура. Старац упиљи поглед у младу мушку особу која се пријатно смијешила из полутаме. Старац се трудио да препозна лик који му се приказао, али га није познао ни из дјетињства, ни младости. Онда пређе копати по каснијем периоду живота, све до коначих дана кроз блиједило догађаја и ликова који су се приказивали. Мучио се једно вријеме, па кад је видио да неће успјети окрену се женском лику за помоћ.

„То је Јован“, рече му она.

У то приказа младог човјека гдје у непрекинутој ћутњи испружи руке држећи нешто у њима. Старац се придигну вишље на узглављу не би ли боље видио и, у моменту кад је препознао садржај у рукама, остаде ужаснут. Осјети нагон за повраћањем који му се издигао из утробе. Јасно је видио људски орган срце у младићевим рукама, низ које се сливала топла крв. Срце је још ударало, живо пулсирајући, док се из њега пушило од врелине.

Старац се нает од призора и брзо узе да запали свијећу како би прекинуо то лудило пред његовим очима.

„Запали двије“, јави се женски глас са троношца. Глас га збуни. У то погледа у правцу оног ћошка и видје гдје се придружила још једна женска особа оном мушком лику, и то дјевојчица, сва у гарежи, од главе до пете. Она се приљуби уз мушки лик и наслони се на његову руку. Смијешила се мило, гледајући празно према кревету.

„Господе Боже“, промрмља Старац, по први пут узимајући његово име у уста. Запетља се од дрхтавих руку и једва запали двије свијеће. Фитиљ је горио невјероватном брзином и восак се топио док не сустигну оних првих неколико сљепљених свијећа које су догорјевале до пред крај, а онда се уједињише у истом ритму нестајања. Соба је мировала и ни трага не би ниокуда, осим оне старице која је и даље мирно сједила.

„Ко је Јован?“, упита је.

„Јовин најстарији син. Девојчица је најмлађа кћер.“

„Зар ниси рекла да су они преостали?“

„Само су заостали, а онда сустигли своје“, рече. „Несрећа! Гром ударио у кућу и све спалио“, горко додаде.

„Господе Боже“, опет ће Старац. „Не остаде нико.“

„Нико!“, потврди она.

„А, срце?", он ће.

Она се опет горко насмија, а он замисли.

„Јово је умро од срца", рече она. „Издало га је као и сви што су га издали. И он сам је издао себе кроз то срце."

„Упумпаваш ли превише добра у њега, исто као и зла, не може издржати. То си хтјела да чујеш од мене?", Старац рече.

„Боље да га није ни имао у том неорганском смислу", она ће.

„Осјећам како опет говориш о себи."

„Пусти мене, ја нисам битна. Говорим о теби."

„Тако си се понашала цијелога живота", љутито ће он. „Сви су ти били битни, осим тебе и сад се искаљујеш говорећи о срцу, и намећеш ми енигму."

„Желим да сагледаш ствари", она ће.

„И зато ми потураш срце под нос, било Јовино, моје или твоје. Увијек је ишло испред нас самих према другима."

„Добро си то рекао-према другима."

„На то ми указујеш цијело вријеме?"

„Наводим те на рјешење енигме кад је срце орган управљања."

„То је врло једноставно, судећи како сте Јово и ти окончали. Морам само да те подсјетим на Чворугу. И он је имао орган управљања, и то према себи, ако је у томе разлика, па је и он окончао висећи о греду. Не разликује се то нимало од оног што си ти урадила, склопила очи, легла и чекала."

„Била сам... Помијешала се усамљеност и очај", поче узмицати њен глас.

„И Чворуга је то исто мислио", Старац ће, „а он је заиста и био сам."

„Исто је бити заиста сам и осјећати се напуштено-самим", опет ће она.

„Марта те никад не би напустила."

„До тог дјела још нисмо стигли."

„Свеједно, не можеш се оправдати", он ће још љуће.

Она сачека да га попусти налет бијеса, па му поче казивати:

„Свако однесе свој дио. Кад припаднеш некоме из оне неимаштине, несигуран и рањив, постајеш прво захвалан, а онда и не примјетиш како си временом постао само њихов дио. Навикнеш да тако живиш за друге.“

„А кад живиш за себе?“, упита он.

„Кад препознаш свој допринос у успеху тих других. То ти дође ко награда да те утјеши-да ти труд није био залудан, а и ко казна, јер сам ниси могао постићи ништа.“

„Мислиш да тако треба?“, опет ће Старац.

„Ја нисам умјела другачије.“

„Не! Не! Умјела си, само ниси могла и ниси смјела. Сабили те други људи у окружењу, уским менталитетом и још већим сиротлуком у глави. Из калупа не изађе ништа друго доли укалупљена маса. То те је начинило жртвом. Тако си се осјећала у својој улози, окренута према другима. Несебична за друге и себична према себи.“

„Ти други су били сав мој живот и мој садржај. Шта си ти постигао окрећући се против свих, на своју штету? Зар твоја себичност није већа од моје?“, љутито је узвраћала она.

Старац остаде затечен. Изненадише га њезине ријечи. Одувјек је своје поступке сматрао таквим како их је она видјела, али чути то из туђих уста је некако другачије. Директно споља погоди све битне тачке у тјелу док те паралише хладним прихватањем сопствене спознаје.

„Чворуга није имао избора“, она ће на то тихо.

У њеном гласу је осјетио призвук кајања и попуштања, као да је прешла границу преко које није хтјела ићи.

„Зашто?“, он ће тупо.

„Усмјерио је срце према себи.“

„Ти према другима, па си исто завршила“, у гласу му је било ликовања и сујете. По други пута јој је бацао исте ријечи у очи.

„Али мени није жао“, она ће, тоном који је рекао да се сада и тај трен завршава сваки даљњи спор ријечима. „НИЈЕ МИ ЖАО!“, понови још једном, повишеним тоном.

Старац се повукао на маргину свих ријечи и дешавања те вечери, уморан од приче и потенцијалних нових придошлица ниоткуда. Само да га она није упорно подсјећала да нема више времена… Долазило му је да у инат упали свијећу и прекине све занавјек, али се није усуђивао. Морао је још пуно тога чути прије него времена понестане.

И она је знала да је услиједио кратак прекид, и да ће се брзо наставити. Не би он ризиковао да стане на пола, ни за цијели свијет.

„Како је било кад је наишла вода?“, ускоро је Старац упитао.

„Ако ти кажем, свануће. Не би ваљало ићи преко реда“, рече му она, па пуцну палцем и средњим прстом кроз ваздух један-пут, па још једном.

Из пукотина у камену зиду изви се бјеличасто-прозирни вихор који запухну простор чудноватим осјећајем чистоте. Старцу поче трзати десно раме док је гледао како се вихор претвара у ваздушни вир који се објесно поче вртјети појачавајући снагу како је растао, до те мјере да је могао прогутати све из колибе. Уплаши га вртоглава брзина суноврађења људских бића која су покушавала ишчупати се из вртлога. Пружали су руке нагоре не би ли их ко шчепао и повукао свом снагом из његове средине. Како су пружали руке, тако их је вир све више бацао, изокретао и гутао, остављајући забезекнуте изразе лица на познатим главама. Старац узмакну на кревету уз заглавље, рефлексно обузет страхом од вртоглаве брзине и снаге вира. Није примјетио да је троножац остао празан и да су свијеће изгореле до краја, све док се у потпуном мраку бјеличасто-прозирни вихор из чиста мира нагло не заустави и из њега испадоше они људи који су до прије минут вапили голим рукама из вртложног простора. Вир се одмота у повећи комад бјелог позадинског платна које је у том мраку екранизовано почело приказивати сцене из живота ових људи. Све је изгледало потпуно стварно, сваки покрет сваког од њих понаособ, и свачије године, боја гласа по којој их је памтио, све осим њихове величине. Били су ситнији од јагњета кад први пут стане на ноге. Није то био филм на телевизору, препознао би он, јер је гледао тако нешто давних дана у Њемачкој. Ово је било нешто друго и толико стварно да је могао осјетити дах из уста свакоме од њих.

У првим сценама које су се одвијале пред његовим очима Стојан је у сумрак стигао на сјевер, у мјесто Равно које му је Милан спомињао прије него што ће они сами отићи из Полена пред водом. Запутио се селом, водећи за узде теретно кљусе које је вукло кола натоварена стварима на којима су сједиле двије уморне жене. Улица је била празна свом ширином, уз чије су ивице са обе стране прокопани шанчеви. Преко шанчева су направљени прелази, нешто као полегнути мостићи, као прилаз свакој кући. Са обе стране се, у непрекинутом реду, посложиле ниске набијаче са високо затвореним капијама, иза којих се двориште пружало у дубину.

Стојан је загледао једну по једну капију, осјећајући да је мали и ситан наспрам огромног затвореног и непопустљивог уздигнућа пред собом. Од двије жене на колима, старија је са страхом посматрала једну па другу страну улице, а млађа је беживотно сједила пиљећи у непостојећу тачку на својим вуненим чарапама. Наиђе неки човјек и показа руком према једној кући, кад се Стојан заустави покрај њега. Запути се равно ка тој кући и, како је прилазио, тако му је понестајало снаге на изможденом лицу упијеном у бригу откако се отиснуо у неизвјесност. Лупао је на врата, али га од галаме изнутра нико није чуо, па се осмјели и одгурну их. Кафана је изгледала другачије од великог простора са каменим столовима и столицама. Уређен, не толико велики простор са дрвеним столовима и уштирканим коцкастим стољњацима. Било је десетак људи груписаних уз неколико столова, пила се ракија без пуно буке.

Кад су се врата отворила, Милан је прао чаше за шанком, а Неда је зашла међу столове са ђаволским погледом и на потиљку. Испред ње су прво ишле њезине груди, просто бујајући при сваким новим удахом, а рука, намјештена уз бок, све то испраћала у ритму. Она је Стојана прва спазила. Начас оста укочена, без реакције, а онда крену ка мужу, задижући обрве и чело према улазу. Како је Милан подигао поглед, као да га је сунце огријало. Залети се према Стојану и шчепа грмаља, па га од радости изљуби.

„Добро ми дошао, брате!“, рече Милан, осјећајући како му срце игра у грудима. „Кад си стигао? Како си нас нашао?“, ређао је питања.

„Овај час“, Стојан ће. „Богами, није било тешко наћи те, и показа у правцу Неде.“

„Уђи да се одмориш и окрепиш.“

„Моји су испред“, несигурним гласом ће Стојан.

„Младој дјевојци није мјесто у кафани. Оговараће је“, приђе Неда и поздрави се са Стојаном. „Гдје сте се смјестили?“, одмах упита.

„Нигдје још. Имам нешто новаца, купио би неку мању кућу“, одговори он.

„Код нас ћете за почетак“, рече Милан.

„Ни за нас нема довољно кад се онолика дјеца растрче по кући“, Неда ће, гледајући у Милана.

„Боље их одведи до сеоског дома, нека тамо преспавају, а сутра му помози да нађе кућу.“

Милан погледа према Неди и нервозно руком прође кроз косу.

Сљедећа сцена која се одигравала пред Старчевим очима била је мртвог покрета у којој су, умјесто на бини, три склупчана тјела лежала на простртим поњавама на поду куће која је служила као сеоски дом. Стојан и Марија, окренути леђима једно према другоме, спавали су исцрпљени од пута и њемих псовки које су праштале у међусобним погледима. До Марије, склупчала се Марта, окренута јој леђима. Косу је, у дебелој кики, обмотала неколико пута око главе, па се Старцу чинило као да гледа у икону са ореолом од косе, гдје је полегла будна, отворених очију, без иједног трептаја. Слика се изоштри ка њеном оку и он препозна гдје гледа извор са вилама које у њему ритму коло воде, све са копитама одигнутим у ваздуху.

Зачуди се Старац гдје нема смијеха којим би излудјеле оне које би намамиле, јер је тако запамтио још од малих ногу приче од којих се као дјете плашио. Још се више зачуди гдје је извор био потпуно пресушио. Слика се замагли и опет се фокусира на три тјела која су лежала једна поред других, супротстављена међусобно очајем и љутњом. Старцу се сеоски дом учини однекуд познатим, и тек кад видје наредну сцену у којој Стојан исплаћује некој жени новац за кућу и кад се показа кућа са дубоким двориштем, гдје он пажљиво загледа сваки детаљ, препозна кућу газде Микуша, о којој му је Хурја причао. Јесте кућа била запуштена, шупе и амбари празни, видјело се да нико ту није живио, али то је била та кућа, и та жена по опису је могла бити ћерка покојног газде. Запањи га та подударност свих тих људи у различито вријеме, у истом селу, истој кући, чак и истом сеоском дому, гдје је Хурја једну ноћ преспавао одведен као ратни заробљеник. Потпуно му је била невјероватна и необјашњива таква случајност.

Поче тражити паралелу између Хурје и Стојана, па се учини сам себи смијешан у тој замисли да би између те двоице могла постојати икаква паралела. Руком покри очи, заклопи их у лаганој медитацији, а онда га страх прожеже, па брже-боље отвори очи да слика и сцена случајно не нестане док он држи очи затворене.

Монах га је то јутро нашао на поду, мокрог, у спственој мокраћи, како се напиње у некаквом деличном бунилу, покушавајући нешто да каже. Подиже га на кревет и тад осјети како му је тјело постало лагано, како се смањио и скврчио, да је изгледао метиљаво, сав ситан, тананин ручица и ногу, гдје је још само кожа остала, заљепљена за костур. Скину са њега сву мокру одјећу и умота га у биљац, па сједе поред њега. Старац се није помјерио, нити је иједног трена отворио очи. Монах је сједио тако сатима, држећи бројаницу у руци док је изговарао једну по једну молитву. Повремено би бацио поглед на Старца па би му се учинило да више не дише, и баш кад би помислио да је сигурно ту крај његовог овоземаљског пута, дисање би се повратило у слабом ритму. Одједном је пожелио да разговара са њим до те мјере да је имао жељу продрмати Старца за рамена и викнути на њега: „Устај!" Осјетио је на себи патњу овог непријатног човјека која га је окружила дебелим зидовима иза којих се повлачио. И сваки нови покушај отварања начинио би још по један такав зид и Старац би био још даље. Монах је стрпљиво чекао, али сад схвати да му измиче то вријеме, да чекање нема смисао и да је све што је и било, остало огвожђено.

Поред кревета је стајао троножац и на њему заљепљен восак од изгорјелих свијећа и мосорови који су висили све до пода. Поред је стајала завезана кеса са љековима, по чему он закључи да Старац није ни погледао кесу откако је ту остављена. Пређе погледом по унутрашњости колибе и схвати да је све онако како је оставио јуче, нетакнуто и непомјерено са мјеста. Ватра, како се угасила, није више ни ложена, а храна је стајала у чинијама како је доњета. Изнутра је цијели простор одисао статичном беживотношћу.

Аскетски живот је Монаха научио тишини, и он је невјероватно лако ходао по њој, осјећајући свако одсуство усамљености и јасно присуство самосвјести о ништавности и пролазности. Тежини на значају је доприносио однос према природи, уважавање свега што јесте и мора бити, тиме и човјека. Старац би му на ово посљедње сигурно рекао: „Само изузми човјека", а Монах би то одмах одбацио као могућност која би уопште дошла у обзир за разматрање, супротстављајући му се ријечима: „Заузми се за човјека“. Мисли како је сваки људски створ и Божји створ. Оданост духовности и Богу отуд претендује и духовни однос према сваком човјеку. И сваки човјек би по томе требао бити исти и на истом мјесту.

„Требао би“, помисли Монах, гледајући у непомичног Старца.

Некаква хладноћа се увуче у охлађен простор, па устаде да наложи ватру. Није више било дрва за ложење и запути се, зађе са косјером око других колиба и насјече дебљих грана од шикаре која је заузела унутрашњост колиба, шикљајући кроз камен у висину. Како је запалио ватру, тако се и живот вратио у Старца.

Прво је отворио очи, потпуно несвјестан простора и доба дана. Онда се свијест почела враћати и он погледом пређе по колиби. Није задржао поглед на Монаху, нити га је изненадило његово присуство. Монах приђе и без ријечи принесе чинију са храном. Старац га није погледао па он узе кашику и принесе му устима. Старац само заклопи очи и окрену главу на другу страну. Монах је гледао у своју испружену руку која се почела трести, док се садржај из кашике поче просипати по кревету. Нестало је грубости у Старчевим покретима и увредљивих ријечи, ината и пркоса, свега онога што га је чинило живим. Старац поново окрену главу према Монаху и рече:

„Волио би још једном да видим.“

Монах је знао да Старац не би издржао на ногама до Језера, па се поче бавити мишљу да га понесе на леђима. Онда му на ум паде боља замисао. Устаде и рече: „Вратићу се!“

Како је изашао из колибе, тако се Старац поче присјећати протекле ноћи. Одмах му се кроз главу почеше враћати испочетка неке сцене. Врати се прво Стојан гдје пијанчи у Нединој кафани, сваку вече на рецку и како мртав пијан шаледа путем кући док не упадне у шанац, гдје заспи, па се пробуди на другом крају села. Мушкарци су га се клонили у кафани. Сједио је увијек сам, у једном ћошку, све док једне вечери није полудио и почео све да разбија. Таквом жестином је бацао и ломио столове и столице да се Неда повукла сакривајући се иза шанка, док су сви остали излетјели вани чувајући главу од пијане будале. Кад се Милан вратио са редарственицима, Стојана је попустило лудило у глави, и не пружи никакав отпор кад су га повели. Успут је мрмљао како је за све бајем крив, али нико није обраћао пажњу на баљезгарије пијанца, бар док се не буде добро отрезнио.

Оно што је Старца потпуно поразило претходне ноћи јесте сцена са Мартом и Маријом. У почетку, након њиховог доласка у село, свратила би газда Микушева кћер или Недина дјеца, па још једна досељена породица из Долине, тако да кућа није изгледала толико празна. Остатак села није волио досељенике, а како им је Стојан дао потврду таквог приступа својим понашањем, средина се потпуно окренула против њих. Обе жене из куће су радиле у башчи и држале перад. Ријетко би их неко примао у надницу, све док Мартин стомак није био толико велик да се више није могао сакрити. Марту су у почетку гледали као биће које је дошло са друге планете, намјерно направљена као савршена ванземаљска лепота прозирне пути, тањушна и лагана. Свако се могао заклети да такво шта није видио у животу: ни такву боју очију, час плаву, час сиву па модру, ал' увјек прозирну, па ни такву косу која је замало дотицала њезина стопала. Почеше јој се клањати као каквом божанству, а онда је временом, како никад нису чули да слуша ни прича, прогласише глухонијемом, па им ни то не би доста, него кад су је затекли да зором хода по њивама ил' излази из шуме, прогласише је лудом па почеше и њу избјегавати.

Марта је била равнодушна према њима. Нису је дотицали људи у селу све док је могла шетати природом, у слободи. Причала је једино са мајком, али то је било хладно као код људи који цијели живот живе заједно покушавајући наћи заједнички језик не би ли изградили било какав однос. Али није ишло, иако се Марија поставила између ње и мужа, одлучна да је брани до смрти, примајући умјесто ње ударце онда када је Стојан схватио да је трудна. Све је било узалуд. И са њом је престала причати онда када ју је он закључао у собу, забранивши јој да излази. Марта је гледала кроз затворени прозор који је био окренут ка дворишту, иако сем празних амбара није било ништа друго, она је видјела извор у пољу, Стари мост на Драги, Манастир и Душана са Иванком, али никако јој није било јасно зашто ниједно од њих двоје још није дошло по њу. Онда би легла на кревет и чудила се стомаку који је растао пред њеним очима, и необичним покретима у сопственом тјелу.

У то се врата на колиби отворише и Монах уђе. Подиже Старца на руке, обмота биљац око њега па га понесе напоље. Дан је био сив и прохладан, један од оних кад гледамо кроз прозор како се свет наставља док се ми растајемо са њим, свјесни да се за нас све завршава. Вјетар је помјерао гране четинара, а оне су на својим врховима биле толико покретне и немирне да се Старац замисли над том сликом као да је необично нова и пресавршено животна. Онда угледа кариволу и, да је у њему остао траг цинизма, насмијао би се из свег гласа.

Монах га посједе у кариволу намјештајући тако да га леђима окрену ка страни гдје се он ухватио за ручке, док су му ноге висиле спреда, према точку. Точак је упадао у свјежу земљу кроз шуму, па је Монах морао подметати грање и камење под њега. Кад су изашли на пут, каривола све више поче запињати о камење, тако да он одустаде од пробијања њоме кроз шикару. Узе Старца у наручје и понесе га до камена. Одмах се изгубио у правцу гдје је оставио кариволу, пошто је Старца спустио на земљу и посадио на камен. Кад је овај постао свјестан да је над Језером, прије него ће рећи: „Остави ме сад", знао је да је већ сам. Загледа се у воду. Учини му се да је вјетар правио крупније валове но иначе, и да јаче запљускује звоник који се издигао изнад воде опет више но обично.

„Чудно", помисли Старац. Онда му се на ум вратише слике које му потпуно помутише видик, да Језеро истисну из њега.

Марта је лежала на кревету у оној закључаној соби. Постељина под њом је била крвава. Ниједан звук није изашао из њених уста ни кад су Марија и она жена узеле бебу у наручје, пресјецајући пупчану врпцу. Није ни погледала у том правцу. Окренула је главу управо супротно, и испред себе се загледала у извор насред поља. Виле изађоше из њега једна по једна и како излазе тако јој пружају руке. Она пружи своје према њима и уз осмијех крену ка извору. Лагано је корачала изнад земље, па погледа надоле кад схвати да су јој израсла копита мјесто прстију на ногама. Дочекаше је вриском, ухватише је у коло па играју са њом кратко, а онда се једна по једна пењу на извор и нестају у њему.

Посљедња је била Марта. Осврнула се и стала махати као да је неког препознала далеко у пољу. Насмијеши се баш у трену кад је она жена рекла Марији у оној соби: „Отишла је.“

Старац зајеча у трену када се Монах вратио до њега. У ствари, он је цијело вријеме био у близини, иза дрвећа, чекајући моменат када ће прискочити. Учини му се да се Старац нагнуо на једну страну и да би могао пасти, али га овај руком заустави како осјети његову намјеру и на Монахово чуђење, позва га да сједне до њега.

„Има ли оправдања за смрт?“, упита Старац.

Монах је мирно сједио и гледао у воду.

„Смрт је прелаз из овоземаљског живота у загробни“, рече му.

„Де, де! Духовни човјече!“, прекину га Старац. „Ти све гледаш у служби Бога и ту се нас двојица не можемо споразумјети. Ја ти причам из угла обичног човјека склоног драми и трагици, ирационалног, егоистичног, поквареног…“

Умори се од набрајања људског обличја па застаде, сав се тресући изнутра, да би послије минут-два наставио.

„Можеш ли замислити сцену у којој је једно село потпуно празно? Не дише ништа. Куће стоје већма закључане, неке су широм отворене вратима и прозорима, сав намјештај однешен

и покупљен, нигдје човјека, ни гласа. Драга не жубори, Мана-
стир напуштен, голи зидови и пусто гробље. Влада гробна ти-
шина, не знаш да ли је овај ил' онај свијет. И наједанпут…
ВОДА! Није наишла у високим таласима па све наједаред пото-
пила и прождерала, него тихо, курвињски, сентим по сентим,
влажи земљу, напија је, па кад ова не може више да издржи, ра-
сте на површини, улази преко прага и пробија се кроз зидове,
прескаче сухозиде. Драга је већ потопљена, нема је, Стари мост
се држи још изнад воде, али за кратко", застаје Старац, али се
не да.

„Мислиш ли да је то Божја воља?", наставља. „Као Ноа и
барка?", додаде.

Монах осјети у његову гласу потребу да увреди и нипода-
штава, па се уздржи од приче.

„Синоћ ми је Иванка испричала, вратила се у пусто село да
сачека воду. Легла је на стару поњаву, прострту на поду, и че-
кала. Лежала је у својој кући загледана у плафон и даље се пи-
тајући зашто се Марта није јавила и како то да Стојан није
послао по њу, није ваљда да се још срди. Начула је преко Неди-
не родбине да нису добро. Сваки дан је чекала пар ријечи, само
пар ријечи за њу… И ништа. Осјетила је како јој је срце стало
прије него ће је вода преплавити. Зауставило се оног часа кад
се Марта није помјерила на крвавој постељи, а Иванкин мозак
је наставио да ради и дао јој неколико временских година у се-
кунди-да јој пред очима заковитла цијели живот кроз слике и
ријечи. Чак се и бајем испред куће приказа. Склопила је руке
на грудима и опет чекала. Није било страха ни онда када је во-
да мучки ушла у кућу и почела шиштати. Осјетила је како јој се
пење уз тјело и раздваја јој руке. Још јаче притисну руке на гру-
ди па помисли на гробове крај Манастира. Задеси је један стра-
шни грч удављеног тела и ропац док се несвјесно бори за ваздух
у води која расте. Без страха, исто као што је кришом ушла у
испражњено село да нико не види и испод поњава наређала ве-
лико камење које је привезала на ноге. Вода је у налету подигла
вуштане и поњаву, чак и мараму одњела, па косу развијорила

са старичине главе, али је тјело остало привезано на самом дну Језера, управо овог пред нашим очима у које гледамо ти и ја овога часа.“

„Мислиш да је то Божја воља?“, упита поново Старац.

„Е, није! То је човјекова воља, воља једног или шачице њих да суди другима тако што ће скренути ток ријеке и напунити Долину водом, судећи свима. С којим правом они замјењују твог Бога? С којим правом они казују и раде у његово име?

И мислиш ли да не знам како се над потопљеним селима лови риба на Језеру, купају се и како јужно доље вежбају они што веслају? Знам да ће направити објекте за туристе и рекреацију у природи. Све знам и све сам видио! Бар да не знам и да нисам!“

Дубоко је уздахнуо и издахнуо као да је рекао све што је имао и тиме олакшао душу.

„Не дозволи да се загади овај дио Језера“, руком је показивао испред себе.

„Ова светиња не израња случајно из воде“, показује поново на звоник из воде.

Рекао је и то наглас, мада је обећао себи да неће говорити ствари у које је сигуран и којима вјерује, али нека, за сваки случај, мислио је. Миран је некако због тога. Зато говори о томе, зна. Потапша Монаха по рамену и климајући главом, рече:

„Сад можемо ићи.“

Монах му помогну да устане, а Старац одби помоћ. Чим устаде на ноге, полагано крену ка путу. Монах га пусти идући корак иза њега. Разумио је у том тренутку његову снагу која се родила и побједила немоћ. Видио је како човјек испред њега побјеђује самога себе, упркос свему што је ишло против њега. Није га зачудило што се није осврнуо ка Језеру. Као да је био сигуран да ће сутра опет доћи као што је чинио толико година уназад.

Старац истовремено помисли на године које је ту провео и сјети се да их одавно није рачунао ни мјерио.

„Која је ово година?“, упита Монаха.

„2007…“, одговори он.

„Колико си већ у Манастиру?“

„Три године. Откад је обновљен и насељен.“

„Ја мислио има једна. Онда би ја имао негдје око седамдесет година“, Старац ће.

„Чини ми се да никад нисам ни отишао одавде откако сам се вратио. Чудно је како већина живота није битна у односу на само мали дио времена који човјеку значи. И, ако ме питаш, рећи ћу ти да се и не сјећам. Не желим да се сјећам те већине, тог мог живота, осим његових испарчаних дјелова у времену које ме везује за ово мјесто. То је негдје од рођења па до доласка воде, а онда од поновног рођења, кад сам се вратио води. Чини ми се да сам једино тада и био жив.“

Посрну у ходу, па га Монах ухвати под руку. Овај пут га Старац не одби све док нису изашли на пут. Ту је посустао и стропоштао се поред кариволе.

Монах прискочи да га подигне, али га овај заустави руком. Начас је предахнуо и ухватио ваздух. Онда се подиже на кољена, све се придржавајући за ивицу кариволе, па се диже на ноге, рукама обухвати кариволу и сједе у њу. Монах га је пустио, поштујући његову вољу. Једино је придржавао ручке од кариволе, како се не би искренула. Возио га је кроз шуму, гдје се од свих звукова чуло само пуцкетање грања под точком и врцање блата кад би запали у глиб.

„Рекао си да ти је Иванка синоћ испричала?“, наједном упита Монах, размишљајући о ономе што је Старац рекао.

„Не би разумио…“, одговори он споро већ кад су ријечи почеле да пресушују.

„Морао сам да се опростим и да опростим.“

Мучно је било гледати два човјека у потпуној тишини, изгубљене дубоко у полутами шуме, од којих један обогаљен и немоћан у властиту тјелу, а други немоћан у настојању да помогне и олакша том тјелу гурајући проклету кариволу која је запињала на сваком кораку. Држало их је нешто заједно и кад су дошли до колибе, и кад је Монах на рукама унио Старца унутра, и спустио га на кревет. Још је толико био жив дух у малаксалом тјелу да се и даље опирао вјери коју је Монах носио. Што се више опиреш, то је више тога, од чега се опиреш, у теби. Што му се јаче супротстављаш, више му се клањаш.

Још је свјесно Старац прихватао све то, али је знао да ће оног момента, кад изда себе у свом пркосу и гњеву, тог истог момента заклопити очи занавек. Пркосио је себи, јер је чекао да посљедње свијеће догоре до краја.

Монах је поново заложио ватру и сјео на троножац преко пута кревета. Размишљао је и сада о неспојивости ума пред њим, о његовој логици и философији са дроњцима и прњама на тјелу, запуштеној коси и бради, о начину живота какав је Старац водио. Био је све супротно замисли која би се јавила кад би га неко угледао, више прљавог и прашњавог него чистог и уредног. Све супротно ставу који је заузимао правећи одступницу за свој убоги живот у којем је био сигуран, осудивши се на самога себе. Слиједио је и он, одрицао се, понизно клечао …

„Устани са те столице! Живи ту не сједе“, прекину га Старац мирним гласом, не отварајући очи.

Монах одмах устаде и оста стајати поред кревета.

„Мислиш ли да смо слични?“, упита Старац и нагло отвори очи. „Свако свој, за себе, особен и самотан са својом вјером?!“

„Не знам. Можда и јесмо“, одговори Монах.

„Нисмо! Разликујемо се! Ја још нисам опростио, а ти то унапред чиниш према свима. Ја нисам био досљедан, потпао сам под искушења, ти ниси такав. Снага твоје воље и душе уме да се одбрани. На крају, ја сам убио, ти никад не би могао.“

„Убио? Кога си убио?“, Монах ће изненађено.

„Не мораш буквално убити да би убио. Издаја је такође смртни облик. Ја сам издао и убио, на крају убио себе.“

Монах крену нешто да изусти, али не доврши, јер га Старац грубо пресјече:

„Како ти је име?“

„Јосиф. Отац Јосиф“, одговори Монах.

„Јосиф?!“, понови Старац за њим и дубоко се замисли.

Ухвати га напад који му пресјече доток ваздуха и чим је успео поново удахнути, рече:

„Иди сад Јосифе! Вријеме је!“

Рече то толико грубо да би неко други побјегао из истих стопа, разљућен и увријеђен, али Монах оста ко укопан на мјесту, осјећајући да се Свилаја стуштила на његову главу и он више не види и не дише. Стајао је тако неко вријеме, свјестан да није спреман на то што се спремало одавно као редован процес, и сад, кад се примакло, није био спреман да прихвати. Мир се нарушио у њему и удaрала га је свијест са своје стране, учење са друге, позив који је бирао са треће, интелигенција са четврте... Сазнање на лицу мјеста га је чинило још немоћнијим. Чак га ни обраћање Свевишњем није умирило. Није желио да оде и, тек кад је Старац преклињући поново рекао, али другачијим гласом који је говорио из њега: „Иди, молим те. Само иди“, схватио је да је вријеме.

Склопио је руке, очитао молитву, прекрстио се и на прстима изашао из колибе.

„Мислиш ли да би Анђелика могла бити...?“, промрмља Старац једва чујно за њим.

Монах га није чуо. Грабио је крупним корацима кроз шуму, неусаглашених корака двају одрвењелих балвана мјесто ногу, и замишљеним ројевима пчела које су се врзмале око његове главе, не пропуштајући никакав други звук до његових ушију сем тог зујања у глави. Испред очију му заиграше слова и он, у свом кошмару њиховога титрања, разазна ријеч по ријеч па изусти:

„Нисам спреман!“

Онда рече гласније исто то, па понови још гласније, и на крају поче да виче на сав глас: „Нисам спреман прихватити! ... Нисам спреман!“

Раздвоји се у њему човјекова слабост бивствовања од душевног бића, помијеша масовно и аскетско и осјети како га погоди патња ко песница у лице. Дотетура тако скоро до Манастира и ту се полако присабра. Из самилости пређе у милост Божју и предаде се молитви.

„Никад нисмо спремни“, понављао је Старац све вријеме откако је Монах отишао.

„Никад нисмо спремни… чак и не желимо бити свјесни, иако смо потпуно сигурни у предвидиву радњу која сљеди. Не желимо прихватити ни онда кад се суочавамо. Јаче је то и од саме предаје кад склапаш очи и неспреман одлазиш у други свијет са поривом који носи наду да ће се наставити на овом или оном свијету, у вјечности или поновном рађању…

Нисмо спремни ни тада…“

*

*   *

Догађаји у току дана су толико уморили Старца да је на махове падао у бесвјесно стање отворених очију, и онда се нагло трзао из тог стања у паници да ако дуже затвори очи, неће их више ни отворити. То га је више искидало него окријепило, али он је уз све болове који су му преузели читаво тјело, још једино свјесно управљао својим мислима.

„Воља у човјека је невјероватна ствар“, мисли док се спузао са кревета па пресамићен запалио све преостале свијеће, палећи их једну уз другу. Остави само једну неупаљену. После тога је отворио стари ковчег, гдје се држала роба, извадио неколико ствари и послагао их на под између кревета и огњишта, тачно кад се отворе врата да се прво наиђе на њих. Сљедећим кораком се приближио кревету па сјео на њега. Троножац је стајао наспрам њега и свијеће су горјеле финим уједначеним пламеном. Није знао које је доба дана или ноћи, само је осјетио да је необично мирно и тихо. На прозору се није видјела ниједна утвара, из пукотина се није извијао смијех, ни плач. Ништа се није помјерало у колиби сем пламена свијећа. Старац је затворио очи и замислио испред себе Николин лик. Најбоље га је памтио из времена свог дјетињства, и тај лик му се дубоко зуривао у сјећање. Замислио је и Душана као младог момка, наспрам Николе, како стоји на тридесетак сантиметара.

Старац је очекивао да ће Душан полудјети, чак ноктима Николи изгребати лице од срџбе и беса, да ће му ископати очи и пљунути га у лице, али зачудо ништа се није дешавало. Оживио им је ликове и покрете. Чак је чуо зачуђен, али припремљен, како је Душан рекао Николи: „Опростио сам ти.“

„Познао сам и ја тебе“, Никола ће на то.

После тога се више ништа није дешавало, осим што су се Николине очи напуниле водом. Иза њега није било пружене руке нити другог видљивог знака блискости између два мушкарца која су стајала један наспрам другога, очи у очи. Наједном између њих поче расти невјероватном брзином млади бајем који зачас изби из земље онога момента када је сва прича између њих двојице била свршена. Испречи се бајем између њих.

Душан дубоко уздахну, насмијеши се и рече поново: „Опростио сам ти!“

Како их је Старац лако замислио, тако су лако нестали из његове главе. Отворио је очи и наједном се осјетио ужасно усамљен. Сви су отишли. Био је сам у каменој колиби, усред шуме, потпуно сам. Осјетио се као гола младица којој је вјетар претио кидањем, само што његова голотиња није била у младици него у великом броју годова, а оно што му је претило је био сасвим другачији вјетар. Уплаши се такве самоће и поче да је се озбиљно прибојава. Он, вјечити самотњак и усамљеник, поче да се боји. Никад је до тада није осјетио на тај начин, ова је сад била другачија. Била је сама, самцијата, она што остане на крају кад се очистимо од свих премисли и дјела, од осјећаја и личности сопствене, и туђих, и кад даље немаш куд. Толико пута ју је у животу носио и кушо, дозволио да га изједа и да труне са њом и онда када је било највише људи око њега и највише жена у његову кревету. Носио ју је у старој торби, истканој на разбоју још у Полену, од које се није одвајао и док је тражио једно, а налазио све сем тога и касније док је чувао мислећи да су му тако додељене карте при дјелењу небескога шпила, а други га због тога избјегавали називајући га чудаком и будалом. И све док је у својој глави видио сврху свог постојања, коју је сам себи искројио задавајући задатке кроз тражење и чување, имао је за шта лећи и устати, па би тиме и та самоћа добила смисао. Била је неизљечива, готово потребна до те мјере да ју је очајнички призивао и у тренуцима радости.

Једном га је једна жена са којом је провео ноћ питала:

„Јел' ти себе свјесно кажњаваш и мучиш?“

Тиме је прекинула чин љубавног нагона, кад је осјетио да се довољно приближила самим питањем, а он је грчевито требао некога да га разоткрије и раскринка не би ли се иоле залиjечио. Све је ипак ту стало, јер је он све намјерно зауставио, говорећи:

„То што несвјесно себи чиним, свјесно постаје кад то урадим.“

„Не вређам тиме никога и нико ми, доли мене самога, зато не може пребацити.“

И Старац схвата да му глас из његове главе пребацује.

„Остали смо сами, зар не?“, пита Старац.

„Сами! Ти и ја, једно и заједно“, глас ће.

„Какав ти је то глас?“, упита поново Старац.

„Мутирао сам, промјенио се.“

„Нека те“, Старац ће. „А јеси ли ту да ме кудиш?“

„Нисам, то је прошло. Ту сам да се испратимо“, глас ће.

„Куда?“

„Знаш ти куда.“

Наста мук. Старац се први огласи.

„Има пуно тога што себи морам објаснити, али то ме не мучи. Мучи ме нешто друго.“

„Шта то?“, глас ће.

„Кад сам питао Монаха може ли Анђелика бити моја крв, послије толико година тражења, знаш ли шта ми је одговорио?“

„Шта?“

„Одговорио ми питањем 'Зашто сам тражио женско дјете'. Разумијеш ли?“

„Збуњен сам“, глас ће.

Старац настави:

„Цијелог живота сам тражио, и на крају испада да ништа нисам нашао и да сам још при томе можда погрешно тражио. Толико сам то очајнички желио да сам у својој глави створио Мартину пројекцију од Анђелике. Витка и плава, могла је бити Мартин потомак и могао сам је пронаћи, зар не? Чак сам јој име промијенио у наше народно, Анђелија. Навео ме на мисаону превару и њемачки језик којим је причала, јер сам више од пола живота оставио у Њемачкој, тражећи. Колико је то било немирење са мојом унутрашњом жељом која ме је покретала напред као осовина што држи точак, да сам толико уобразио. Замисли, нисам се помирио са својим неуспјехом да ништа нисам нашао, нити са простом чињеницом да можда немам шта да нађем, него сам пред властити крај пројектовао особу која не постоји. Од љубазне Анђелике, коју сам срео као особље УНХЦР-а, кроз формалан и професионалан однос према мени, без блискости и емоције крвне везе, ја сам створио Анђелију, Мартину насљедницу и њезину крв. Прижељкивано сам преобразио у стварно, у својој глави. Да ли је то било нормално стање болесног човјека да види ствари онаквима каквим их жели, што је у овој мјери, са здраворазумског становишта, теже објаснити, или је то било стање болести док ми је рак пуштао краке по можданој опни?“

„То значи да она никад није реално ни постојала?“, пита се глас.

„Постојала је туђа Анђелика, али не и Анђелија.“

„Али сво то вријеме је присутна?!“, глас ће.

„Обмана!“, Старац ће. „Опасна обмана! И најтежа, кад себе обманеш.“

Причека мало па настави: „Можда имам оправдање.“

„Какво оправдање?“

„Хтио сам, на крају свог тражења, дати му сврху.“

„Макар била неистинита?“, глас ће.

„И тако ми се чинило боље.“

„Па то је бесмислица! Толика жеља те само одведе у крат-ковидост.“

„Можеш ти рећи шта хоћеш, али за мене то је била свјет-лост уз коју ћу дочекати крај. Ја сам то свјесно урадио.“

„Ниси, чим разговарамо сад о томе. Од мене тражиш по-тврду својих поступака?!“

„Па шта! И ти си ја!“, рече Старац.

„Оно друго ја у сваком човјеку, као што је и добро зло, а зло добро за некога. Ништа није савршено у своме постојању.“

„Све је то тачно, али ја се и даље истим мучим.“

„Због чега?“, пита глас.

„Мислиш, због кога?!“

„Онда знам! Јеси ли то све записао у црну кутију?“

„Нисам. Схватиће!“, одговори Старац.

„Неке ствари ипак остави у Божјим рукама. Биће добро“, рече глас.

Њемо се сложише Старац и глас да је тако најбоље.

„Да! Хтио сам још нешто да те питам“, рече глас, потпуно измјењен у односу на пређашњи.

„Шта ти је са гласом?“, упита Старац.

„Остарио и уморио се“, одговори му.

„Онда питај!“

„Зашто нема Марте?“

„Она чека“, рече на то Старац.

„Ниси је ни поменуо. Не причаш о њој?“, пита остарјели глас.

„Знаш ону бјелу свјетлост у колиби? То је била она. А, знаш ли како би је осјетио? Кроз трзање десног рамена. Осјетио би њезину наслоњену главу и расуту косу по поду. Видио сам је младу и босоногу сваку ноћ. Зашто би причао о њој кад је увијек била ту?!"

„Онда пожури! Неке ствари не смију да чекају", рече помирљиво глас.

„Знам! Сад би и предуго чекање изгубило смисао. А јесмо ли му у ствари опет јединка?", упита Старац.

„Никад друго нисмо ни били, ма како се звали", одговори глас ко да се смијеши. „И разум има своје лудило и личност више својих лица."

Старац дубоко уздахну и устаде са кревета. Сам се изненади толикој лакоћи и виталности као у младог човјека. Попе се на кревет па руком напипа кашикару у једном удубљењу између два камена у зиду.

Изашао је из колибе и кренуо кроз шуму узбрдо ка планини. Знао је сваки пут и пречицу, свако удубљење и сваку пећину у којој су се некад крили монаси. Баш тада је свитало.

*
*   *

Монах се послије јутрења запутио у правцу колибе. Био је спреман, након будне ноћи у својој келији, гдје је из приручне библиотеке ишчитавао пасусе из црквених књига. Обучен у мантију која је имала дугмад са предње стране до врата и прекривала читаво тјело осим главе, све до чланка, корачао је побожно и смирено. У свом унутрашњем свијету, ослобођен од свих веза са спољашњим свијетом, ушао је у празну колибу. Осјећај који је завладао није био никакво изненађење, само прихватање. Стајао је мирно и продуховљено, дугуљастог лица и паметних очију необичне боје. Гологлав, одсутан у своме земаљском постојању, предан духовној димензији, потпуно свјестан да је Старац завршио своје трагање.

Оно на шта је прво наишао било је неколико предмета поређаних на поду испред његових ногу: свијећа, свеска, карабин и чарапе. Монах се саже и прво подигну свеску са дебелим црним корицама. Листови су били потпуно жути од стајања и старости, толико да су поједини исписани дјелови побјелили и били уништени. Прелетио је погледом по страницама листајући их непрецизно. На последњој страни је писало „Март 1990. године – вратио сам се кући“. Од тог датума странице су биле празне пуних седамнаест година до данашњег дана.

Из свеске испаде пресавијен лист на којем је назначено једва разговетно „За Монаха“. Писало је:

…“ Моје име је Душан. Од оних сам Тршљенових,што нам је село поспрдно надјенуло. Хтио би да ти кажем да сам човјек од прошлости и да сам одувјек живио у њој, најчешће вољно. Не жалим се и не тражим да ме ико разумије, само потврђујем и мислим-да се опет родим овако, ја би опет поступио исто. Оно што ме радује је да сам успио опростити себи и својој прошлости, па миран идем на вјечни починак. У свесци ћеш наћи све што је био мој живот и што би те могло занимати. Остављам је теби. Остављам ти и карабин, ради са њим ил’ по вољи ил’ по закону. Да је по правди, одавно би висио у неком ловачком дому са обновљеном резбаријом храста и јеленове главе на кундаку. Празан је, одувјек је био празан и неупотребљен од оног дана када ме Никола повео да пуцам. Чувао сам га, јер је тог дана опредјелио мој живот. Вунене чарапе сам ти намјенио, затребаће кад захлади и бура продува кости. Посљедњу свијећу запали на троношцу и намјени је мени.

П.с. Радостан сам што моје тражење није било узалудно“…

Монах сједе на кревет и спусти Старчеву свеску на кољена. Дуго је остао у том положају гледајући кроз свијећу на троношцу. Старчев лик му никако није излазио пред, очи колико год се трудио да га призове. Мисли су му биле спокојне толико да друге слике нису пролазиле кроз њих, осим што се с времена на вријеме појавио звоник, изронивши из воде, и звоно које се клатило у мирној води. Вода у Језеру је била прозирно чиста да му се чинило да ће, ако се дубље загледа кроз површину, моћи да види село Полен и људе како иду својим послом.

Нека благост му наиђе и размаче ивице усана лагано у осмјех, у души му јаче разгали вјеру, па устаде да упали посљедњу свијећу на троношцу. Сачекао је да изгори, изговарајући молитву, а онда је затворио врата за собом, напуштајући празну колибу. Затвори дрвену капију и који секунд задржа поглед на неколико урушених камених колиба у низу.

*
*   *

У близини Манастира су пасле двије мршаве буше и уз њих двије козе. Слободно пуштене, љено би, с времена на вријеме, подигле главу и запутиле се до појила. Ријетко кад би се, осим природних звукова и звона са цркве, чуо звук мотора нечијег аутомобила или гласови намјерника. Све је мировало у тишини. Ове године зима није била јака, па је све почело бујати и расти некако раније но обично што је бивало с прољећа. Сваки дан, како се одужио, све више је захтјевао физичког посла око дневних обавеза, па Монах није имао времена ко зимус да се посвети калиграфији, мада је био задовољан како је савладао писање слова у савршено изведеном краснопису, па је чак преписао неколико богослужбених преписки и започео препис житија, сљедећи естетске обрасце средњевјековних рукописа из 14. вјека. Преписаће и Душанову свеску на јесен, обећао је себи. Прије вечерњег, у доба дана када је одмор, навикао је отићи до Језера, све до камена на којем је Старац сједио. Једно вријеме му је пажњу заокупило длијето, чекић и шиљак, све док на камену украшеним словима није исклесао „Душан, раб божји“. До тог камена, донио је други камен на који би он сјео. Дешавало се да дуго остане загледан непомично у воду, држећи у рукама свеску у црном кожном повезу. Једном је издалека осмотрио двојицу у рибарском чамцу и довикнуо им: „Велики је гријех скрнавити светињу пецањем над њом.“

Више се нису вратили.

Често би отворио свеску па изнова читао, као данас. Сјети се како је то најнеобичније писана свеска коју је икад читао. Касније ће се потврдити као врста некаквог дневника. На почетку свеске, у самом заглављу, налазила су се имена. Прегршт мушких и женских имена бачених на папир: Анка, Никола, Илија, Марта, Иванка, Стојан... Имена су била исписана једно до другога и одвојена верикално исцртаним линијама до краја листа, које су начиниле колоне за свако име. Колоне за поједина имена су се протезале до краја саме свеске. Друге су се много пре завршавале и биле подвучене са двије линије као завршена ствар. Њихово мјесто би се уступило другом имену, а испис у колони би трајао по важности и значају који би им Душан доделио. Биљежио је све, од ријечи и дјела тих ликова, преточених у имена, односа према њима и виђења истих, околности, мјеста, вријеме од кад их памти и прича по којима се памте, па све до начина како су скончали. Необичан дневник у којем једино није писало његово име.

На предњој корици свеске, са унутрашње стране, стајало је исписано „Људи од воде“ и „ Сви они су ЈА“.

Монах је ишчитавао име по име да би на крају заокружио цјелину имена у Душановом животу. Почеци записа су били невјешти, али се видјело да убрзо писање постаје зрелије. По Монаховом мишљењу је то отприлике било откада је Душан послат да студира медицину. Неке стране и пасуси су потпуно били избиједели, али је некако успијевао схватити смисао.

Прво име је било Илија Торбаров, ни по каквом реду приоритета. Читао је пасусе из свеске:

... Имам скоро дванаест година и даље га се бојим. Јела ме од малих ногу плашила њиме и бранила ми да ловим зечеве по виноградима. Знало се да Илија чува виноград, да је направио колибу од грања и војничких шињела окомотаних на ступовима да би за љепа времена ту ноћиво. Направио је замку за псе и дивљач па би их послије, причало се, завезо у торбу и млатио дрветом по торби док из ње не престане цвиљење. Исто му је радио дјед, и отац, па отуд надимак Торбарови. Јела каже да би човјека умлатио тако, а камоли не дјете…

…Годину сам старији и више се не бојим. Шуњао сам се прогоном све до Илијине колибе не би ли осмотрио чудовиште изблиза. Нисам чуо ничије кораке, кад ме је неко подиго са земље за крагну, и од шока, тек кад ми се престао уносити у лице, препозно сам га.

„Замало да упаднеш у замку, лудо дјете!", викао је на мене.

Ја сам плакао и плакао, плакао видећи себе мртвог у торбетини коју је Илија објесио преко рамена и понио бацити у јаругу. Довео ме до колибе и посјео на троножац, а ја сам и даље плакао. Гледао ме сувоњав и погруб, а онда оде и убра баракокула из винограда па ме понуди њима. Узео сам једну, вјерујући да ћу тако одужити свој крај, па још једну, па сљедећу, све док нисам појео све. Онда ме повео за руку и показао ми све замке од жице које је поставио за јазавце, јер су му се једне године навадили на виноград и позобали све грожђе. На крају ми показао како се праве замке и набро ми виноградских бресака да понесем кући.

„Лажеш, Јело!", рекао сам јој…

У наставку се налазило још пуно приче о Илији, све до посљедњег пасуса на којем је писало:

… Гледам га, а изнутра ме нешто жига. Ни налик није оном човјеку кога сам се плашио. Довуко је камења и ређа хрпу док не наслаже и посљедњи камен, онда креће од врха и пребацује камен по камен на другу хрпу. Између хрпа је он, убијен и мртав, иако још дише, неће задуго… И није. Заспао је између двије хрпе, једне дотла наслагане, друге дотла порушене. Није дочекао воду.

Име Иванка

… Њу волим, не као и Јелу. Осјећам колико и она мене воли. Не знам колико јој је година, не зна ни она. Једном ми је рекла 'Кад сам се родила била је цича зима и није се могло до града све до прољећа. Кад је дошло прољеће, почели су радови на пољу, па није било времена отићи до града. Није знао ни отац да ми каже кад је стигао да ме упише. Која година горе-доље, тако ти је то било, синко мој, у оно вријеме'...

Колона са именом Дара завршава се:

... сестра убила сестру... подвучено са двије линије.

И код колоне са именом Мара пише исто:

... сестра убила сестру... и подвучено. Нема прецизног објашњења како, није ни важно.

Колона са именом Симеон била је једна од дужих. У једном дјелу пише:

... „Какво је то име Селиха?“, питам га, а он ће мени: „Драги дјечаче, кад се роде дјеца и не заврше како треба, у народу је вјеровање да се дјетету да нехришћанско име да би се чудили у име и заштитили дјете од урока. Ја сам вјерово да је све Божја воља, а кад изгубишмо жена и ја и четврто дјете, попустим јој и сљедеће назвасмо Селихом. После ње се родише још двије дјевојчице. Све женскадија, али здрава, па остаде.“...

Дио текста Монах прескочи, а приличан дио је био неразумљив услијед лошег стања папира.

... Вако реци: „Ако ви сматрате прошлост слабошћу, ја ћу је такву величати. Душане, без прошлости се не би ништа знало, ни ко је ко, ни оклен је и куд се селио. Мени је мој отац причо, њему његов, и тако с кољена на кољено ко зна откад. Видим да волиш слушати и зато ћу ти испричати, а ти заврши велике школе па запиши штогођ се више будеш сјећао.“

... Он је ковач, учи ме занату. Данас сам поткиво коња први пут...

Монах се врати пасусу којег је с посебном пажњом ишчитавао:

... „Замисли напаћени народ који бјежи из Босне пред Турцима! Гладно и босо, несретно само по себи и још више унесрећено муком. Настањује се на извору Драге, окупља ко залутале овчице у стадо и тежи ка душевном спасу. Изградише тако први манастир у 14. вјеку. А који је ово сада вјек?“

„Двадесети“, казујем му ја.

„Ето, видиш, колко је вјекова прошло отад, и још се прича. И нека се прича! Како би се друкчије знало?! Радили на њему, проширивали, ал' га најезде пустошиле и рушиле. Ено ти доље остатака, гдје се играте ви, дјечурлија. Једне године удри суша и братија се издјели, већина напусти Манастир, па оде на сјевер, у равницу. Онда се и ови што су остали не могаше одбранити од најезда па се покупише и одоше за њима. Манастир оста пуст дуго година. Смјењивале се власти, монаси јопе долазили и под силом напуштали, све док Млеци не дадоше дозволу да се сазида нови Манастир, јер је Драга већ провирала на више мјеста у постојећем. Кажу да је завист братије међусобно кажњена и да је други Манастир у изградњи опустио пожар.“

Сљедећи пасус који прочита је био пред сам крај колоне са Симеоновим именом.

... И дан-данас га чујем како прича...

„Сљеп си. Јел' то зато што више не желиш гледати како се и други Манастир сели?“, питам га ја.

„Сљеп сам од старости, ал' сам жив. Не морам да гледам да бих знао. Додирнуо сам зидине трећег Манастира, али га нећу дочекати. Вода ће брзо наићи и ја ћу бити потопљен, ма гдје ме одвела дјеца. Запамти, ни овом неће бити лако, али ће се дићи. Ти гледај даље мојим очима, паметан си, заврши школу па запиши...

... Ја, Душан, гледам Симеоновим очима и видим опустошен трећи Манастир, порушене конаке и цркву претворену у шталу. Ово је крај двадесетог вјека и трећи непостојећи Манастир испред мене. Газим први, чистим балегу и брабоњке, народ се иселио у новом рату нема никога сем мене, Свилаје са горње стране и језера са доње...

...Почетак двадесетпрвог вјека, ДОЧЕКО САМ! Гледам како се Манастир диже, обнавља се из дана у дан. Видим монахе...

Монах је листао даље свеску и заустављао се на одређеним пасусима, без неког реда, случајним избором, или се прецизно враћао на оне који су били потврда Душанова живота. Ријетко кад би више испред себе замишљао луталицу и просјака на којег је Старац личио. Био је то преображени Душан, старац са именом, несвршени доктор и филозоф, свјетски путник и човјек од прошлости. Знао је то и из колоне са Николиним именом. Писало је:

… Он није успио и сад говори како то морам ја. Ја сам му био једина нада. Преселили смо се у село Брезе међу задњима из Полена. Кућа је мала, ништа боље није остало слободно. Гледао сам кад су пустили воду у Долину, и од бијеса, срџбе и немоћи, остао само паралисан и задубљен у воду. Тог дана је нестала Иванка. Никола је временом спласнуо и, кад га видим онако утучена, скоро да ми га је жао. Колико разочарење и самоћа разоре амбиције у човеку, па и њега самога…

… Обећао ми је помоћи да пронађем Марту преко својих веза из партије. Заузврат ме уписао на медицину и дозволио ми да се оженим чим завршим студије. Бићу свој човјек и имаћу шта да јој пружим. Надам се да је схватио да ја нећу умјети преживјети без ње. Схватио је, сигуран сам. Признајем да сам према њему био неправедан…

… Рекао ми је: „Марта је мртва. Нашао сам Неду у једном селу на сјеверу, и она ми је у повјерењу рекла.“ Гледам га и мислим колика је биједа и каква сам наивична и магарац испао сваки пут кад сам му пружио шансу! Наравно да није желио да нађем Марту. Није желио да ми Марта од Мишине, из куће преко бајема, буде жена. Нека цркне и он и она курветина од Неде! Ни сам не знам како сам се обуздао да га не задавим, лажљивог пса. Прије него сам се окренуо и отишао, само сам му рекао:

„Свако има свога Чворугу“,…

… То село, у које се наводно одселио Стојан, нашао сам сам. Запутио сам се пјешке оног истог дана када сам посљедњи пут чуо и видио Николу. Напустио сам медицину и кренуо да тражим Марту. Посљедњи новац који сам имао дао сам за карту у теретноме возу…

… Николи је недуго посље мог одласка позлило. Сазнао сам то пуно година касније. Жалио се на бол у стомаку па га је Јела одвела ког неке жене за коју је чула да спушта желудац. Стискала му је стомак, измрцварила га до краја. Сутрадан је умро. Препознао сам симптоме слијепог црева кад пукне и настане сепса… Подвучено са две линије.

Један пасус на сљедећој страници је био подвучен црвеном бојом. Монах се врати на почетак колоне са именом и нађе да је под „Неда“:

… Нашао сам је! Нашао сам моју Марту! Неда ми је признала, после дугог ћутања и снебивања, тресући се од страха кад сам је зграбио, спреман да је растргнем, признала ми у њезиној гостиони, у равничарском селу Равно, да ништа није рекла Николи и да је Марта отишла на рад негдје у Њемачку. Није велико, али је добар траг од којег могу почети. Распитао сам се код људи гдје се највише одлазило кад су домаће Швабе напуштале равницу. Рекли су ми Баден-Виртемберг, цијела област, можда Ројтлинген, можда Карлсруе и други градови, можда. Морао сам од некуд кренути. Неда ми је дала новац. Мислим да је први пут у животу била човјек. Велики је то новац, али сам пристао само на посудбу. Вратићу, чим зарадим…

… Рекли су ми да је Неда пред смрт, много година касније, у дубокој старости, дозивала моје име. Рекла је да мора да се исповједи…

Монах подиже поглед ка Манастиру као да се питао није ли вријеме да полако крене. Ипак спусти поглед на свеску и прелиста неколико нових страна. Прескочи заљепљене исјечке из новина посред свеске и по свим колонама о градњи хидроелектране и вјештачком језеру, па се задржа на најкраће исписаној колони која је била под именом Марија.

… Нисам је никад питао то што сам желио, али сам на крају схватио какав би одговор био.

Да сам питао: "Зашто си ћутала?", рекла би: „Да заштитим Марту.“

Говорило се по селу да је била ћутљива и ћудљива још као дјете у пуној кући великог сиротлука, и да је живнула кад је порађала дјецу. Пригрлила би их ка тиће па изгубила. Заклела се да му, ако бар једно остане, неће никад показати љубав, јер је била сигурна да нешто није у реду са њом, да она не ваља и да се све због њене љубави тако заврши. Сигуран сам да је тако и било…

И да сам је посље питао: „Зашто си и даље ћутала?“, сигурно би рекла: „Да заштитим тебе.“ …

… Ни дан данас не знам да ли је та ћутња била казна или спас за њу, спас или казна за мене…

Најдужа колона, она чији је испис једини ишао до самога краја, на којем је писало „Вратио сам се кући“, била је једина колона без имена. То је Монаху увјек изнова скретало пажњу, и овај пут одлучи поново да прочита те пасусе прије него крене на вечерње:

… Након толико година у Њемачкој, срео сам старицу која ме вратила кући. Била је ноћ кад сам мокар и блатњав, ушао у гостиону да потражим преноћиште. Једино је она била још будна, брисала је подове. Обратио сам јој се на њемачком. Она се прво препала, онда ми пришла и упитала на српском: „Одакле си?“ Изненадила је и она мене, али било ми је драго чути свој језик у туђини, гдје га добрих десетак година сигурно нисам чуо. Посјела ме уз пећ у којој се ватра угасила, па је она поново потпалила, а ја скинуо војнички шињел док је са њега испаравала влага. Јео сам неко подгријано јело од вечере и препустио се.

Сазнао сам да је живјела у једном селу на сјеверу земље, у равници. Радила је прво у пошти, па код богате швапске породице и, кад су дјеца отишла својим путем, а муж умро, пристала је да крене у Њемачку, баш овдје покрај Манхајма, да ради за газдину ћерку која се ту удала.

„Била сам јединица“, каже ми, „ ал'кад посље рада остане неред, све се за час протрајба.“

… „Тражим Марту!“ Да, баш тако сам јој рекао кад ме питала шта радим овдје у ово доба.

Тражим Марту већ скоро четрдесет година по Њемачкој, Марту Стојанову и Маријину, објаснио сам јој. Отишли на сјевер прије воде. Испричао сам јој како сам прошао уздуж и попреко цијелу велику земљу, научио њемачки језик, научио заната и заната док сам се селио од мјеста до мјеста задржавајући се свуда толико док не би зарадио марака да могу наставити даље. Залазио сам по селима и распитивао се код наших људи, лутао по градовима и ево ме, овдје сам сад стао мокар и без посла. Пита ме она опет да јој поновим село, гдје је тачно, како се зове, понавља за мном „село Равно“ и одједном прекрива руком уста да загуши крик.

Монах је прескочио добар дио текста и прешао на посљедњи пасус испод којег нису биле подвучене двије црте, само празна колона која се завршила реченицом „Вратио сам се кући“.

… Рекла је: „Ако је гријех рећи истину, нека ми Бог пресуди овог часа.“

„Вријеме је да се одмориш“, рече и потапша ме по рамену.

Сједе до мене, обриса руке о шарену кецељу и уздахну дубоко прије него ће отпочети. Цијело вријеме је држала погнуту главу и гледала у своје прекрштене руке. Није имала разлога да слаже. Причала је:

„…Марта је умрла на породу. Кажу да нико никада није видио савршеније биће ни у том самртном часу. Родила је предивну дјевојчицу плаве косице и бјелог прозирног тена. Марија је пала поред Мартина кревета, а кад је дошла себи, легла је поред ње. Тако су је људи затекли. Бабица је умотала дјете, предала га укоченом Стојану и побјегла из куће. Кад се Стојан мало освестио само је нестао са дјететом у рукама. Никад нисам видјела толико бола, кајања и горчине у једном човјеку него тада, када сам га видјела да стоји над каналом. Завежљај у његовој руци се клатио над водом и, да нисам чула дјечји плач, прошла би.

Стојан је осјетио како стојим иза њега и само је рекао 'Не могу'. Спустио је завежљај крај мојих ногу и отишао.

Кажу да Марија никад ријеч више није проговорила, осим једном, када је отишла код Неде и рекла јој 'Када дође Душан, реци да је Марта отишла у Њемачку'. После се завила у црно и копнила дан за даном, загледајући у малу дјецу по туђим двориштима, док људи нису почели склањати дјецу од ње.

Дјевојчица је била крхка и преслаба да би преживјела. Однијела сам је у кућу своје ћерке, која је у то вријеме још дојила своје. Одбила је сису и није издржала другога дана.

Стојан је, недуго после Мартине смрти, нестао у рану зору. Причали су да су га видјели голог голцијатог како упада у бразде, зашавши на њиве у непрегледној равници. Говорило се да се чуло како је викао 'Проклети бајем!'."

Ја сам је слушао, миран и прибран. Кад је застала са причом, упитао сам је:

„Ко си ти?"

„Газда Микушева кћер", одговорила ми је.

Узео сам свој шињел који се још испаравао, и без ријечи изашао на кишу. Није имала разлога да слаже. „Није ни Неда", пролети му кроз главу.

Монах устаде и крену ка Манастиру. Окрену се још једанпут према Језеру. Паде му на памет па се замисли да ли је карабин већ нагризла вода. Требало би, мисли, прошло је већ доста времена.

Београд, април 2014.

БЕЛЕШКА О ПИСЦУ

Андрејана Дворнић рођена је 1972. године у Книну.
Економски факултет је завршила у Београду.
Пише поезију и прозу.
У књизи „ У име светлости“ (1995.),
објављује своју поезију међу осталим члановима
Књижевног клуба „Никола Тесла“.
Њен први роман објављен је 2012. године под називом
„Боје калеидоскопа“.
Две године након тога (2014.), објављује свој други роман
„Људи од воде“.
Живи и ради као професор у Београду.

НЕКИ НАРОДНИ И ОСТАЛИ ИЗРАЗИ:

Гуњац – део одеће, сако

Бота – грумен

Гумењаши – ципеле од гуме

Сухозид – камена ограда без малтера

Љеса – ограда

Шкуре – ролетне

Травежа – кецеља

Вуштан – врста сукње

Кашун – спремник за жито

Биљац – прекривач од вуне

Сић – канта за воду

Ђубар – гнојиво

Дота – мираз

Каин – лавор

Бајем – бадем

Кацивола – кашика за супу

Рађа – посао

Пањача – ниски узгојни облик шуме

Ланцун – плахта

Преша – журба

Отоман – кауч

Каин- лавор

Каривола – колица

Поњава – креветна плахта

Сламарица – постељина пуњена сламом

Проваљеница – врста сукње

Бошча – марама

ПТСП – посттрауматски стресни поремећај

КПЈ – Комунистичка партија Југославије

УДБА – Управа државне безбедности и тајна полиција
    за време Југославије

САДРЖАЈ

Андрејана Дворнић
ЉУДИ ОД ВОДЕ

Издавач
ПРОМЕТЕЈ, Нови Сад

За издавача
Зоран Колунџија

Дизајн корица
Урош Зељковић

Типографска обрада
Недељко Ковачевић

Илустрације у књизи
Душанка Цупаћ

Коректура, припрема
ПРОМЕТЕЈ, Нови Сад

Штампа
Графонин штампарија, Београд

Тираж 500.

http://www.prometej.co.rs
E-mail: redakcija@prometej.co.rs

ISBN 978-86-515-0982-0

CIP - Каталогизација у публикацији
Библиотека Матице српске, Нови Сад

821.163.41-31

ДВОРНИЋ, Андрејана
    Људи од воде / Андрејана Дворнић. - Нови Сад : Прометеј,
2014 (Београд : Графонин штампарија). - 263 стр. ; 20 cm

Тираж 500.

ISBN 978-86-515-0982-0

COBISS-SR-ID 290502663